SOMMAIRE GÉNÉRAL

1,2,3, JE CRÉE...
TOUT POUR M'AMUSER
est la compilation des adaptations françaises de
MY FANCY DRESS BOOK, © Salamander Books Ltd., 1993
MY CRAFT BOOK, © Salamander Books Ltd., 1992
MY MAGIC BOOK, © Salamander Books Ltd., 1993
MY NATURE CRAFT BOOK, © Salamander Books Ltd., 1993
Londres, Grande-Bretagne

ÉDITIONS ORIGINALES
Direction éditoriale : Veronica Ross
Direction artistique : Rachael Stone
Photographie : Jonathan Pollock, assisté de Peter Cassidy
Secrétariat de rédaction : Judith Casey, Constance Novis, Coral Walker
Maquette : Anita Ruddell, Alison Walson
Illustrations : Alan Dart, John Hutchinson, Jo Gapper, Teri Gower, Caroline Green, Stan North, Malcolm Porter, Stephen Seymour

ADAPTATION FRANÇAISE
Traduction : Anne Davis
Maquette : Jean-Yves Barillec, Gérard Gagnepain, Sylvain Soussan

COMPILATION
Équipe de Sélection du Reader's Digest :
Direction éditoriale : Gérard Chenuet
Responsables du projet : Philippe Leclerc, Caroline Lozano
Lecture-correction : Emmanuelle Dunoyer
Fabrication : Frédéric Pecqueux

Réalisation de la compilation : Agence Media
Couverture : Agence Media

ISBN : 2-7098-0977-X

PREMIÈRE PARTIE

1, 2, 3, JE CRÉE...
MES DÉGUISEMENTS

CHERYL OWEN

Fantaisie, gaieté et imagination caractérisent
cette partie pleine d'idées, qui offre aux enfants
un grand choix de déguisements à réaliser eux-mêmes.
25 costumes différents leur permettront
de se déguiser tantôt en clown malicieux
ou en séduisante sirène, tantôt en épouvantail
ou en poupée de chiffon, en héros de l'espace
ou en monstre menaçant...

Des instructions faciles à suivre, des dessins
colorés illustrant chaque étape et des patrons
simplifiés leur montreront clairement comment
créer tous les costumes présentés.

PREMIÈRE PARTIE

MES DÉGUISEMENTS

SOMMAIRE

INTRODUCTION

1, 2, 3, je crée... mes déguisements **est un livre plein d'imagination et de couleurs qui t'aidera à confectionner des costumes de carnaval grâce à des explications simples illustrées étape par étape. Avec tes amis, tu pourras fabriquer une tenue de Monsieur muscles, ou de clown, ou bien un gentil lion pour organiser un spectacle sur le thème du cirque, ou bien encore un costume de vampire, de sorcière ou de diable, parfait pour le mardi gras.**

N'utilise jamais de fer à repasser ou de machine à coudre sans l'aide d'un adulte.

Fais très attention lorsque tu utilises des ciseaux pointus, des aiguilles ou des épingles.

AVANT DE COMMENCER

- Avant toute chose, demande à un adulte de regarder avec toi ce dont tu as besoin.
- Lis bien les instructions avant de t'y mettre.
- Réunis tout ce dont tu as besoin.
- Recouvre la table sur laquelle tu vas travailler avec du papier ou un morceau de tissu usagé.
- Protège tes vêtements avec un tablier ou enfile de vieux habits.

QUAND TU AS TERMINÉ

- Nettoie tout. Range les feutres, la peinture, la colle, les épingles et les aiguilles, etc., dans un vieux pot de plastique ou une boîte à biscuits.
- Lave les pinceaux et n'oublie pas de remettre les capuchons des feutres, des tubes de peinture ou de colle.

PRUDENCE !

Fais très attention quand tu utilises un objet chaud ou pointu. Tu dois être capable de réaliser seul presque tout ce qui se trouve dans ce livre, mais parfois il te faudra de l'aide. La mention ATTENTION t'indiquera les projets qui nécessitent l'aide d'un adulte.

Rappelle-toi ces règles de base :

- Ne laisse jamais les ciseaux ouverts, ou même fermés, près d'enfants plus petits que toi, qui risquent de les attraper.
- Quand tu ne les utilises pas, pique les aiguilles et les épingles dans une pelote à épingles ou sur un petit morceau de tissu.
- Ne te sers jamais d'un fer à repasser, de ciseaux pointus ou d'une machine à coudre sans l'aide ou la surveillance d'un adulte.

MATÉRIEL

Avant d'acheter quoi que ce soit pour fabriquer un costume, cherche dans la maison, avec un adulte, si tu ne peux pas trouver des morceaux de tissu ou de laine.
Demande à ta famille ou à tes amis s'ils n'ont pas des vieux habits que tu pourrais transformer, ou bien va dans des boutiques où l'on vend des vêtements de seconde main, tu y trouveras beaucoup de tenues amusantes, et aussi des chapeaux, des ceintures, des chaussures et d'autres accessoires.
Commence à collectionner les boutons, les perles, les rubans et les galons qui te serviront à décorer tes costumes.
Tu devras sans doute te procurer des peintures pailletées ou acryliques et du plastique adhésif chez un droguiste ou au rayon spécialisé d'un grand magasin. Quand le projet nécessite du fil de fer très gros, prends le fil utilisé pour les bonsaïs que l'on vend dans les jardineries : c'est un fil de fer très solide, mais qui peut se recourber facilement. Le fil de fer fin peut être remplacé par du fil de fusible ou le fil que les fleuristes mettent autour des fleurs pour en consolider les tiges.

RÉSERVÉ AUX ADULTES

Chaque costume de *Mes déguisements* a été conçu et est expliqué le plus simplement possible. Toutefois, l'usage de certains accessoires tels que le fer à repasser ou les ciseaux pointus est parfois nécessaire. C'est à vous de juger de l'habileté de votre enfant, mais nous vous recommandons de bien lire chaque projet avec lui afin de définir ce qu'il peut entreprendre seul.

ÉQUIPEMENT

Pour fabriquer chaque déguisement, tu trouveras une liste du matériel nécessaire. Pour la plupart des choses dont tu as besoin, il te suffira de fouiner dans la maison, mais demande la permission avant de prendre quoi que ce soit.
Pour faire les patrons, utilise du vieux papier peint, du papier kraft ou encore du papier-calque. Et sers-toi d'un mètre-ruban ou d'une règle pour bien reporter les mesures.
S'il y a une boîte à couture chez toi, demande à y prendre les ciseaux, des épingles, des aiguilles et du fil.
Les ciseaux crantés sont très pratiques, car ils empêchent le tissu de s'effilocher.
Une machine à coudre te sera aussi très utile pour assembler les morceaux de tissu, mais demande à un adulte de t'aider à t'en servir. Range les crayons, les feutres, la colle, les tubes de peinture et les pinceaux dans une boîte spéciale.

LES PATRONS

Tu trouveras à la fin du livre les patrons indispensables à la réalisation de la plupart des costumes que nous te proposons.
Pour bien recopier ces patrons, suis les indications données étape par étape pour chaque déguisement. Certains des patrons portent des mesures précises pour que tu puisses les reporter à la bonne dimension sur ton papier. Tu trouveras toutes les explications à ce sujet à « Confection d'un patron en papier », page 8.
Quand, après avoir réalisé quelques-uns des costumes que nous te proposons, tu te sentiras plus sûr de toi, tu pourras essayer d'inventer tes propres déguisements.
Si tu aimes dessiner, essaie de réaliser tes patrons selon ton imagination.

Prépare tout ce dont tu as besoin avant de commencer et n'oublie pas de nettoyer après !

Lis attentivement les instructions avant de commencer.

L'ABC DE LA COUTURE

Tous les costumes présentés dans *Mes déguisements* sont faciles à réaliser, mais avant de commencer, nous te conseillons d'apprendre les techniques de base de la couture. Tu trouveras dans ces pages des instructions détaillées et faciles à suivre et des dessins illustrant chaque étape des techniques que nous avons utilisées dans le livre. Quand l'une des ces techniques est utilisée pour le costume que tu as choisi de faire, nous te renvoyons à ces pages.

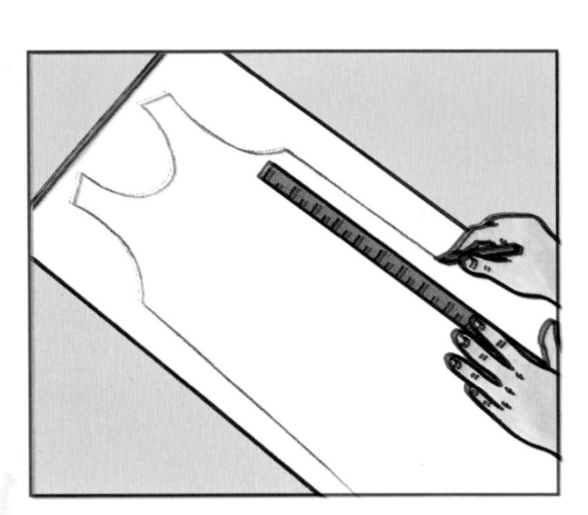

CONFECTION D'UN PATRON EN PAPIER

Pour réaliser un patron de papier grandeur nature à partir du schéma donné à la fin du livre, il te faudra d'abord étendre une feuille de papier peint, de papier kraft ou de papier-calque sur une surface plane. Puis tu auras besoin d'un crayon, d'une règle et d'un mètre-ruban. Reporte soigneusement le schéma sur le papier, en suivant les mesures et en commençant par les lignes droites les plus longues. Avant de découper le patron, vérifie à nouveau les mesures et assure-toi que les lignes courbes ont la même allure que sur le schéma. Découpe ensuite le patron en papier.

COUPE DU TISSU

Vérifie les instructions pour voir de combien de morceaux de tissu tu as besoin. S'il te faut couper deux patrons de mêmes forme et dimension, plie le tissu en deux et épingle le patron de papier sur les deux épaisseurs. Puis découpe la forme autour du patron pour obtenir deux morceaux de tissu identiques. Si tu n'as besoin que d'un seul patron, épingle-le sur une seule épaisseur de tissu et coupe-le. Pour la fourrure, ne découpe qu'une seule forme à la fois, et toujours sur l'envers.

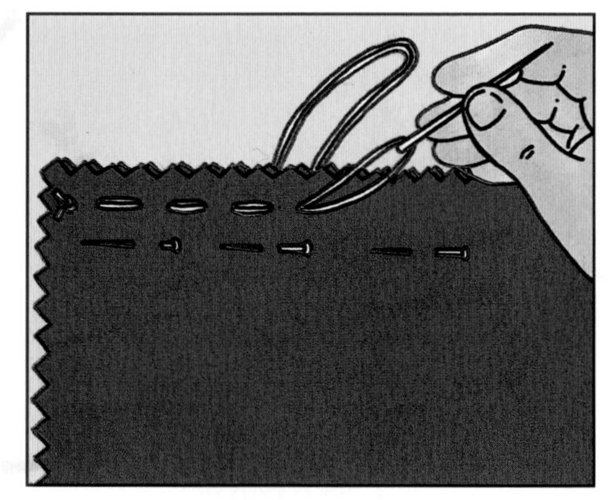

POINT AVANT

Pour coudre des morceaux de tissu ensemble, on utilise le point le plus simple, le point avant. À moins que l'on ne te demande de faire autrement, place les morceaux du costume endroit contre endroit. Épingle les deux morceaux de tissu ensemble en appliquant les bords l'un contre l'autre.
Enfile une aiguille de fil à coudre et fais un nœud à l'une des extrémités.
Puis enfonce l'aiguille à travers la double épaisseur de tissu pour fixer le nœud. Continue à passer l'aiguille des deux côtés des épaisseurs de tissu, comme sur le dessin, en faisant des points de 5 mm, à 1,5 cm du bord. Noue le fil à la fin de la couture.

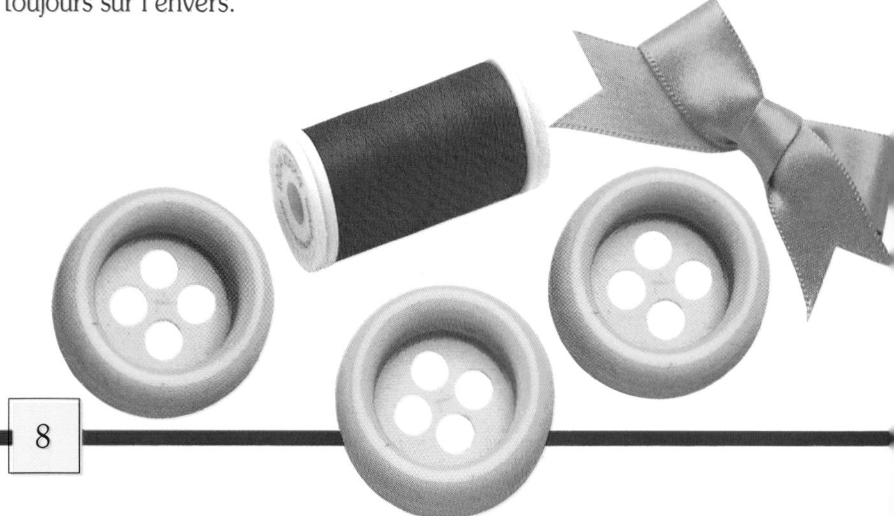

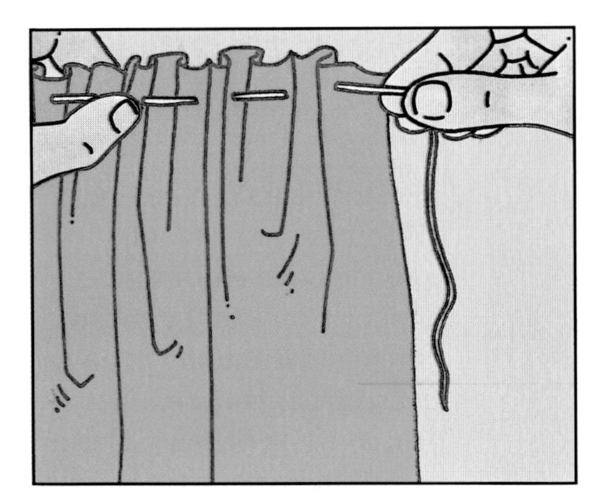

FAIRE DES FRONCES

1. Pour faire des fronces, enfile une aiguille de fil à coudre et fais un nœud à l'une des extrémités. Puis couds une ligne de points avant au travers du tissu avec des points d'environ 13 mm de long, à 1 cm du bord. Ne fais pas de nœud lorsque tu as terminé, mais laisse pendre le fil. Pour réaliser les fronces, tire doucement sur l'extrémité libre du fil en rassemblant le tissu. Si tu dois faire des fronces sur une grande longueur de tissu, divise le côté en quatre ; commence et termine à chacun de ces endroits.

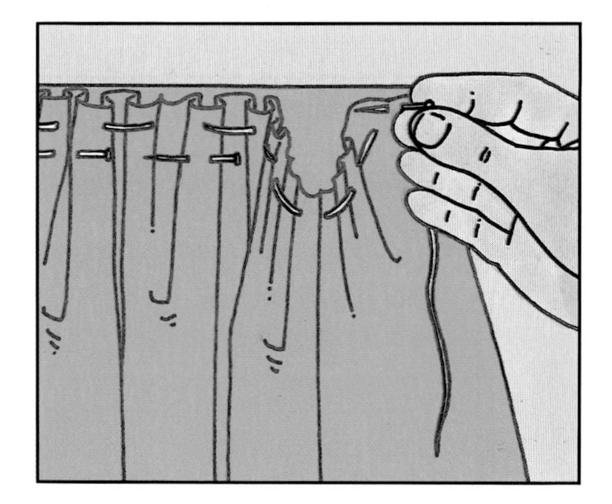

2. Pour attacher le morceau de tissu froncé sur un autre morceau de tissu, forme les fronces jusqu'à ce que les deux morceaux de tissu soient de même longueur et épingle-les ensemble. Couds les deux morceaux de tissu ensemble en faisant des petits points avant.

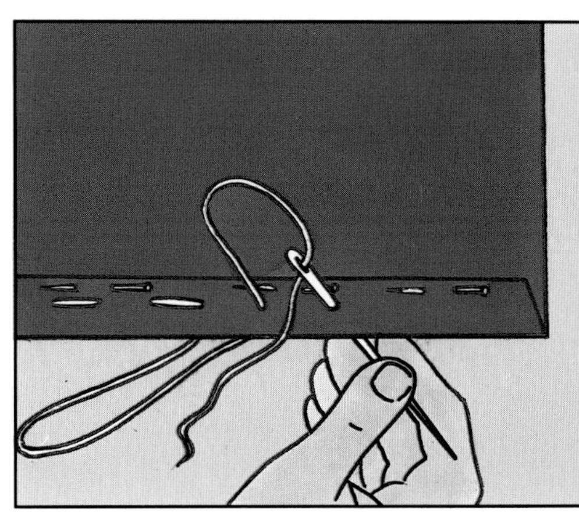

FAIRE UN OURLET

Pour faire un ourlet, rabats une bande de 1,5 cm de large sur l'envers du tissu, et épingle-la. Couds une ligne bien nette au point avant en traversant les deux épaisseurs de tissu. Puis enlève les épingles.

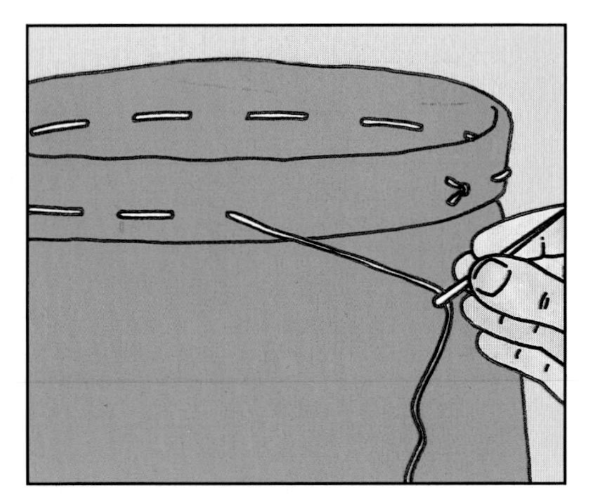

FAIRE UNE COULISSE

1. Pour commencer, rabats une bande de 2,5 cm sur l'envers du tissu. Couds une ligne de points avant à 1,5 cm du pli pour former une sorte de tunnel. Quand tu fabriqueras la blouse de l'artiste peintre et le soutien-gorge ou la queue de la sirène, laisse un petit passage entre le commencement et la fin de ta ligne de points.

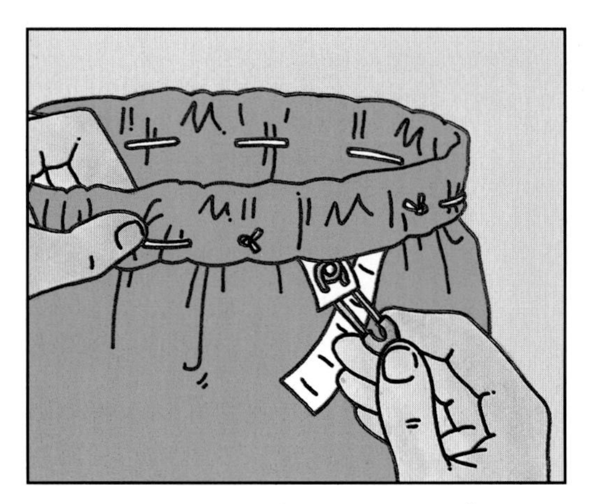

2. Attache une épingle à nourrice à l'une des extrémités de l'élastique, du cordon ou du ruban, et pousse l'épingle dans le passage laissé entre les points. Tu sentiras l'épingle à nourrice sous le tissu. Fais glisser le tissu sur le lien le long de la coulisse. En arrivant au bout, ressors l'épingle à nourrice par le petit passage non cousu. En faisant la blouse de l'artiste peintre et le soutien-gorge ou la queue de la sirène, épingle les deux extrémités de l'élastique ensemble. Essaie le costume et ajuste l'élastique à ta taille en le raccourcissant si nécessaire. Enfin, couds ensemble les extrémités de l'élastique.

LE PAQUET-CADEAU

Quel plus beau cadeau que de t'offrir toi-même ? Tout ce qu'il te faut, c'est une grande boîte en carton et plein de papier cadeau. Le ruban de papier crépon qui entoure le paquet permet de dissimuler les bords des différents raccords de papier cadeau. Quant à la touche finale, c'est le gros nœud de papier crépon qui l'apporte. Enfile la boîte sur un body de danseuse ou un collant et un tee-shirt de même couleur.

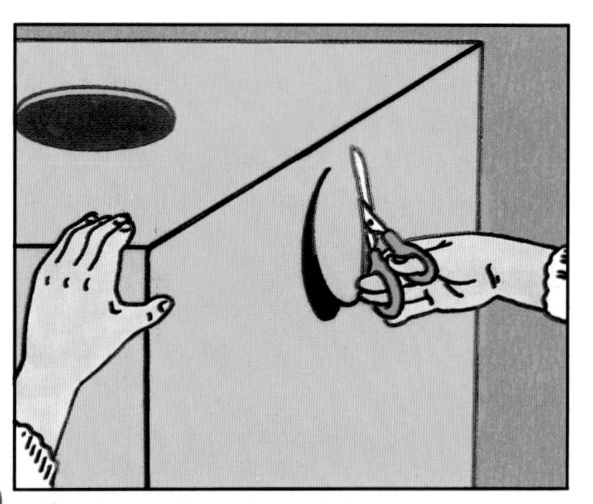

1 Coupe les rabats du bas de la boîte. Découpe un cercle de 42 cm de diamètre sur le haut de la boîte pour passer la tête. Découpe des trous de forme ovale de chaque côté pour passer les bras à 8 cm du haut de la boîte.

IL TE FAUT

Un body de danseuse et une paire de chaussettes
Une grande boîte en carton
2 rouleaux de papier cadeau
Du papier crépon, du ruban adhésif transparent et de la colle universelle
80 cm d'élastique à chapeau
Du carton mince de couleur et des ciseaux
Un crayon-feutre

2 Recouvre la boîte de papier cadeau. Arrange-toi pour que les bords du papier se trouvent au milieu du devant, du haut et du dos de la boîte pour qu'ils soient dissimulés par le ruban de papier crépon. Découpe le papier cadeau aux emplacements des trous prévus pour passer la tête et les bras. Replie les bords de papier à l'intérieur du carton et colle-les.

3 Découpe deux grandes bandes de papier crépon de 18 cm de large et colle-les sur le devant et sur le dos de la boîte. Fais un pli à chaque extrémité des bandes comme sur le dessin, et replie-les à l'intérieur du trou aménagé pour la tête. Colle les extrémités des bandes de papier crépon à l'intérieur du trou.

4 Découpe un grand rectangle de carton mince de couleur pour l'étiquette et coupe-le en pointe à l'une de ses extrémités. Écris ton nom au crayon-feutre sur l'étiquette et colle-la sur la boîte.

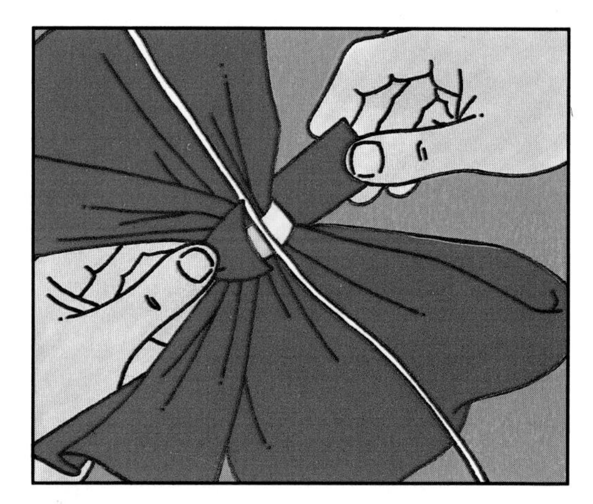

5 Pour faire le gros nœud que tu te mettras sur la tête, découpe une bande de papier crépon de 80 sur 18 cm. Replie les extrémités vers le centre et colle-les. Pince le milieu du nœud et attache-le avec du ruban adhésif. Pour faire les pans du nœud, découpe une bande de papier crépon de 50 sur 18 cm. Colle le centre de la bande au milieu du nœud. Place un élastique à chapeau sur l'envers du nœud et recouvre-le d'une petite bande de papier crépon que tu colleras pour que le tout tienne bien.

L'ARTISTE PEINTRE

Peins la ville en rouge, en jaune ou en bleu, vêtu de ce vrai costume d'artiste. Choisis une vieille chemise pour faire la blouse de peintre et, après en avoir raccourci les manches, porte-la devant derrière. La palette est faite d'un morceau de carton épais décoré de taches de peinture, et la barbe te donnera une allure très bohème.

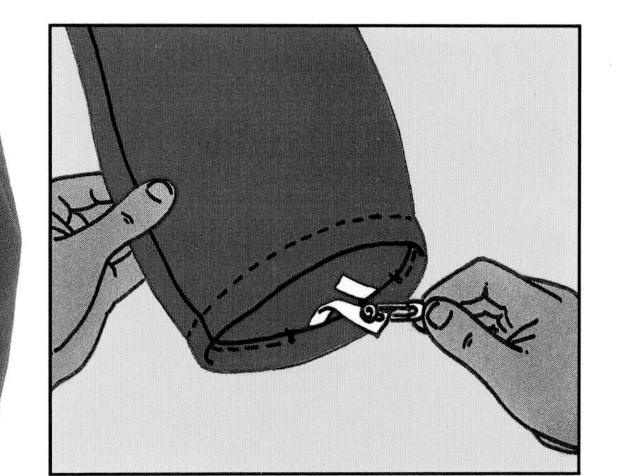

1 Pour faire la blouse de l'artiste, coupe les poignets de la chemise. Fais une coulisse au bas de chaque manche (voir page 9) et passe un morceau d'élastique de 18 cm de long dedans. Porte la chemise devant derrière en relevant les manches, et couds un grand nœud de ruban noir au niveau du cou.

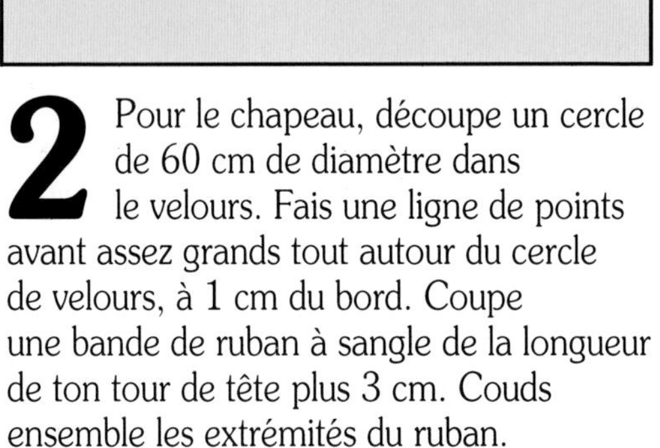

2 Pour le chapeau, découpe un cercle de 60 cm de diamètre dans le velours. Fais une ligne de points avant assez grands tout autour du cercle de velours, à 1 cm du bord. Coupe une bande de ruban à sangle de la longueur de ton tour de tête plus 3 cm. Couds ensemble les extrémités du ruban.

ATTENTION : *N'utilise pas le fil de fer sans l'aide d'un adulte.*

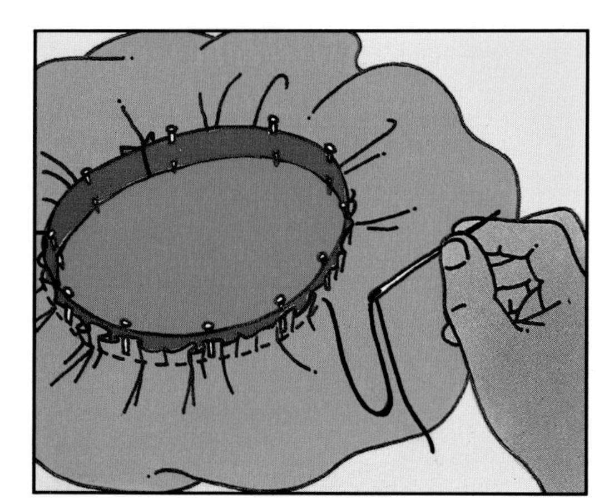

3 Rétrécis le tour du cercle de velours en tirant sur le fil pour qu'il corresponde exactement au cercle de ruban à sangle. En mettant le velours à l'envers, épingle le ruban sur l'intérieur du bord du chapeau froncé comme sur le dessin. Fixe les fronces en les cousant sur le ruban. Retourne le chapeau sur l'endroit.

4 Pour faire la barbe, recourbe le fil de fer sur une oreille, passe-le sous ta bouche en remontant vers l'autre oreille. Demande à un adulte de t'aider. Recouvre le fil de fer de ruban adhésif en entourant bien les extrémités pour que cela soit confortable et ne te blesse pas les oreilles. Découpe des bouts de laine de 16 cm de long.

5 Plie les longueurs de laine en deux. Fixe-les sur le fil de fer en passant les extrémités des bouts de laine dans la boucle comme sur le dessin. Découpe une palette dans un morceau de carton épais beige. Déposes-y un peu de peinture acrylique de différentes couleurs et laisse durcir.

IL TE FAUT

Une vieille chemise d'homme
Un de tes vieux pantalons
70 cm de velours vert
en 90 cm de large
36 cm d'élastique
60 cm de ruban à sangle
Une longueur de ruban noir très large
De la laine grise
40 cm de fil de fer épais
Du ruban de plastique adhésif
Du carton épais beige
Des peintures acryliques
Une aiguille et du fil
Des ciseaux et un mètre-ruban
Une épingle à nourrice
Des sandales et un pinceau

LE GENTIL LION

Tu auras l'air d'un vrai roi de la jungle dans ce superbe costume. Il te faut un body de danseur jaune, mais tu peux aussi porter un tee-shirt et un collant ou un caleçon de même couleur.

1 Pour faire le masque, dessine les tracés de la face et du museau des patrons des pages 78 et 79 sur du papier-calque et reporte-les sur le carton jaune en repassant sur le contour avec un crayon. Les patrons vont apparaître sur le carton. Découpe-les. Dessine les détails de la tête du lion avec un crayon-feutre et découpe les trous pour les yeux.

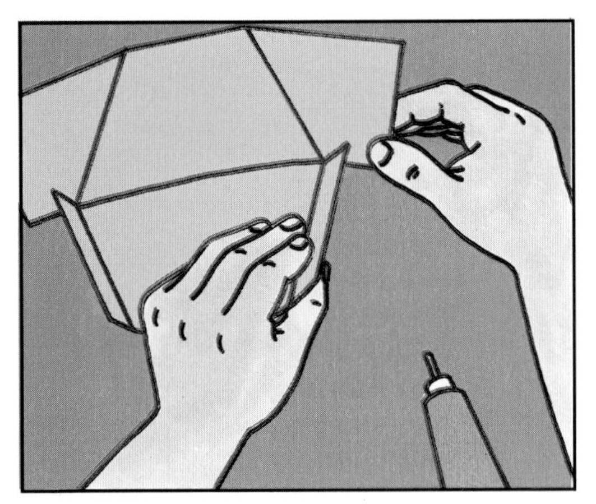

2 Replie les bords arrière du museau le long des lignes tiretées. Efface toutes les traces de crayon. Replie les bandes de côté du museau et colle-les sous les bords du devant.

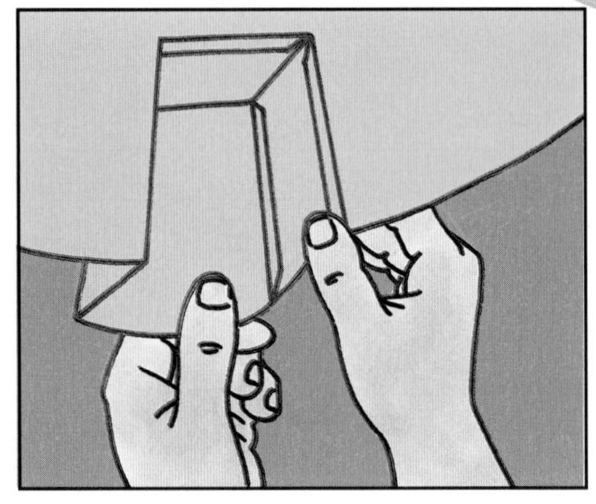

3 Replie les bords de la face du lion le long du tracé du patron. Colle les rabats à l'intérieur du museau comme sur le dessin.

4 Avec une épingle, fais de tout petits trous dans les points indiqués sur le patron. Passe cinq moustaches dans chaque trou. Colle les bouts des moustaches pour qu'elles restent bien en place.

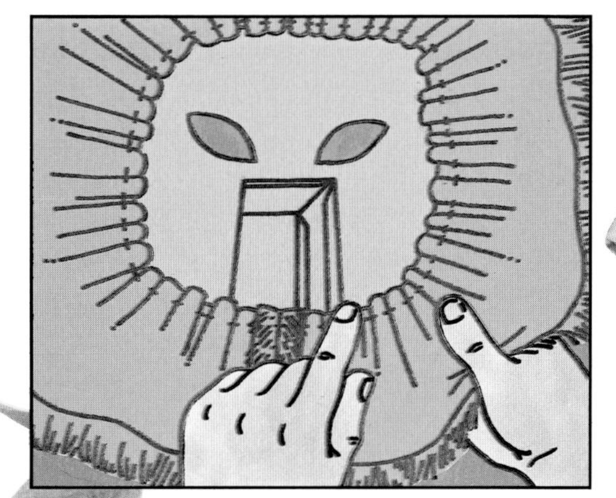

5 Pour la crinière, coupe une bande de fourrure de 137 sur 12 cm. Couds ensemble les deux petits côtés sur l'envers de la fourrure. Avec une grande longueur de fil double, fais des grands points avant le long d'un des côtés longs de la bande et fronce-le pour former un cercle (voir « Faire des fronces », page 9). Colle la crinière à l'arrière du masque. Fais un petit trou à l'endroit des marques indiquées sur le masque et passe un élastique.

6 Pour la queue, coupe une bande de tissu jaune de 70 sur 11 cm. Replie-la en deux et couds les longs côtés ensemble sur l'envers. Retourne-la sur l'endroit. Coupe un carré de 12 cm de fourrure et colle-le autour du bout de la queue. Couds la queue sur la culotte du body.

IL TE FAUT

Un body de danseur jaune
Une paire de chaussettes jaunes
30 cm de fourrure synthétique jaune doré à longs poils en 137 cm de large
20 cm de tissu jaune en 90 cm de large
Du papier-calque et un crayon
Du carton jaune et de l'élastique à chapeau
Une aiguille, du fil et des ciseaux
Des moustaches noires (à acheter dans les magasins spécialisés)
Un crayon-feutre noir, de la colle et une épingle

LE PETIT DIABLE

Ce costume impressionnant sera parfait pour le mardi gras. Tu fabriqueras la cape dans un satin d'un beau rouge vif et tu la porteras sur une chemise de nuit ou une robe tee-shirt longue de couleur foncée. La fourche du diable est en carton recouvert de plastique adhésif collé sur un manche à balai peint en rouge.

1 Pour faire la cape, découpe un rectangle de satin rouge de 130 cm de long sur 120 cm de large. Fais un ourlet tout autour (voir page 9).

2 Fais un rentré de 1,5 cm à chaque extrémité de l'extrafort et couds-le. Épingle l'extrafort sur l'envers de la cape à 9 cm d'un des petits côtés. Couds l'extrafort sur ses deux longueurs pour former une coulisse. Attache une épingle à nourrice à l'une des extrémités du ruban rouge étroit et fais-le glisser dans la coulisse. Tu sentiras l'épingle au travers du tissu, ce qui t'aidera à faire glisser le ruban.

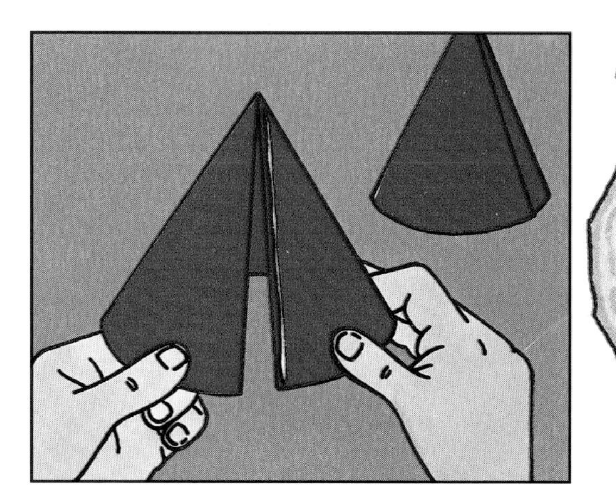

3 Décalque le patron de la corne de la page 79 et découpe-le. Reporte le patron sur une double épaisseur de plastique adhésif et maintiens-le avec du ruban adhésif. Découpe deux cornes. N'enlève pas le papier protecteur du plastique adhésif. Fais se chevaucher les deux bords de la corne et colle-les ensemble. Fais un trou de chaque côté de ces deux cornes et passes-y l'élastique. Fais un nœud à l'élastique près de chaque trou, en laissant des deux côtés une longueur d'élastique que tu noueras derrière ta tête.

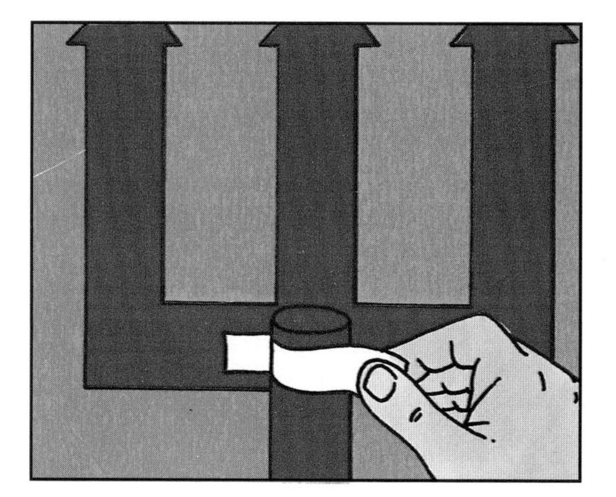

4 Pour faire la fourche, recouvre les deux faces d'un morceau de carton épais avec du plastique adhésif. Découpe la forme d'une fourche en t'inspirant de l'illustration. Passe de la peinture rouge sur les bords coupés. Peins aussi en rouge le manche à balai et laisse-le sécher. Fixe le manche à balai au dos de la fourche avec du ruban adhésif.

IL TE FAUT

1,40 m de satin rouge en 150 cm de large
1,80 m de ruban rouge de 13 mm de large
1,40 m de ruban rouge de 3 cm de large
1,25 m d'extrafort rouge
70 cm d'élastique à chapeau
Du plastique adhésif rouge
Une aiguille et du fil
Du carton épais et des ciseaux
Un manche à balai
Du papier-calque et un crayon
De la gouache rouge et un pinceau
Du ruban adhésif et une épingle à nourrice

5 Décalque le patron de la queue de la page 79. Suis les instructions de l'étape 3 pour couper deux bouts de queue dans le plastique adhésif. Enlève le papier protecteur d'une des parties de la queue et colle-la sur le ruban large. Colle les deux morceaux de queue ensemble en maintenant le ruban au milieu. Attache la queue au dos de la chemise de nuit avec une épingle à nourrice.

LE PEAU-ROUGE

Parfait pour une fête en extérieur, ce costume de Peau-Rouge est fait d'une vieille chemise effrangée et portée devant derrière. Confectionne de fausses nattes avec de la laine et complète ton déguisement avec des colliers en bois, des sandales lacées et, évidemment, des peintures de guerre !

IL TE FAUT

Une vieille chemise d'homme en laine
20 cm de tissu rouge
en 90 cm de large
60 cm de galon
De la laine rouge
et de la laine noire
4 élastiques
Une aiguille et du fil
Des ciseaux et des ciseaux crantés
3 plumes
Une paire de sandales (des tongs, par exemple)
Des crayons à maquillage pour enfants et des colliers en bois

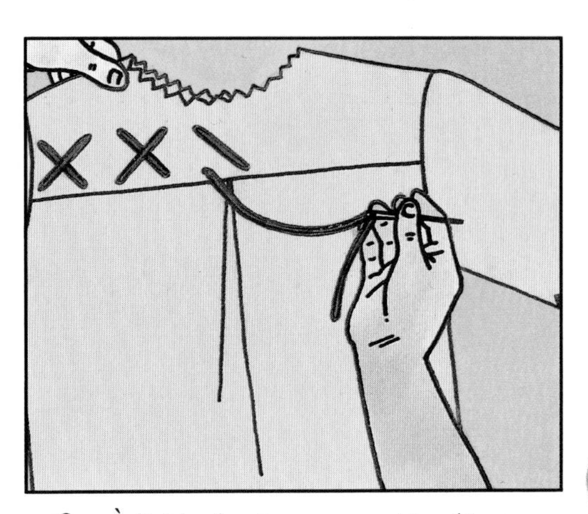

1 À l'aide de ciseaux crantés, découpe l'encolure, les poignets et l'ourlet de la chemise. Fais des franges dans le bas des manches et de la chemise. Avec de la laine rouge, brode de grandes croix sur le dos de la chemise, comme sur le dessin. Porte la chemise devant derrière.

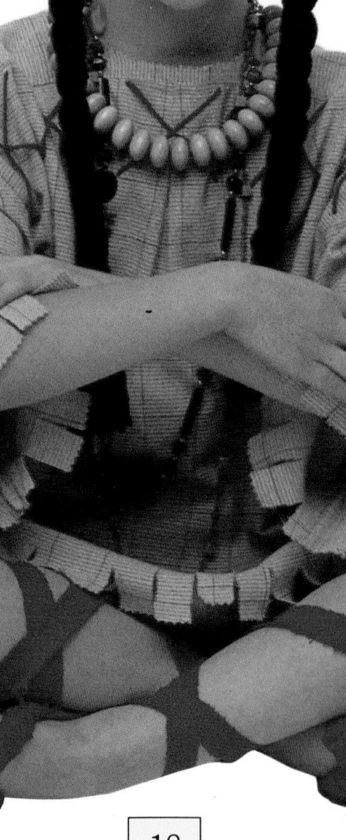

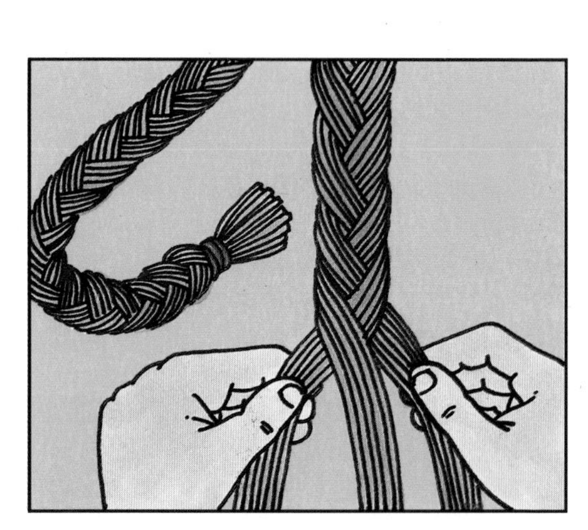

2 Pour faire les nattes, coupe une soixantaine de brins de laine noire longs chacun de 50 cm. Divise la laine en deux parties et attache chacune d'elles à un bout avec un élastique. Natte chaque moitié comme indiqué sur l'illustration. Attache l'autre bout de chaque tresse avec un élastique.

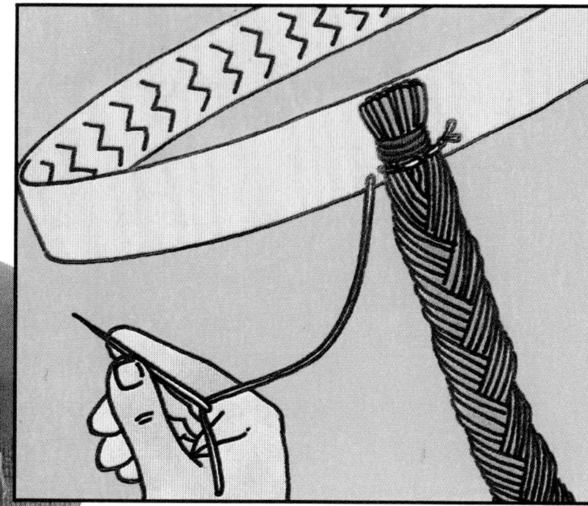

3 Couds ensemble sur l'envers les extrémités du galon. Couds une natte de chaque côté du bandeau et retourne la coiffure sur l'endroit. Découpe le tissu rouge en 7 bandes de 90 cm de long sur 2 cm de large. Coupe une des bandes en deux pour en nouer le bout de chaque natte. Colle trois plumes à l'intérieur de la coiffe.

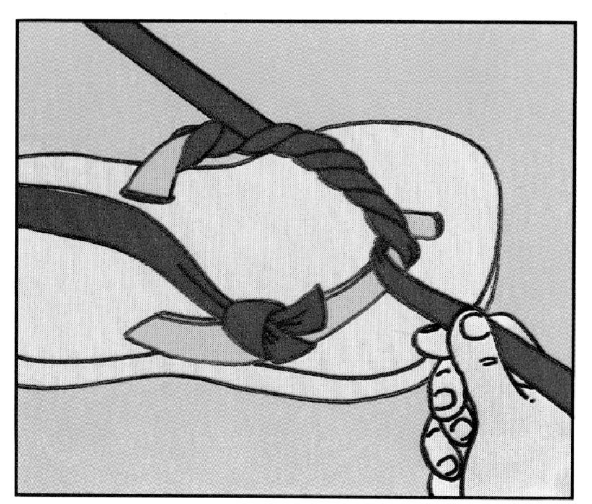

4 Attache une bande de tissu rouge de chaque côté des sandales. Puis entoure les lanières des sandales d'une autre bande de tissu rouge en collant les extrémités de la bande à chaque bout. Lorsque tu mettras les sandales, lace les bandes autour de tes jambes comme sur la photo et noue-les sur le côté.

LE DIABLE À RESSORT

Tu feras un triomphe dans n'importe quel bal masqué avec ce costume de diable à ressort. Si tu n'as pas de body de danseur, un tee-shirt et un pantalon (ou un caleçon) assortis feront l'affaire. Dessine un ressort sur le body avec un feutre pour tissu pour faire croire que tu viens juste de surgir de ta boîte.

IL TE FAUT

Une grande boîte en carton
Un body de danseur blanc
Du carton rouge et du carton blanc
Du papier crépon
et du plastique adhésif
2 m de cordelette verte
3 m de ruban large à pois
Des attaches parisiennes
Un feutre noir pour tissu
Des gommettes
Du ruban de plastique adhésif
Des petits jouets (ours ou poupées)
De la colle universelle
Une agrafeuse et des ciseaux

1 Pour faire le chapeau, découpe une bande de carton rouge de 60 sur 12,5 cm et deux bandes de carton blanc de 60 sur 2,5 cm. Colle les bandes blanches le long des grands côtés de la bande rouge. Fais se chevaucher les bords de la bande et fixe-la en passant des attaches parisiennes au travers des bandes blanches comme sur le dessin. Demande à un adulte de t'aider. Aplatis les branches des attaches sur le carton.

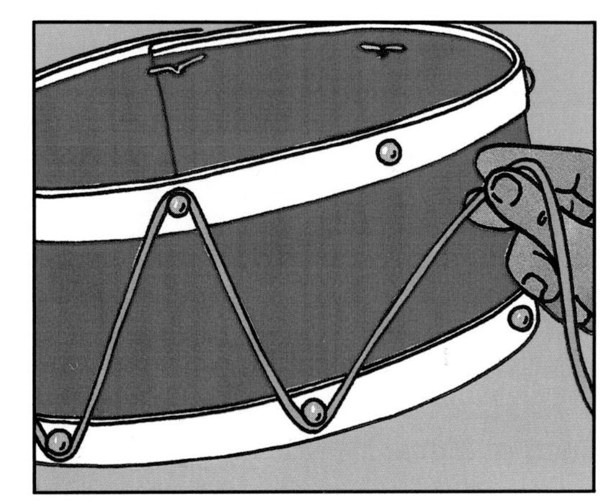

2 Enfonce des attaches parisiennes tout le long de la bande blanche du haut, tous les 9,5 cm. Fais la même chose sur la bande blanche du bas, en intercalant les attaches avec celles du haut. Passe une cordelette de haut en bas entre les attaches et fixe les bouts ensemble. Recouvre le dos des attaches avec du ruban adhésif.

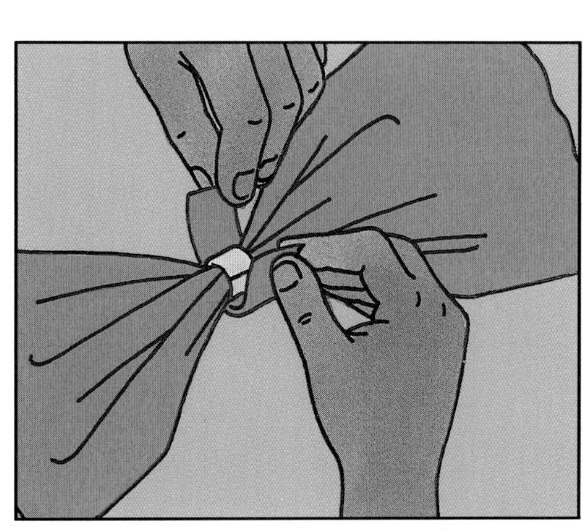

3 Pour le nœud, coupe un rectangle de papier crépon de 28 sur 16 cm. Resserre le centre pour former le nœud et attache-le avec du ruban adhésif. Recouvre le ruban adhésif d'une petite bande de papier crépon dont tu colleras les extrémités ensemble au dos du nœud. Couds le nœud à l'encolure du body.

4 Découpe les rabats du carton, en haut et en bas. Recouvre la boîte de plastique adhésif. Décore le nœud et la boîte avec des gommettes et des triangles découpés dans du plastique adhésif.

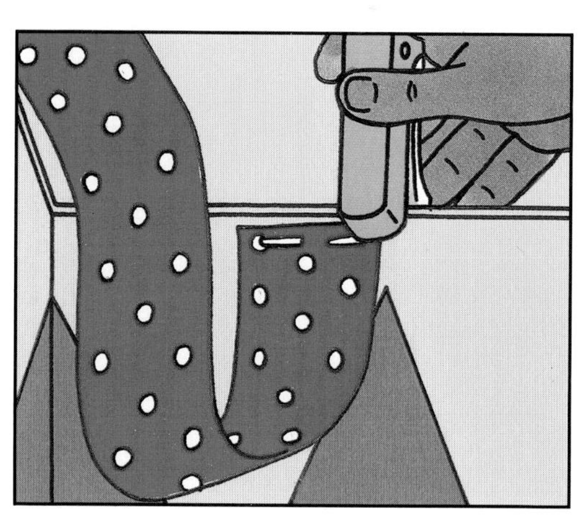

5 Coupe le ruban en deux et agrafe un bout de chaque moitié en haut de la partie arrière de la boîte. Essaie la boîte et passe les rubans sur tes épaules. Ajuste la longueur des rubans et agrafe les autres extrémités sur le devant de la boîte. Fixe des jouets à l'intérieur de la boîte avec du ruban adhésif.

SCARLETT O'HARA

Cette ravissante robe, tu vas la fabriquer avec des grands sacs poubelle ! Tu trouveras ces sacs de 100 litres dans les supermarchés ou les jardineries. Même les roses sont fabriquées avec des sacs en plastique. Si tu ne trouves pas de sacs verts, tu peux choisir une autre couleur.

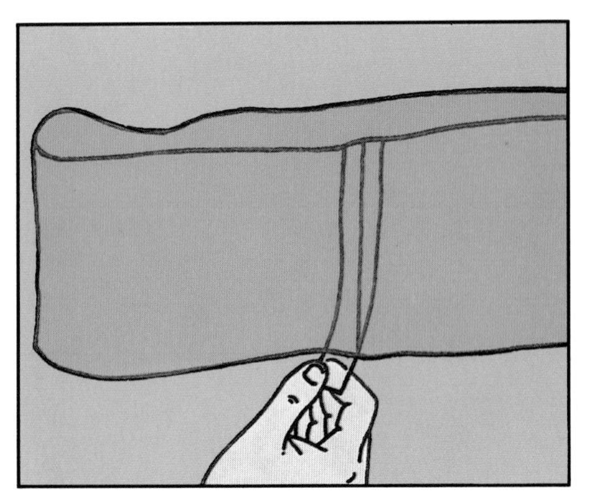

1 Découpe l'encolure d'un tee-shirt de manière à pouvoir l'enfiler sans forcer. Puis coupe deux bandes de 90 sur 18 cm dans des sacs poubelle en plastique. Raccorde les deux bords les plus courts avec du ruban adhésif.

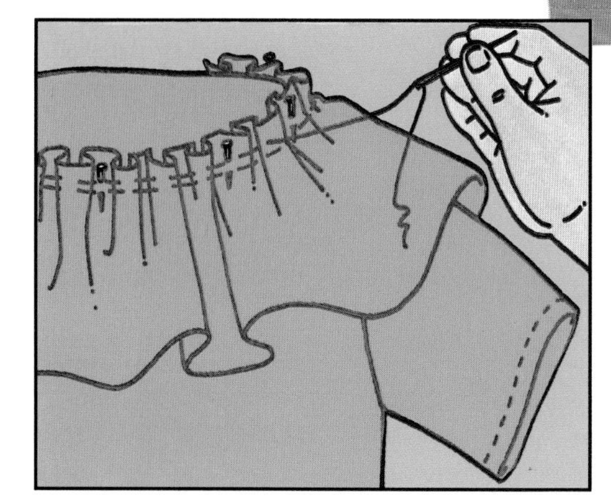

2 Pour fabriquer la collerette, fais une double ligne de points avant tout au long de la bande de plastique sur son plus grand côté, à 3 cm du bord supérieur. Tire sur les fils pour former des fronces et applique cette collerette sur l'encolure du tee-shirt (voir « Faire des fronces », page 9). Lorsque les fronces s'appliquent parfaitement à l'encolure, couds ensemble la bande de plastique et le tee-shirt.

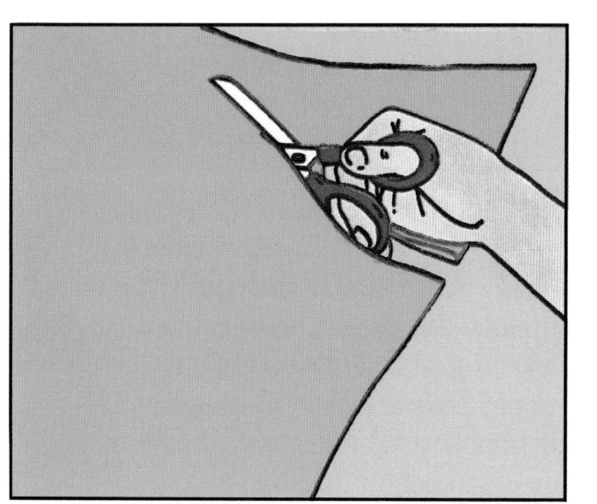

3 Pour faire la jupe, découpe deux rectangles de 80 sur 50 cm dans des sacs poubelle en plastique. Place les côtés courts bord à bord et colle-les avec du ruban adhésif pour ne former qu'une seule longue bande.
(Suite page suivante.)

IL TE FAUT

Un tee-shirt et une paire de gants de même couleur
Des sacs poubelle en plastique et des petits sacs de plastique de couleur
Du plastique adhésif rouge
80 cm de ruban, du Velcro adhésif
Du ruban adhésif double face
Du ruban adhésif transparent
Une aiguille, du fil et une agrafeuse
Des ciseaux et un mètre-ruban
Un parapluie d'enfant
2 peignes à cheveux

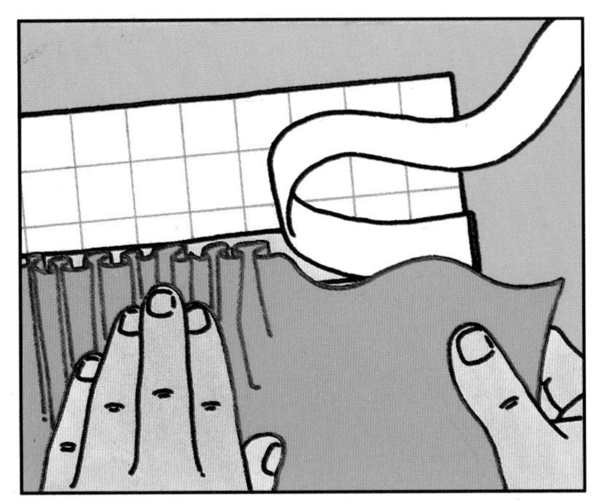

4 Pour la ceinture, coupe une bande de plastique adhésif de 5 cm de large et assez longue pour entourer ta taille en comptant 5 cm de plus. Colle une bande de ruban adhésif double face sur la partie la plus longue de la bande. Petit à petit, ôte le papier protecteur du ruban double face et applique dessus l'un des longs côtés de la jupe en tirant sur les fils pour former les fronces et l'adapter à la ceinture.

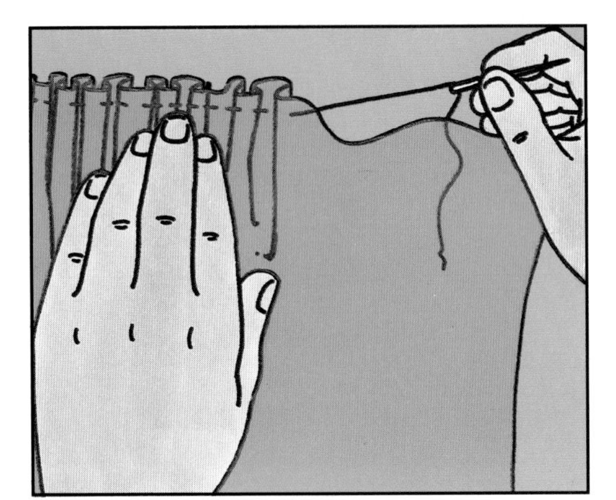

5 Pour faire le volant de la jupe, coupe trois rectangles de 80 sur 44 cm dans des sacs poubelle. Fixe les bords des côtés les plus courts ensemble avec du ruban adhésif transparent pour former une longue bande. Fais une ligne de points avant à 3 cm du haut de la bande sur toute la longueur, et forme des fronces comme à l'étape 2.

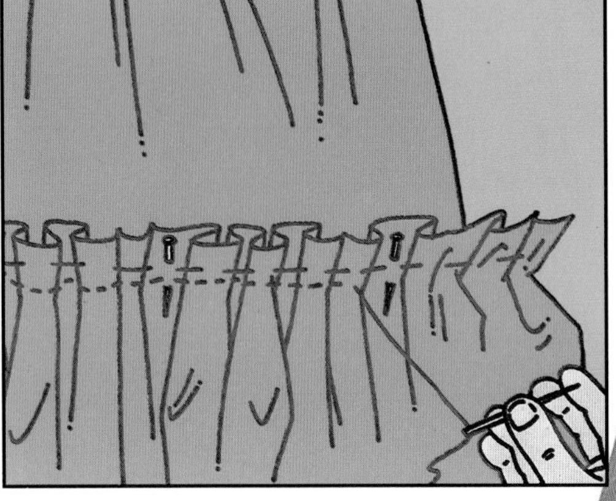

6 Épingle le volant sur le bas de la jupe. Tire doucement sur le fil pour que les fronces s'appliquent parfaitement à la jupe, et couds le volant en place. Colle la jupe et le volant ensemble sur l'envers avec du ruban adhésif transparent. Attache les extrémités de la ceinture avec le Velcro adhésif.

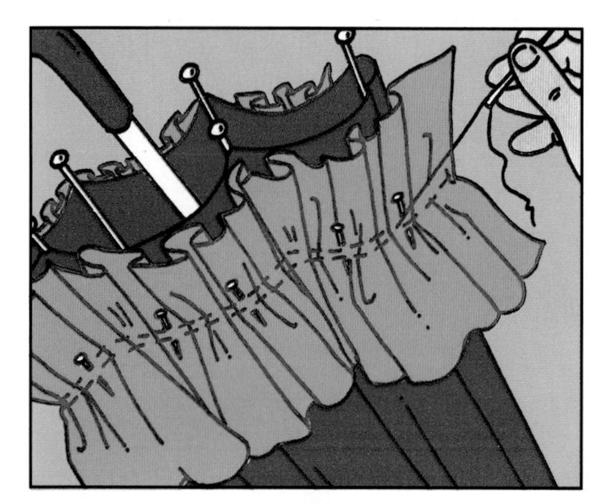

7 Pour faire le volant de l'ombrelle, coupe trois bande de 1 m sur 12 cm dans des sacs poubelle. Colle les bords les plus courts ensemble pour former une seule longue bande. Couds une ligne au point avant au milieu de la bande et forme des fronces comme précédemment. Épingle le volant sur le parapluie et tire doucement sur le fil pour que les fronces s'appliquent parfaitement. Couds le volant. Attache un nœud en ruban à la poignée.

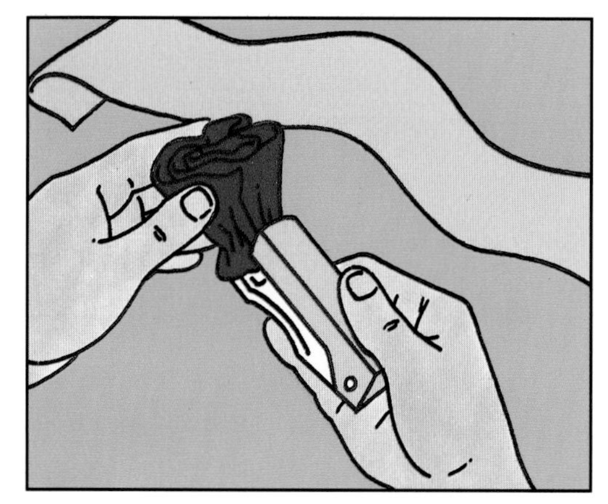

8 Fais les roses. Coupe des bandes de plastique de 50 sur 13 cm pour les grosses roses, et de 35 sur 8 cm pour les petites, dans des sacs en plastique de différentes couleurs. Plie les bandes en deux sur toute la longueur. En partant d'une des extrémités, forme des petits plis en les agrafant sur la partie basse de la bande à intervalles réguliers jusqu'à former une fleur. Couds des petites roses sur les gants, l'ombrelle et les peignes. Couds les roses les plus grosses sur la jupe et le tee-shirt.

MONSIEUR MUSCLES

Avec ce costume, tu seras le roi de la fête. Dessine-toi une grosse moustache et des tatouages colorés avec du maquillage et en avant !

1 Pour faire la tunique, il te faudra d'abord fabriquer un patron en taille réelle en suivant le schéma de la page 80. Pour comprendre la technique et couper le tissu, reporte-toi aux indications de la page 8. Puis coupe les deux morceaux de la tunique dans la fausse fourrure et fais des découpes dans le bas.

2 Épingle ensemble les deux morceaux de la tunique, endroit contre endroit, puis couds les côtés et les épaules au point avant.

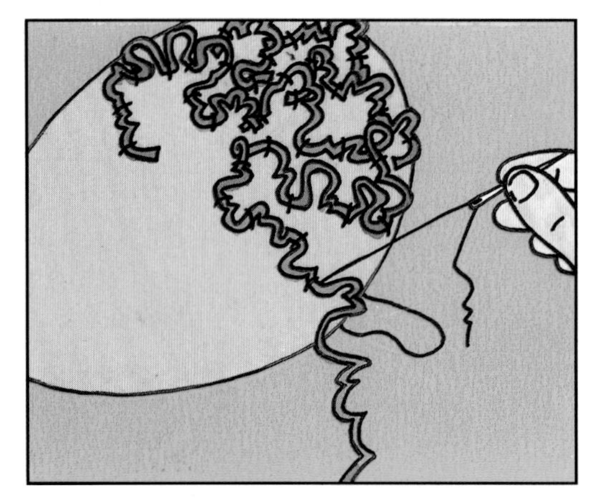

3 Pour les poils de la poitrine, découpe un morceau de jersey de forme ovale. Dispose des brins de laine sur une des faces et couds-les en place. Colle le morceau de jersey sur ta poitrine avec du ruban adhésif double face.

4 Pour les haltères, demande à un adulte de couper un morceau de manche à balai de 45 cm. Colle une balle de caoutchouc à chaque extrémité. Peins en noir les balles et le manche à balai. Laisse sécher.

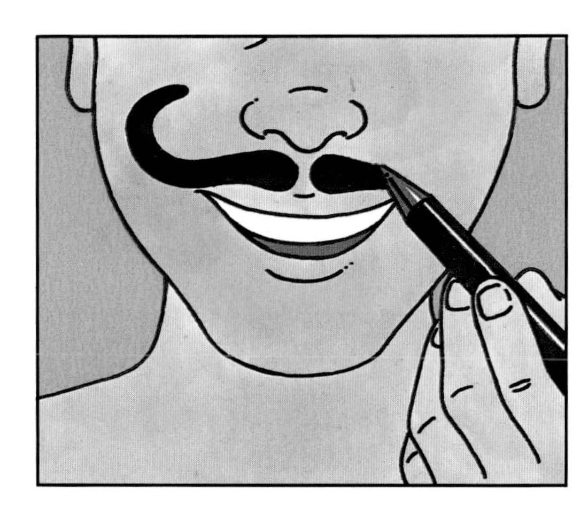

5 Pour parfaire ton déguisement, dessine-toi une grosse moustache avec du maquillage et des tatouages de toutes les couleurs sur les bras.

IL TE FAUT

- 1 m de fausse fourrure en 140 cm de large
- Du jersey et de la laine marron
- Du ruban adhésif double face
- 2 balles en caoutchouc
- Un morceau de manche à balai
- De la colle universelle, des ciseaux
- De la peinture noire et un pinceau
- Une aiguille et du fil
- Du maquillage pour enfants

L'ÉPOUVANTAIL

Ce déguisement bariolé est facile à réaliser et fait beaucoup d'effet. Il te faudra seulement quelques vieux vêtements et une paire de bottes en caoutchouc. Si tu ne trouves pas tout cela à la maison, tu pourras les acheter à très bas prix dans une boutique de vêtements d'occasion.

IL TE FAUT

Une vieille chemise, un vieux pantalon et un chapeau
Des morceaux de tissu, des brins de paille, une aiguille et du fil
Une paire de bottes en caoutchouc
Du papier-calque et un crayon
De l'élastique à chapeau
et de l'élastique de 2 cm de large
De la colle universelle

1 Fais des découpes au bas des manches d'une vieille chemise et des jambes d'un vieux pantalon. Découpe des morceaux de tissu de couleurs différentes et couds-les sur la chemise et sur le pantalon. Colle des brins de paille au bas des manches de la chemise.

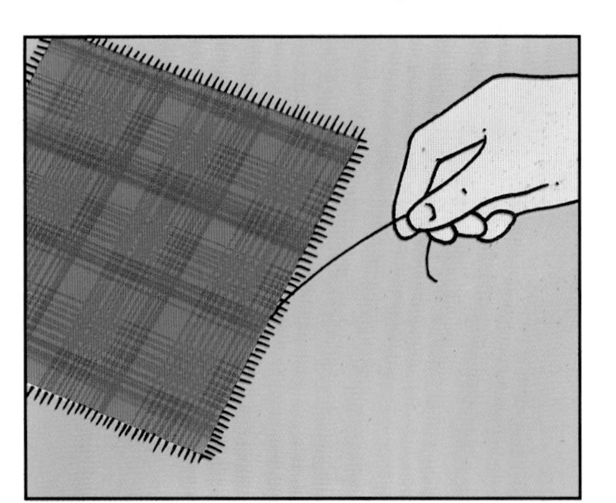

2 Pour le foulard, découpe un carré de tissu. Effiloche-le en tirant trois ou quatre fils de tissu au bord.

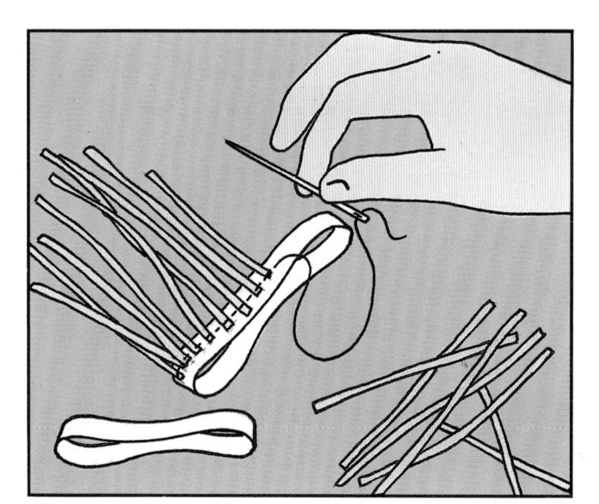

3 Coupe deux longueurs d'élastique large pour les mettre en haut des bottes en caoutchouc. Couds des brins de paille sur les morceaux d'élastique. Fais se chevaucher les extrémités de chaque longueur d'élastique et couds-les. Glisse chaque cercle d'élastique en haut des bottes.

4 Fais une fente sur la calotte du chapeau. Colle de la paille à l'intérieur du chapeau et fais ressortir les brins par la fente. Colle aussi de la paille sur les bords intérieurs et laisse les brins pendre comme des cheveux.

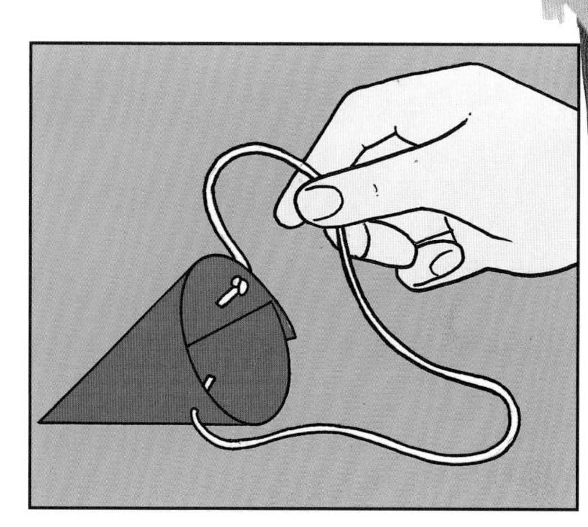

5 Pour faire le nez, reporte le patron de la page 80 sur du papier-calque. Retourne le tracé sur du carton orange et, avec un crayon, repasse sur le contour en appuyant très fort. Le patron apparaîtra sur le carton. Découpe le nez, fais se chevaucher les bords et colle-les ensemble. Fais un trou de chaque côté du nez. Passe un élastique et fais des nœuds à chaque bout, à l'intérieur du nez.

LA POUPÉE DE CHIFFON

Essaie de trouver un tissu très coloré pour faire la robe de la poupée de chiffon. S'il y a une machine à coudre à la maison, demande à un adulte de t'aider à t'en servir pour les coutures de côté plutôt que de les faire à la main. Il te faudra aussi un vieux collant, de la laine pour les tresses et du ruban pour les nœuds. Peins-toi des joues bien roses et des longs cils.

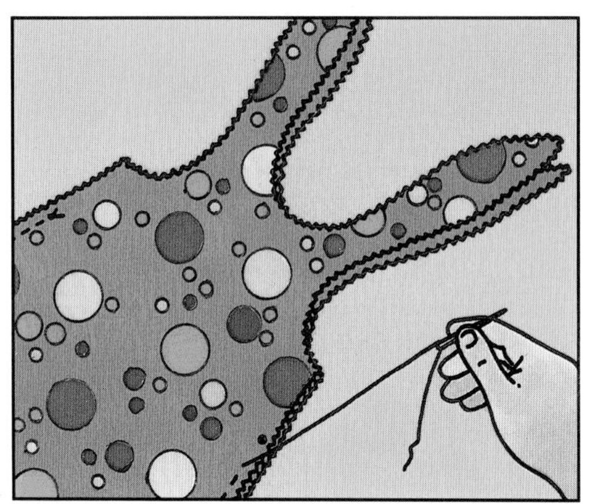

1 Pour la robe, il te faut d'abord faire un patron grandeur nature en suivant le schéma de la page 81. Suis les indications de la page 8 pour le réaliser et couper le tissu. Puis, avec des ciseaux crantés, coupe les deux parties de la robe dans le tissu à pois. Épingle les morceaux ensemble, endroit contre endroit, et couds les côtés au point avant (voir page 8). Laisse une ouverture de 10 cm au niveau des emmanchures.

ATTENTION : *N'utilise pas le fil de fer sans l'aide d'un adulte.*

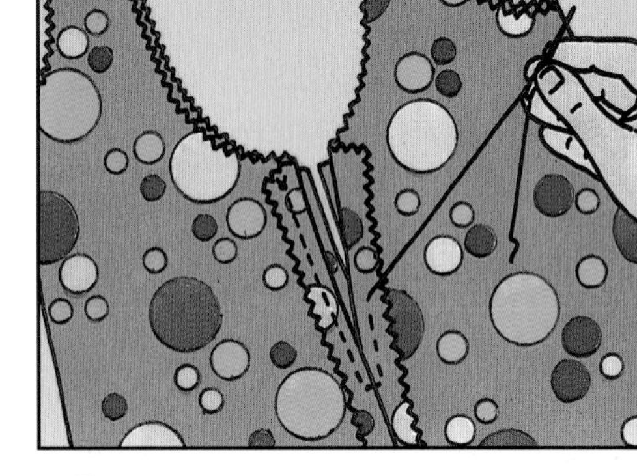

2 Rabats les bords de la couture en haut de chaque côté de la robe et couds-les comme ici. Coupe le ruban étroit en quatre et couds-en un morceau en haut de chaque emmanchure. Retourne la robe sur l'endroit et couds le galon tout autour du bas de la jupe.

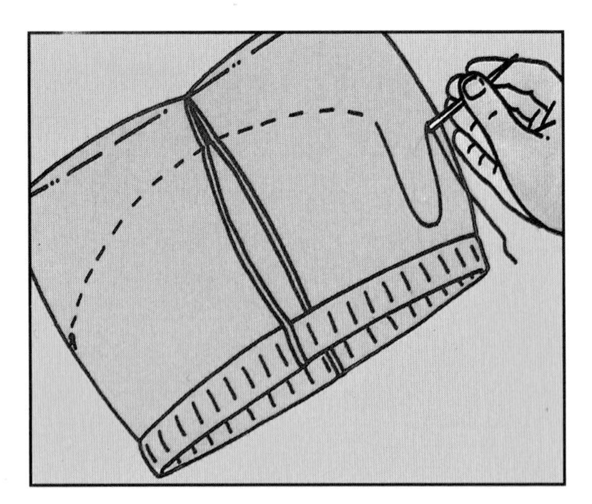

3 Pour la perruque, coupe les jambes d'un collant. Fais coïncider les coutures de devant et de derrière et couds les deux épaisseurs de collant, du côté coupé, en arrondi, pour former une calotte. Retourne la calotte à l'endroit.

4 Coupe une grande quantité de brins de laine de 1 m de long environ. Couds le milieu de chaque brin de laine sur la couture de la calotte. Essaie la perruque et sépare les « cheveux » en deux masses de chaque côté du visage. Attache le haut de chaque partie des cheveux avec un bout de laine. Enlève la perruque et tresse les brins de laine. Attache l'extrémité de chaque natte avec un élastique.

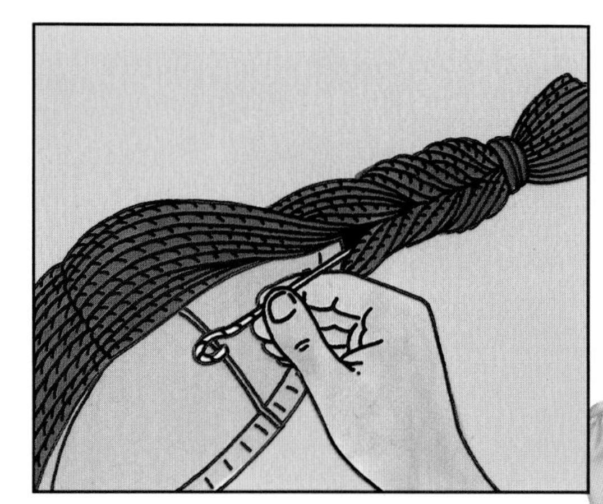

5 Entoure de ruban adhésif les extrémités du fil de fer. Recourbe une des extrémités de chaque morceau de fil de fer pour former une boucle, puis, en partant du haut de la perruque, enfonce l'autre extrémité dans la natte jusqu'au bout. Couds la partie courbe du fil de fer à la perruque. Coupe le ruban large vert en deux et fais un gros nœud au bout de chaque natte pour cacher l'élastique.

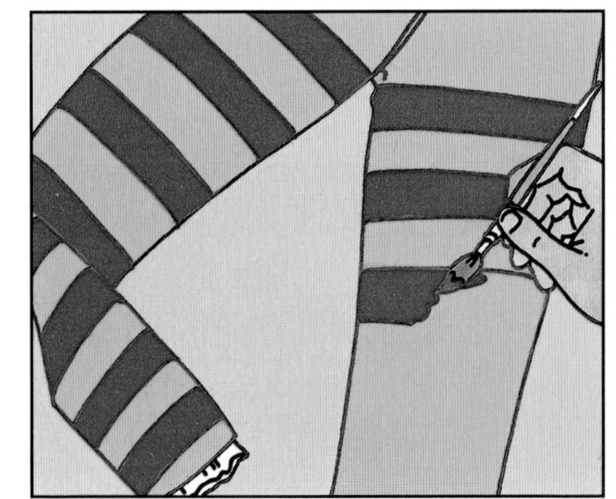

6 Pour peindre les rayures sur le caleçon, passe un sac de plastique à l'intérieur des jambes pour que la peinture ne déteigne pas sur l'autre côté. Peins des rayures sur un côté avec de la peinture pour tissu, laisse sécher, puis peins l'autre côté. Coupe le ruban large bleu en deux et fais des nœuds sur tes chaussures.

IL TE FAUT

2,10 m de tissu à pois en 90 de large
1,5 m de galon
Un caleçon jaune
Un vieux collant
1,20 m de ruban jaune étroit
1,60 m de ruban large bleu
et 1,60 m de ruban large vert
De la laine marron et de l'élastique
2 morceaux de fil de fer de 20 cm de long
Du ruban adhésif et des ciseaux crantés
De la peinture pour tissu rouge
et des sacs de plastique
De la colle universelle et des ciseaux
Une aiguille et du fil

LE POSTE DE TÉLÉVISION

Voici un costume idéal si ta vocation est de faire de la télévision. Il te faudra seulement une grande boîte en carton. Fais un fond clair et porte un tee-shirt très coloré pour que l'image ressorte vraiment bien. Fabrique une antenne et pose un pot de fleurs artificielles ou une coupe de fruits sur le dessus du poste.

1 Découpe les rabats du bas du carton. Puis découpe un carré sur un des côtés de la boîte pour faire l'écran. Peins la boîte en gris et laisse sécher. Colle un carré de carton bleu clair à l'intérieur du carton pour faire le fond du décor.

2 Colle les boutons l'un au-dessous de l'autre sur l'un des côtés de la boîte. Pour faire l'antenne intérieure, recourbe le fil de fer pour former une boucle dont les extrémités sont tournées vers le bas. Demande à un adulte de t'aider pour cette opération.

ATTENTION : *N'utilise pas le fil de fer sans l'aide d'un adulte.*

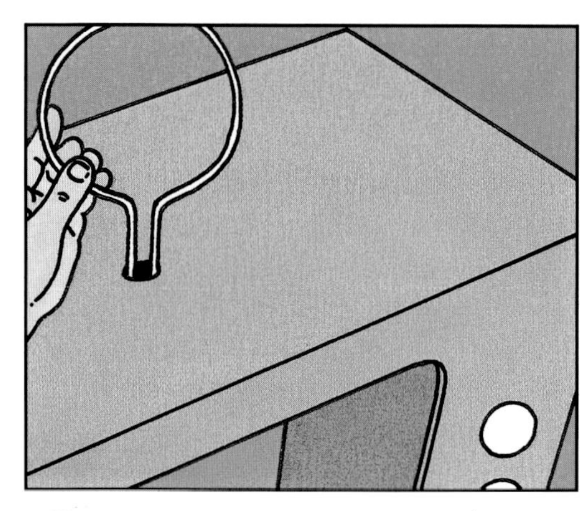

3 Avec une aiguille à tricoter, fais un trou dans le haut du carton. Pour cela aussi, tu auras peut-être besoin de l'aide d'un adulte. Aplatis en les recourbant les extrémités de la boucle à l'intérieur de la boîte. Avec du ruban adhésif, fixe l'antenne en place.

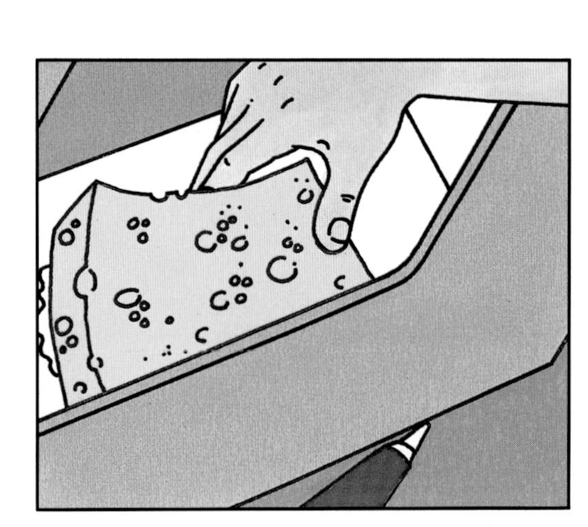

4 Pour que le poste de télévision soit confortable à porter, colle un morceau de mousse à l'intérieur de la boîte sur sa partie supérieure. Place la mousse bien au centre de manière à ce qu'elle soit en contact avec ta tête. Pour finir, colle une plante artificielle en pot sur le haut du poste.

IL TE FAUT

Un tee-shirt et un pantalon
Une grande boîte en carton
Du carton mince bleu clair
Du gros fil de fer
Un carré de mousse épaisse de 16 cm de côté ou une éponge de bain
4 boutons plats
De la gouache grise et un pinceau
Une aiguille à tricoter
De la colle universelle
Des ciseaux et du papier adhésif
Un pot de fleurs artificielles

LES FÉES DES FLEURS

Les fées des fleurs peuvent se vêtir de toutes les couleurs. Tu peux utiliser du mauve et du rose comme ici, ou choisir une couleur qui ira avec ton body de danseuse. Tu pourras demander à un adulte de t'aider à réaliser ce déguisement, car c'est l'un des plus difficiles à faire de ce livre. S'il y a une machine à coudre chez toi, demande à un adulte de t'aider pour coudre le tissu.

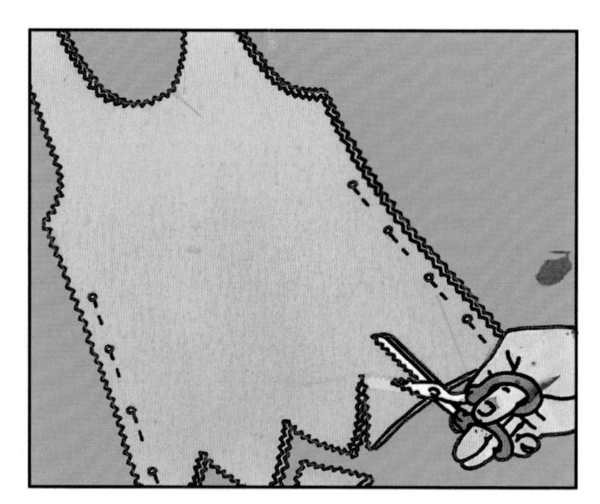

1 Pour la robe, commence par faire un patron grandeur nature en suivant le schéma de la page 81. Suis les instructions de la page 8 pour le réaliser et pour couper le tissu. Tu peux alors découper les quatre parties de la robe dans l'organza ou la mousseline avec des ciseaux crantés. Épingle les morceaux de la robe ensemble et fais des découpes dans le bas des deux parties de la jupe pour former les pétales.

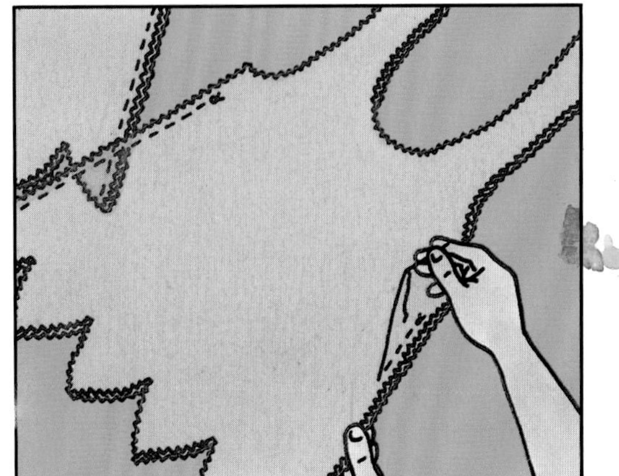

2 Puis couds chaque paire de robes ensemble en faisant des coutures au point avant (voir page 8) sur chaque côté. Laisse une ouverture à 10 cm de chaque emmanchure comme sur le dessin. Fais une entaille sur le tissu au début de l'ouverture.

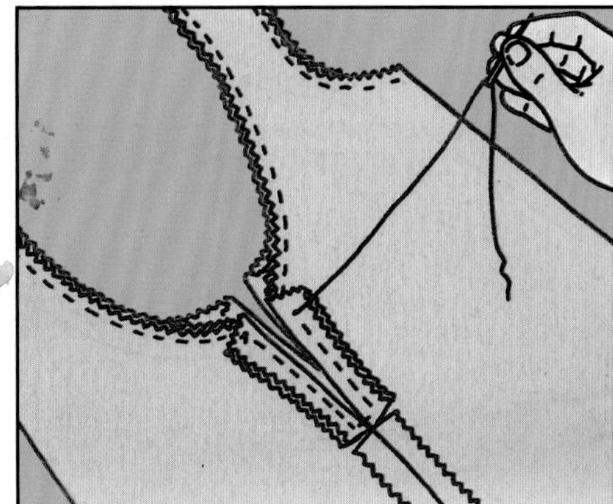

3 Glisse la première robe à l'intérieur de l'autre en faisant coïncider les emmanchures et les ouvertures en haut de chaque couture. Couds les emmanchures, le décolleté et les épaules tout près des bords crantés. Rabats la double épaisseur de tissu au niveau du haut des coutures et couds-les ensemble en place comme sur le dessin.

IL TE FAUT

- Un body de danseuse
- 4,30 m d'organza ou de mousseline en 90 cm de large
- 1,20 m de ruban rose
- Des fleurs et des feuilles en soie
- Du crépon rose et du crépon vert
- Du fil de fer fin et du fil de fer épais
- Du ruban adhésif vert
- Du ruban adhésif transparent
- De la colle universelle
- Des ciseaux et des ciseaux crantés
- Une aiguille et du fil

(Suite page suivante)

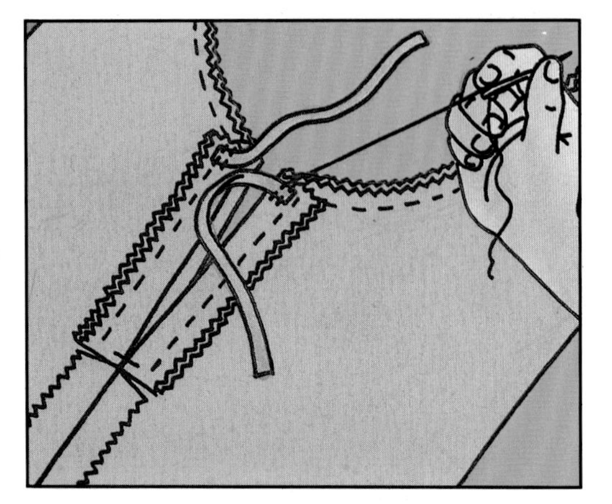

4 Coupe le ruban rose en quatre morceaux égaux et couds chacun des morceaux en haut du bord de chaque emmanchure comme sur le dessin. Retourne la robe sur l'endroit. Lorsque tu porteras la robe, tu attacheras les morceaux de ruban ensemble pour former un nœud sous chaque bras et tu attacheras les épaulettes ensemble.

5 Coupe les têtes des grosses roses en soie et couds-les autour de l'encolure sur le devant de la robe. Couds quelques petites fleurs entre les grosses.

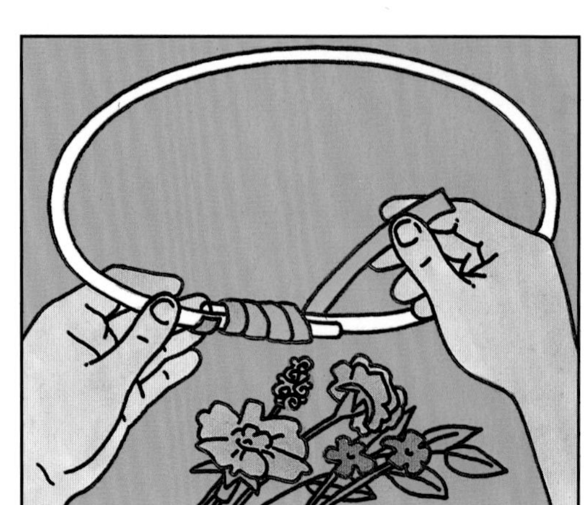

6 Pour la coiffe, demande à un adulte de couper un morceau de fil de fer épais assez long pour faire le tour de ta tête. Fais se chevaucher les extrémités du fil de fer et maintiens-les ensemble avec du ruban adhésif vert. Fixe des petites fleurs en soie sur la coiffe. Fais des bracelets pour les poignets et pour les chevilles en utilisant la même technique.

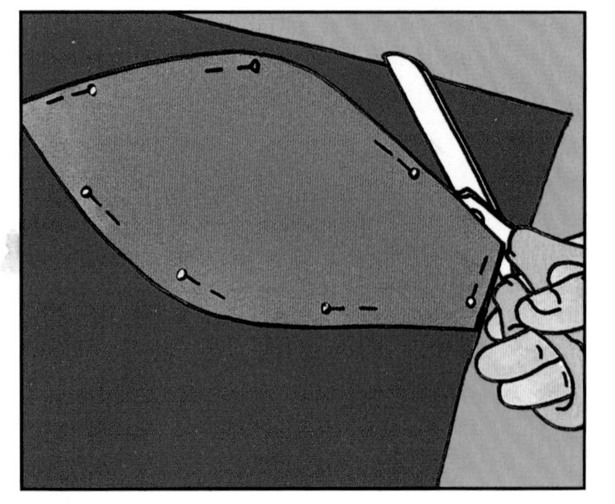

7 Pour le chapeau, reproduis grandeur nature le schéma de pétale de fleur de la page 80. Épingle le patron sur le papier crépon rose et découpe un pétale. Répète l'opération jusqu'à ce que tu aies 10 pétales en tout.

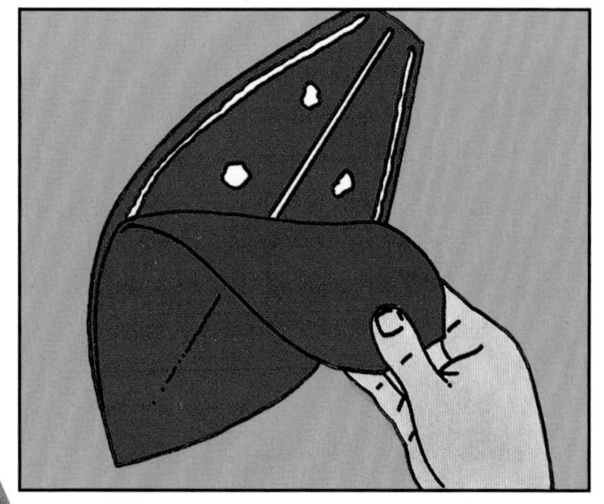

8 Puis coupe 5 morceaux de fil de fer fin de 25 cm de long. Mets de la colle sur 5 pétales, et applique un morceau de fil de fer au centre de chacun d'eux. Applique un autre pétale sur le premier en enserrant le fil de fer à l'intérieur. Répète l'opération avec les autres pétales.

ATTENTION :
N'utilise pas de fil de fer sans l'aide d'un adulte.

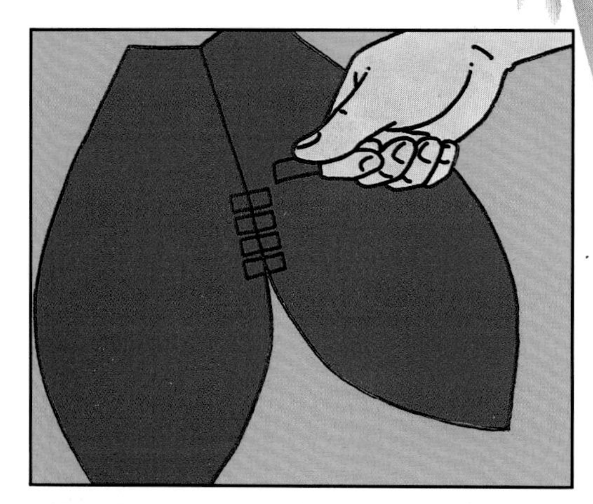

9 Pose les pétales bord à bord et colle des bandes de ruban adhésif pour les joindre comme sur le dessin. Recourbe les pointes de pétale vers le haut.

10 Resserre le haut des pétales ensemble pour leur donner la forme d'un chapeau et entoure la pointe ainsi formée avec du ruban adhésif. Colle des feuilles en soie sur le haut du chapeau. Colle une fine bande de papier crépon vert sur le bout qui dépasse.

LE PIRATE

Tout ce dont tu as besoin pour avoir l'air d'un vrai pirate, c'est d'un gilet, d'un tee-shirt rayé et d'un foulard à pois. Tu compléteras la tenue avec un bandeau noir sur l'œil, une moustache et un anneau dans l'oreille. Il te faudra aussi t'armer d'un sabre et d'une longue-vue au cas où des bateaux ennemis se présenteraient. Tu trouveras tout cela dans des magasins de jouets.

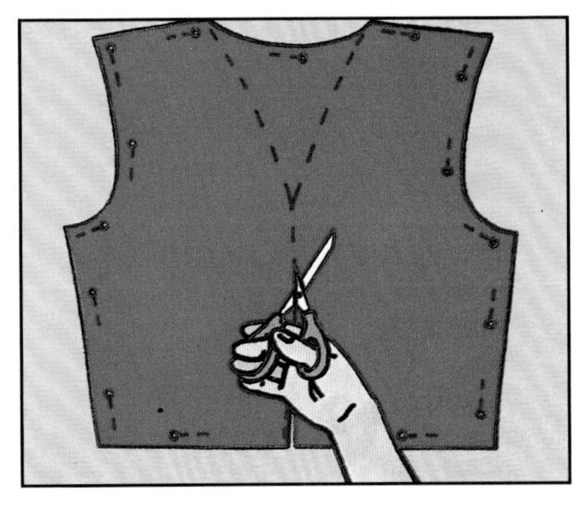

1 Pour le gilet, tu auras d'abord besoin de faire un patron grandeur nature d'après le schéma de la page 82. Suis les instructions de la page 8 pour réaliser le patron et couper le tissu. Puis coupe deux formes de gilet dans la feutrine en suivant les lignes pleines dessinées sur le patron. Épingle à nouveau le patron sur une seule des formes et coupe la feutrine le long des lignes tiretées pour former le devant du gilet.

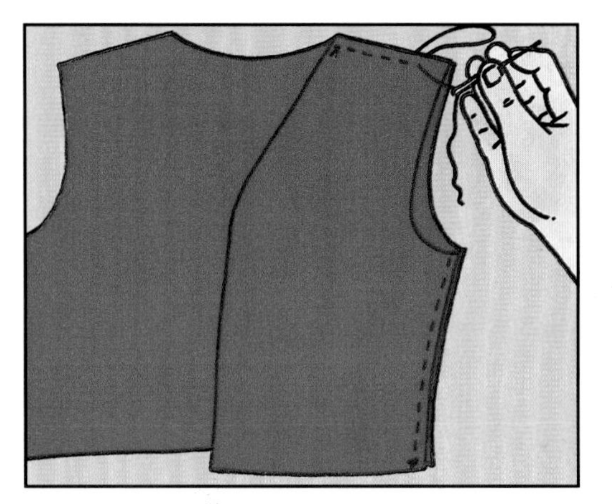

2 Fixe les deux devants du gilet au dos en faisant des coutures sur les côtés et aux épaules comme sur le dessin. Retourne le gilet sur l'endroit et couds les boutons sur les bords de chaque côté sur le devant.

IL TE FAUT

Un tee-shirt rayé
Un vieux pantalon
Un foulard à pois
40 cm de feutrine en 90 cm de large
6 boutons dorés et un ceinturon noir
70 cm d'élastique à chapeau
Du carton noir
Un anneau de rideau
Un clip pour boucle d'oreille
Du ruban adhésif double face
Une aiguille et du fil
Des ciseaux

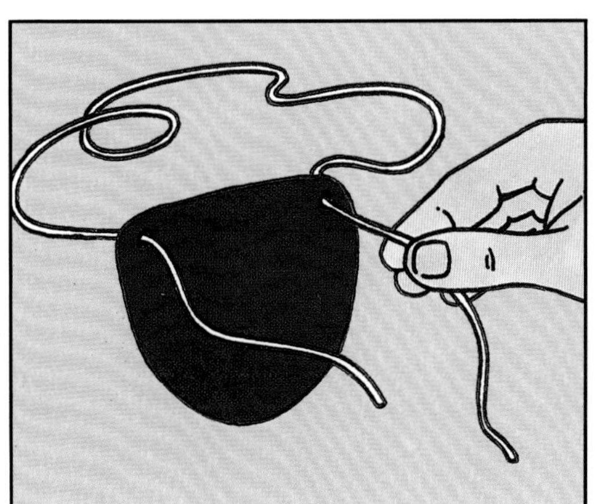

3 Découpe le cache-œil dans du carton noir. Fais un trou de chaque côté et passe un élastique. Noue les extrémités de l'élastique ensemble.

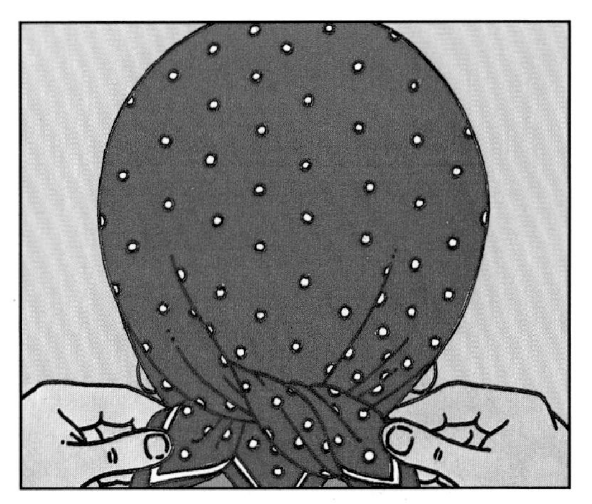

5 Plie le foulard en diagonale, applique-le sur ton front et noue les bouts ensemble derrière comme sur le dessin. Pour l'anneau, accroche un anneau de rideau à un clip pour oreille. Achève ton déguisement en faisant des découpes dans le bas du pantalon et en portant un gros ceinturon noir.

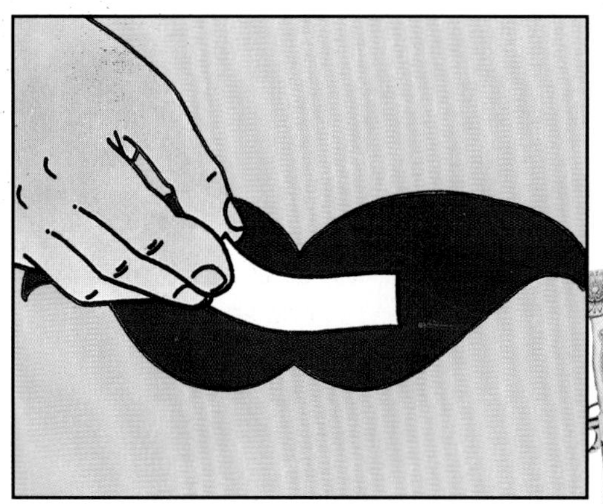

4 Découpe une moustache dans du carton noir. Colle un morceau de ruban adhésif double face derrière et colle la moustache juste au-dessus de ta lèvre supérieure.

LA FÉE DES GLACES

Garde la tête froide malgré cette ravissante tenue qui scintillera à chaque mouvement. Un body (ou un maillot de bain) blanc sert de base à ce déguisement, dont la jupe et la collerette sont en tissu irisé. Une paire de ballerines argentées, une ceinture, une baguette magique et une couronne sur lesquelles tu auras collé des pierres de couleur te donneront encore plus d'allure.

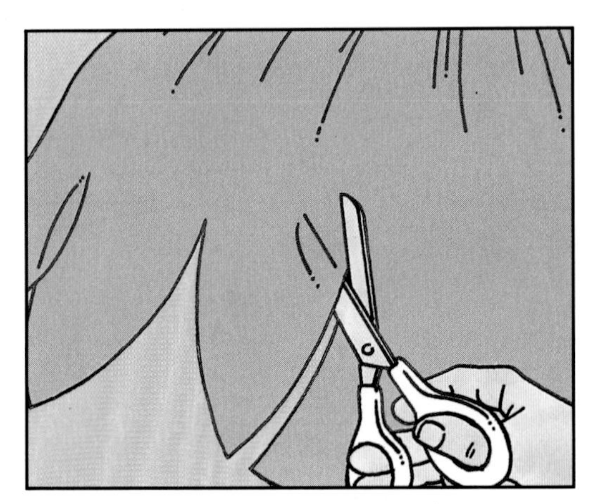

1 Coupe une bande de papier gaufré irisé de 1,80 m de long sur 30 cm de large pour faire la jupe. Et une seconde bande de 1,80 m de long sur 12 cm de large pour le volant. Assemble les morceaux de papier irisé avec du ruban adhésif si c'est nécessaire. Découpe des pointes sur l'un des côtés de la jupe et l'un des côtés du volant.

IL TE FAUT

Un body de danseuse blanc
Des ballerines blanches ou argentées
Du papier gaufré irisé
Du plastique adhésif argenté
De la peinture acrylique argentée, un pinceau et du Velcro adhésif
1 m d'élastique fin argenté
Du carton et du ruban adhésif
Du papier-calque et un crayon
Un tuteur de jardin
Des pierres de plastique de couleur
Du ruban à cadeaux étroit
Du ruban adhésif double face
Du ruban adhésif transparent
De la colle universelle
Des ciseaux et un mètre-ruban

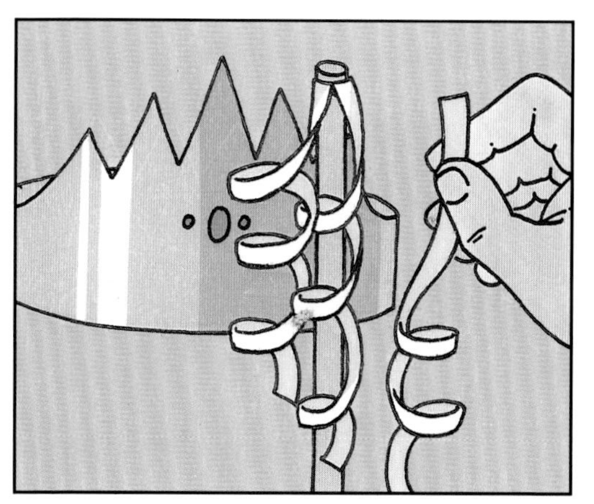

4 Pour faire la couronne, recouvre de plastique adhésif argenté les deux faces d'un morceau de carton. Recopie le patron de la page 82 et prolonge les côtés pour pouvoir faire le tour de ta tête. Découpe le patron et fixe-le sur le carton argenté. Découpe la couronne et colle les extrémités ensemble. Pour la baguette magique, découpe une étoile dans le carton argenté. Peins un tuteur de jardin avec de la peinture argentée et colle du ruban à cadeaux en haut. Colle l'étoile sur le tuteur.

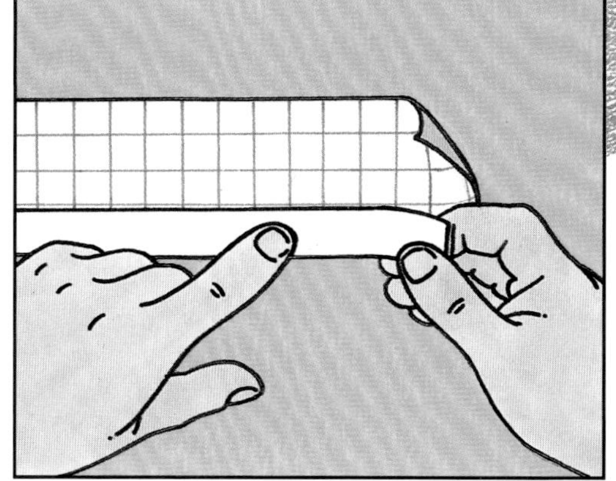

2 Pour la ceinture, coupe une bande de plastique adhésif argenté de 5 cm de large et assez long pour entourer ta taille en prévoyant 5 cm de plus. Coupe une autre bande de 78 cm de long sur 2 cm de large pour la poitrine. Colle une bande de ruban adhésif double face sur l'un des longs côtés de l'envers du papier de la ceinture et de la bande de poitrine. N'ôte pas le papier protecteur du plastique adhésif.

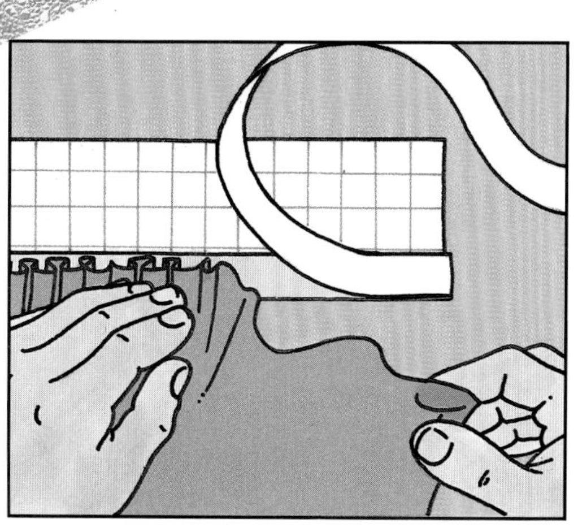

3 Pour faire la jupe, enlève petit à petit le papier protecteur du ruban adhésif qui se trouve sur la ceinture et colle au fur et à mesure le bord droit de la jupe en faisant des petits plis pour que les deux coïncident. Fixe de la même manière le volant à la bande de papier argenté. Attache les extrémités de la ceinture et du volant avec du Velcro.

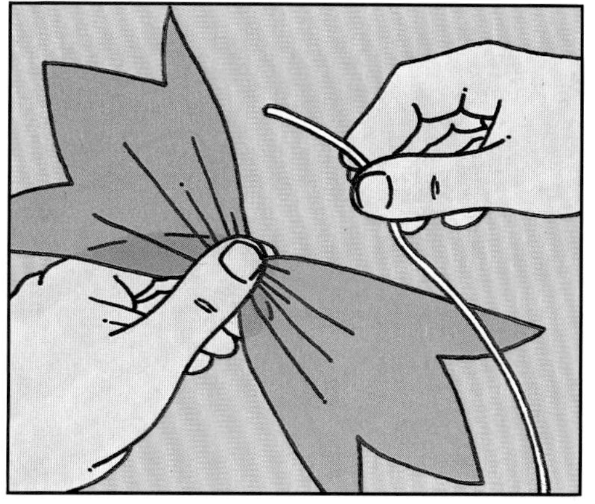

5 Pour les décorations des poignets et des chevilles, découpe 4 carrés de 18 cm de côté dans du papier irisé. Découpe des pointes sur les bords opposés de chaque carré. Coupe l'élastique en quatre et attache chaque morceau au centre de chaque carré en serrant bien fort. Noue les élastiques autour de tes chevilles et de tes poignets. Enfin, colle un grand bout de ruban à cadeaux sur l'une des épaules du body.

LES HÉROS DE L'ESPACE

Un body et un caleçon sont les éléments principaux de ce costume spatial. Une paire de bottes en caoutchouc peintes en argent et décorées avec des étoiles scintillantes compléteront la panoplie. Le plastron, la ceinture et les gantelets sont en plastique adhésif argenté dont l'envers est recouvert d'un papier protecteur.

1 Pour le plastron, coupe un rectangle de plastique adhésif argenté de 46 sur 41 cm. Les bords les plus longs serviront à faire le devant et le dos du plastron. Découpe au milieu un carré assez grand pour y passer ta tête. Puis fais une entaille qui part du centre de la partie dorsale du plastron jusqu'au trou prévu pour la tête. Tu attacheras le plastron avec du Velcro adhésif que tu colleras à chaque bord.

2 Fais des découpes sur les petits côtés du plastron pour le décorer comme sur le dessin, mais laisse une languette de plastique argenté en haut et en bas du rectangle. Quand tu porteras le plastron, tu fixeras ces languettes ensemble sous les bras avec du Velcro adhésif. N'enlève surtout pas le papier protecteur du plastique adhésif. Découpe une étoile dans le papier adhésif de couleur et colle-la sur le plastron.

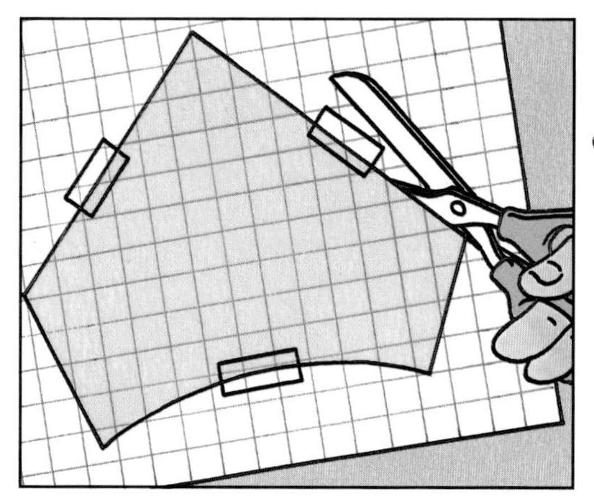

3 Pour faire les gantelets, recopie le patron de la page 83 et découpe-le. Pose-le sur une double épaisseur de plastique adhésif argenté. Découpe deux gantelets. Décore chacun d'eux avec une étoile découpée dans le plastique adhésif de couleur. Attache les bords des gantelets à tes poignets avec du Velcro adhésif.

4 Pour la ceinture, découpe une bande de plastique adhésif argenté de 5 cm de large et de la longueur de ton tour de taille plus 5 cm. N'enlève pas le papier protecteur du plastique adhésif. Attache les extrémités de la ceinture avec du Velcro adhésif. Peins les bottes en argent. Décore chaque botte avec une étoile découpée dans le plastique adhésif de couleur.

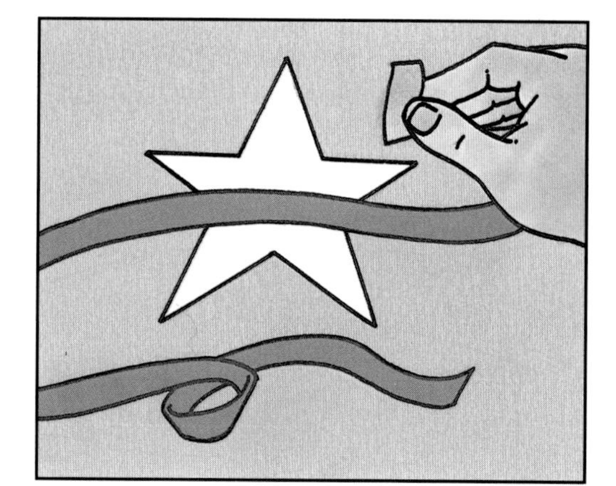

5 Pour la coiffe, colle une étoile en plastique adhésif argenté sur du carton et découpe la forme de l'étoile. Fixe l'étoile au centre du ruban étroit avec du ruban adhésif double face. Noue le ruban autour de ta tête en plaçant l'étoile sur le devant.

IL TE FAUT

Un body et un caleçon
Une paire de bottes en caoutchouc
Du plastique adhésif argenté
Du plastique adhésif rose ou bleu
1,30 m de ruban étroit
Du ruban adhésif double face
Du Velcro adhésif
De la peinture argentée et un pinceau
Du carton mince et du ruban adhésif
Du papier-calque et un crayon
Des ciseaux

LE CHAT NOIR

Un body de danseuse noir ou un tee-shirt et un collant sont les éléments principaux de cette tenue très féline. Fais-toi un petit ventre blanc pelucheux et des oreilles, et tu auras encore plus l'air d'un beau chat. Le nez est fait avec un morceau de boîte à œufs en carton que tu feras tenir avec un élastique. Une souris en mousse ou en fourrure complétera le tableau.

1 Pour faire la coiffe, recopie le patron d'oreille de la page 83 et découpe-le. Épingle le patron sur une double épaisseur de feutrine rose et découpe les deux oreilles. Enlève le patron et épingle-le cette fois sur l'envers de la fausse fourrure noire. Découpe une oreille et recommence pour faire la seconde. Couds l'oreille en feutrine rose sur l'envers de l'oreille en fourrure noire en laissant le bas ouvert. Retourne les oreilles sur l'endroit et épingle-les sur le bandeau. Couds-les en place.

ATTENTION : *N'utilise pas le fil de fer sans l'aide d'un adulte.*

2 Pour le nez, coupe un alvéole d'une boîte à œufs en carton. Peins-le en blanc et laisse sécher. Dessine un petit museau avec le crayon-feutre rouge. Fais trois petits trous de chaque côté du nez et introduis cinq moustaches dans chaque trou. Colle les bouts pour qu'elles restent en place. Fais un autre trou de chaque côté du nez, près du bord, et passes-y un élastique à chapeau.

3 Découpe un grand ovale de fausse fourrure blanche pour le ventre et couds-le sur le body. Pour la queue, coupe une bande de fausse fourrure noire de 70 cm de long sur 12 cm de large. Plie-la en deux dans le sens de la longueur, endroit contre endroit. Couds tout le long du bord le plus long et du bout de la queue. Retourne la queue sur l'endroit.

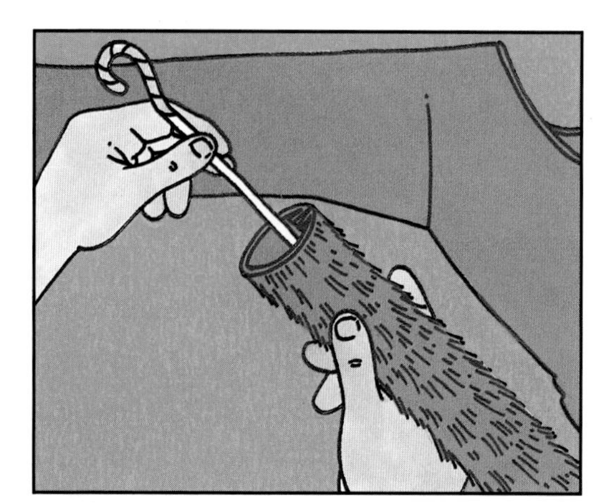

4 Entoure les extrémités du fil de fer avec du ruban adhésif et recourbe chacune d'elles pour former une boucle. Demande à un adulte de t'aider. Glisse le fil de fer dans la queue et couds le bout du fil de fer et la partie ouverte de la queue au dos du body. Enfin, découpe des coussinets de feutrine rose que tu colleras sur la paume des gants.

IL TE FAUT

Un body de danseuse noir
Une paire de gants noirs
Un serre-tête de velours noir
40 cm de fausse fourrure blanche
et 70 cm de fausse fourrure noire
en 140 cm de large
De la feutrine rose et de l'élastique à chapeau
Une boîte à œufs en carton
70 cm de fil de fer épais
De la gouache blanche et un pinceau
Un crayon-feutre rouge
Des moustaches noires
(à acheter dans un magasin spécialisé)
De la colle universelle, du ruban adhésif
Des épingles, une aiguille et du fil
Du papier-calque, un crayon et des ciseaux

L'HORLOGE DE GRAND-PÈRE

Avec ce déguisement, tu seras sûr d'être à l'heure à la fête ! La moire marron a des reflets qui évoquent le bois, ce qui est parfait pour représenter le boîtier de l'horloge. S'il y a une machine à coudre à la maison, demande à un adulte de t'aider à t'en servir pour coudre les deux côtés ensemble plutôt que de le faire à la main. Pour compléter la tenue, tu peux coller des souris en peluche sur la tunique et sur le chapeau.

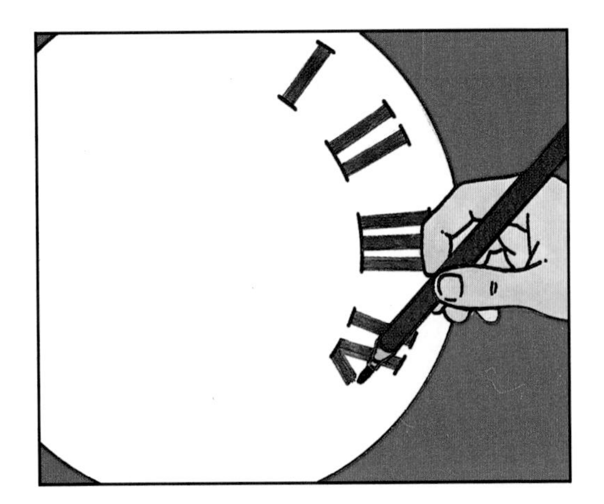

1 Avec un crayon, recopie le patron de cadran de la page 84 et découpe le cercle. Ne découpe pas les aiguilles. Épingle-le sur un carré de tissu blanc et découpe la forme. Recopie à la main les chiffres romains du patron sur le cadran avec un stylo spécial pour tissu. Laisse sécher.

2 Pour réaliser la tunique, il te faudra d'abord faire le patron grandeur nature d'après le schéma de la page 86. Suis les indications de la page 8 pour faire le patron et pour couper le tissu. Puis, avec les ciseaux crantés, coupe les deux parties de la tunique dans la moire marron.

3 Colle le cadran sur le devant d'un des morceaux de la tunique. Colle ou couds un galon doré tout autour du cadran.

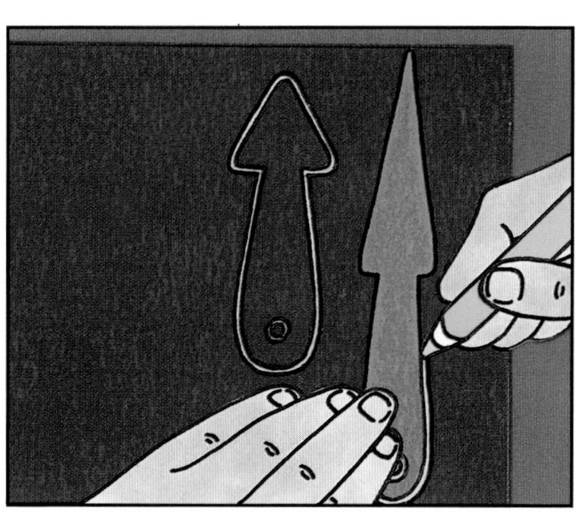

4 Puis découpe le patron des aiguilles. Place-les sur du carton noir et dessine leur contour avec un crayon de couleur. Découpe les aiguilles. Fais un trou à la base des aiguilles et traverse le centre du cadran avec la pointe des ciseaux. Demande à un adulte de t'aider.

IL TE FAUT

3 m de moire marron en 90 cm de large
Un carré de tissu blanc de 30 cm de côté
90 cm de galon doré
60 cm de ruban marron
Du carton marron, noir et doré
Un stylo-feutre spécial pour tissu
Une attache parisienne
Du papier-calque et un crayon
Du sparadrap
Des ciseaux et des ciseaux crantés
De la colle universelle
Une aiguille et du fil

(Suite page suivante)

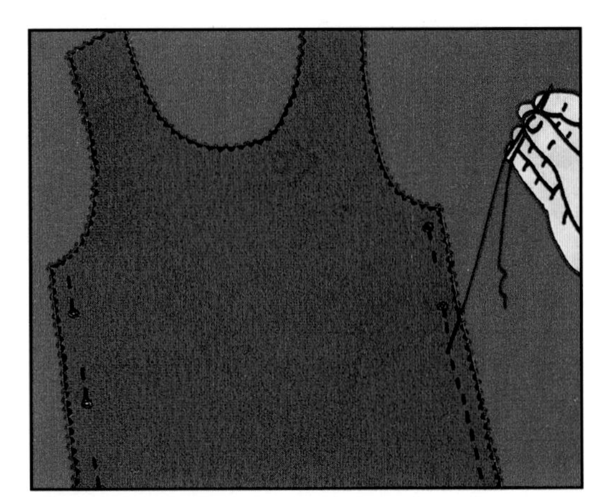

6 Épingle les deux parties de la tunique ensemble, endroit contre endroit. Fais les coutures de côté au point avant (voir page 8).

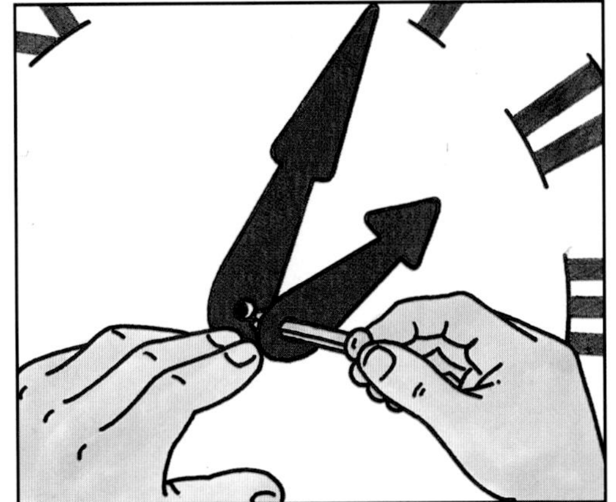

5 Passe l'attache parisienne au travers des trous des aiguilles puis de celui du cadran. Ouvre les branches sur l'envers de l'horloge et aplatis-les sur le tissu. Colle un morceau de sparadrap sur les branches de l'attache pour que cela ne te blesse pas.

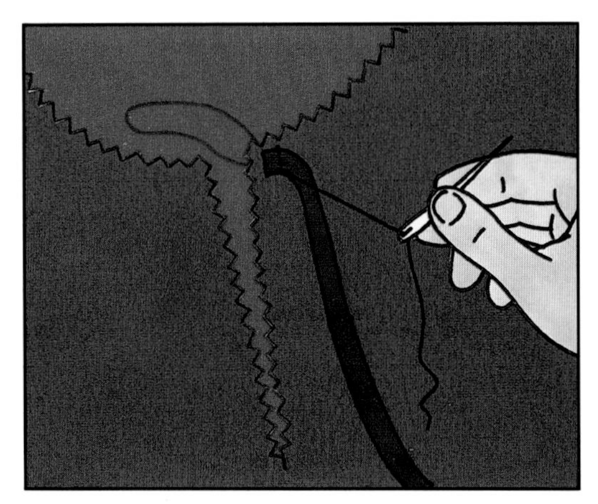

7 Avec les ciseaux crantés, fais une fente de 10 cm dans le dos de la tunique en partant de l'encolure. Coupe le ruban en deux et couds une longueur de chaque côté de la fente. Fais un nœud pour fermer la tunique quand tu la porteras. Retourne la tunique sur l'endroit.

ATTENTION : *N'utilise pas les ciseaux pointus sans l'aide d'un adulte.*

8 Pour faire le chapeau, recopie les patrons du haut de l'horloge et de la moulure de la page 85 et découpe-les. Place le patron du haut de l'horloge sur du carton brun et dessine le contour avec un crayon. Découpe la forme. Colle le haut de l'horloge en carton sur de la moire et enlève les morceaux de tissu qui dépassent.

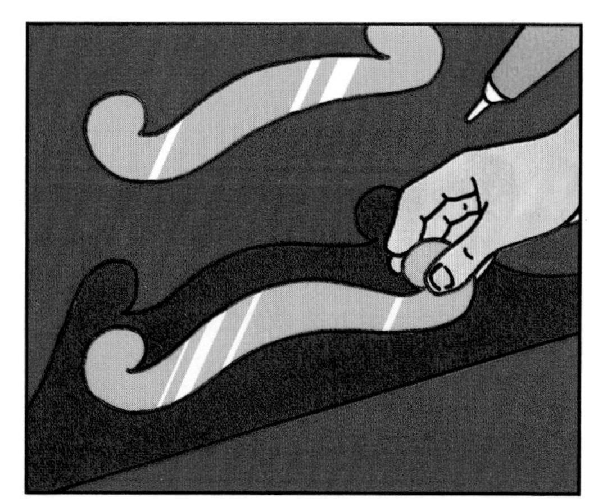

9 Puis place le patron de la moulure sur du carton doré et dessine le contour avec un crayon. Découpe la forme. Reprends le patron et découpe une seconde forme de la même manière. Colle une des moulures dorées sur le haut en moire de l'horloge. Découpe une bande de carton marron de 60 cm de long sur 2 cm de large. Colle les extrémités ensemble et colle le haut de l'horloge sur le devant de la bande.

10 Colle la seconde moulure dorée sur la tunique, juste en dessous du cadran. Puis recopie le patron de la grande moulure de la page 85. Découpe-le et reporte-le sur du carton doré. Dessine le contour avec un crayon et découpe la forme. Colle la grande moulure sur le bas de la tunique. Enfin, tu peux coller des souris en peluche sur la tunique et sur la coiffe.

LA SORCIÈRE

Du vilain nez vert aux mains griffues, voici un costume de sorcière parfait pour le mardi gras ou le Halloween nord-américain. Fabrique ou emprunte un balai de brindilles et décore ton déguisement avec d'horribles bestioles en plastique que tu trouveras dans les magasins de farces et attrapes. Maquille-toi avec du vert et du noir pour avoir l'air encore plus effrayant.

IL TE FAUT

Une chemise de nuit de couleur
1,20 m de tissu violet en 150 cm de large
50 cm de feutrine noire en 190 cm de large
1,60 m de cordelette noire
70 cm d'élastique à chapeau
De la laine verte et du carton vert
De l'amidon en bombe
De la colle universelle
Du ruban adhésif double face
Une épingle à nourrice et des mouchoirs en papier
Du papier-calque et un crayon
Des ciseaux et des épingles
Une aiguille et du fil
Des bestioles (araignées et autres) en plastique

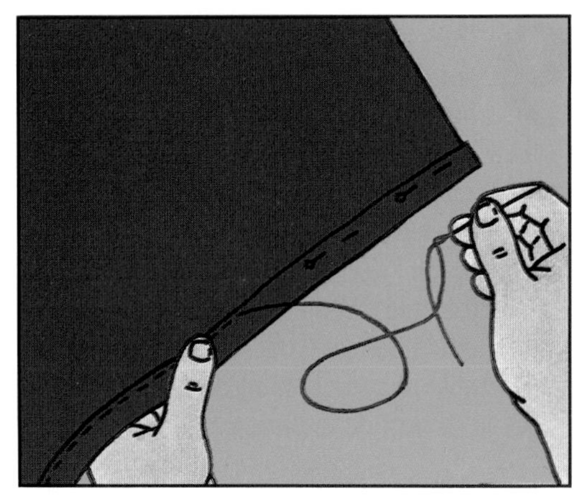

1 Pour la cape, coupe un carré de tissu violet de 1,20 m de côté. Fais un ourlet sur deux côtés opposés (voir page 9).

2 Puis fais un tunnel pour passer une coulisse sur un des autres côtés de la cape (voir page 9). Passe la cordelette dans la coulisse avec l'épingle à nourrice. Tu as ainsi le haut de la cape. Fais des découpes irrégulières dans le bas de la cape et dans le bas de la chemise de nuit.

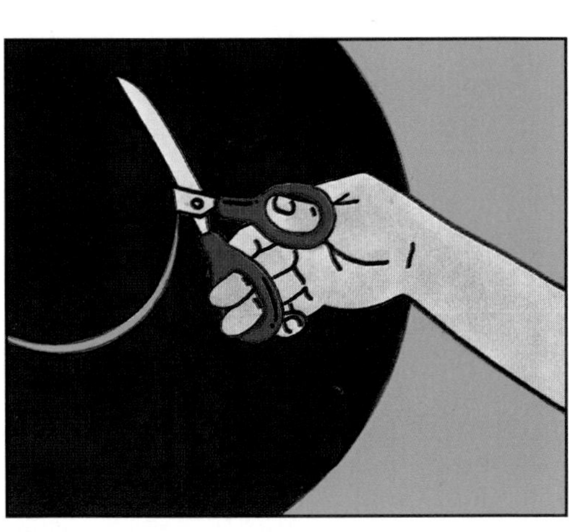

3 Pour le chapeau, découpe dans la feutrine noire un cercle de 38 cm de diamètre pour former le bord. Fais un trou de 14 cm de diamètre au centre du cercle.

4 Pour le cône du chapeau, fais un patron de papier à partir du schéma de la page 86. Découpe le patron et épingle-le sur de la feutrine noire. Découpe la forme du cône. Vaporise de l'amidon sur le cône et sur le bord du chapeau. Demande à un adulte de t'aider à les repasser.

ATTENTION : *N'utilise pas le fer à repasser sans l'aide d'un adulte.*

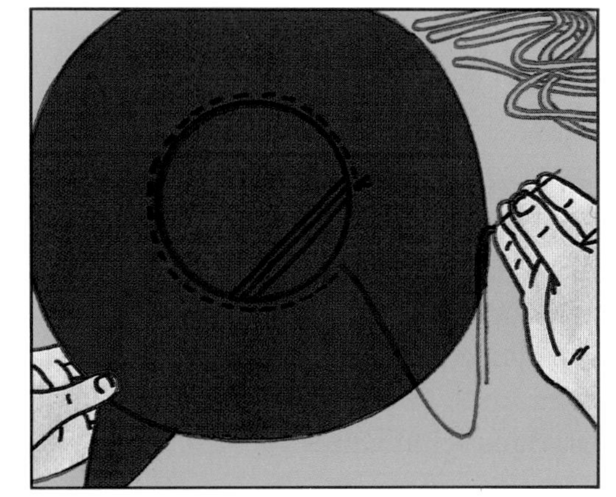

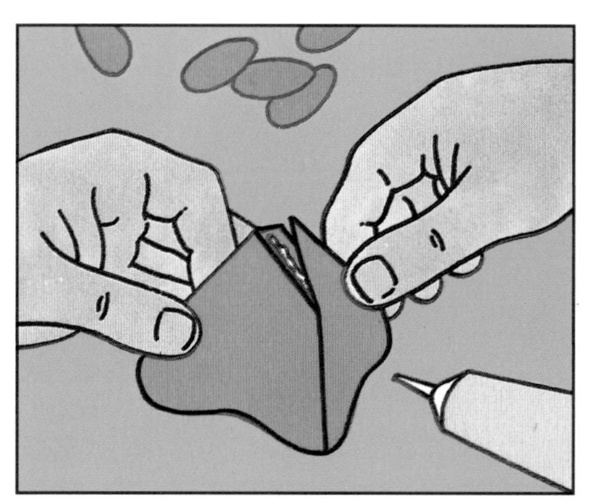

5 Plie le cône en deux et couds les bords droits ensemble. Épingle le cône autour du trou du bord du chapeau et couds-le comme sur le dessin. Coupe beaucoup de brins de laine verte et colle-les à l'intérieur du chapeau pour faire les cheveux. Bourre de mouchoirs en papier le haut du cône pour qu'il se tienne bien droit.

6 Pour le nez, décalque le patron de la page 86. Retourne le tracé sur le carton vert et appuie très fort sur le contour avec un crayon. Le patron apparaîtra sur le carton et tu pourras découper la forme. Replie la partie du nez indiquée en pointillé sur le patron. Colle la languette sur le côté opposé. Fais un trou de chaque côté du nez et passe un élastique. Découpe des ongles très longs dans du carton vert et colle-les sur tes ongles avec du ruban adhésif double face.

LE CRAYON

Un corps en forme de crayon et un chapeau pointu, voilà un déguisement très facile à exécuter. Demande à un ami de t'aider à adapter les bords du costume pour qu'il soit confortable et qu'il ne te blesse pas. Tu peux aussi transformer cette tenue en fusée de feu d'artifice en ajoutant des décorations scintillantes.

IL TE FAUT
- Un grand morceau de carton
- Du carton mince beige
- De la gouache noire et de la bleue
- Un pinceau
- 1 m de ruban bleu
- Du Velcro adhésif
- Des ciseaux et de la ficelle
- Une punaise
- Un perforateur et un crayon

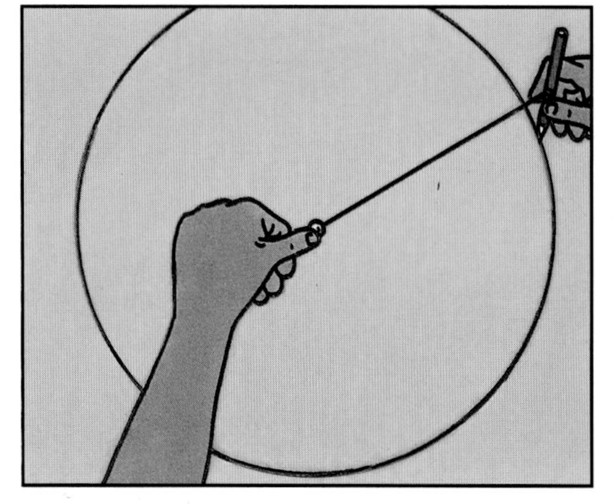

1 Pour faire le chapeau en forme de pointe de crayon, attache un fil à une punaise. Puis attache un crayon au bout du fil à 28 cm de la punaise. Pose le carton beige sur ton plan de travail. Appuie la pointe au centre de la feuille de carton et trace un cercle comme sur le dessin.

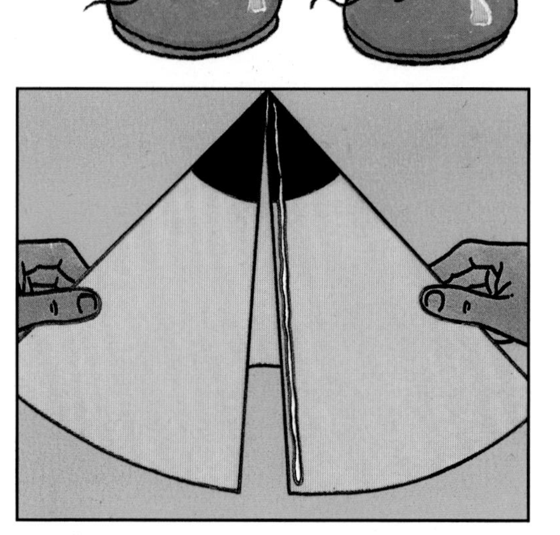

2 Trace un trait à partir du milieu du cercle jusqu'au bord. Découpe le carton le long de ce trait. Trace un petit cercle en partant du centre du grand cercle. Peins l'intérieur de ce petit cercle en noir. Laisse sécher. Pour former le cône, fais se chevaucher les bords du cercle et colle-les ensemble.

3 Fais un trou avec le perforateur de chaque côté du chapeau. Coupe le ruban en deux et passe chaque morceau dans un trou en faisant un nœud au bout du ruban après l'avoir passé dans le trou.

4 Pour le corps, coupe un morceau de carton assez grand pour entourer tout ton corps. Découpe des ouvertures ovales pour passer les bras à 5 cm du bord supérieur du carton. Peins le carton en bleu et laisse sécher. Essaie le costume et demande à un ami de t'aider à rapprocher les bords et à les fixer avec du Velcro adhésif.

LA PETITE SIRÈNE

Choisis du tissu scintillant bleu ou vert pour réaliser ce déguisement original. Décore la perruque et le costume avec des coquillages que tu auras ramassés sur la plage, ou achète des coquillages dorés dans une boutique spécialisée. Couds des paillettes sur le caleçon pour simuler les écailles de poisson. La queue est maintenue par un élastique au niveau des genoux, ce qui te permettra de marcher.

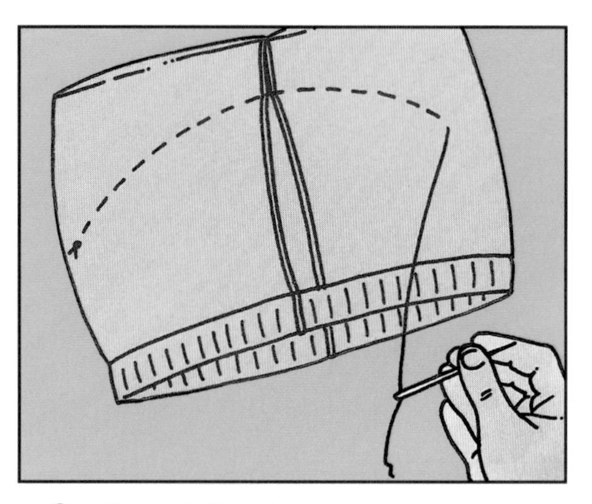

1 Pour réaliser la perruque, coupe les jambes d'un collant. Fais coïncider les coutures du collant et fais une couture en arc de cercle du côté coupé pour former une calotte. Retourne la calotte sur l'endroit.

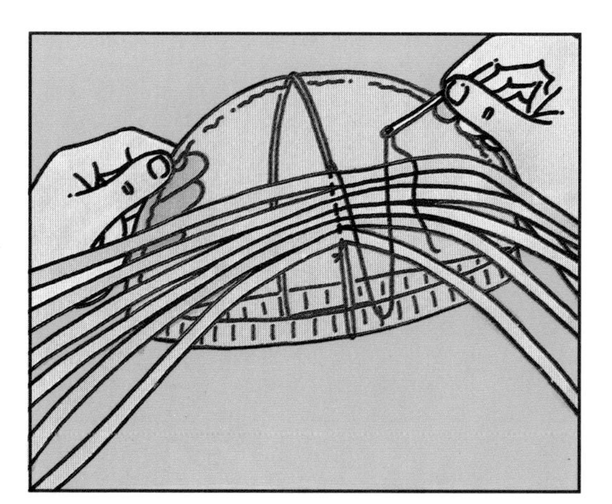

2 Coupe une grande quantité de brins de laine de 1,10 m de long. Plie les brins en deux et couds le centre de chaque brin sur la couture centrale de la calotte, jusqu'à ce que la calotte soit entièrement recouverte.

3 Puis essaie la perruque en prenant soin de protéger tes cheveux avec un bonnet de bain ou un bonnet de douche. Remonte des morceaux de laine près de la couture et colle-les sur la calotte. Colle des coquillages sur la perruque alors que tu l'as encore sur la tête. Demande à un adulte de t'aider.

IL TE FAUT

Un caleçon bleu
1,10 m de tissu scintillant
en 140 cm de large
Des coquillages
Du ruban étroit
2,40 m d'élastique
Un vieux collant
De la laine chinée beige
Des grandes paillettes
Un bonnet de douche
ou un vieux bonnet de bain
De la colle universelle
Des ciseaux et des ciseaux crantés
Une aiguille et du fil
Une épingle à nourrice

(Suite page suivante.)

4 Pour le soutien-gorge, coupe une bande de tissu scintillant de 15 cm de large sur 80 cm de long. Couds les extrémités ensemble.

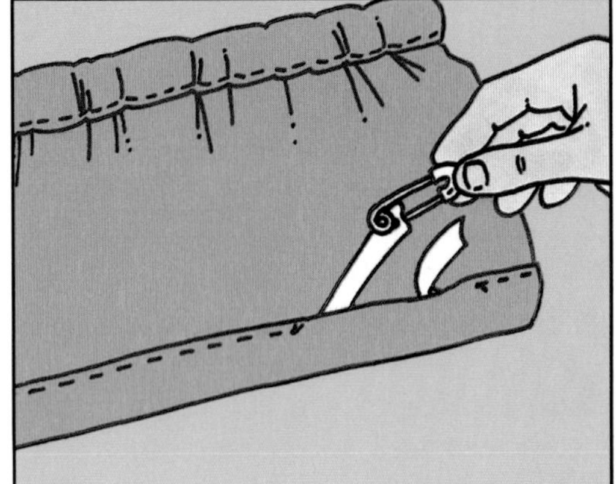

5 Fais une coulisse le long de chacun des longs côtés du soutien-gorge, en laissant une petite ouverture pour passer l'élastique (voir page 9). Passe un élastique dans chacune des coulisses. Essaie le soutien-gorge et ajuste les élastiques à ta taille. Couds les extrémités de chaque élastique ensemble, puis referme les ouvertures par quelques points. Noue un ruban au centre du soutien-gorge.

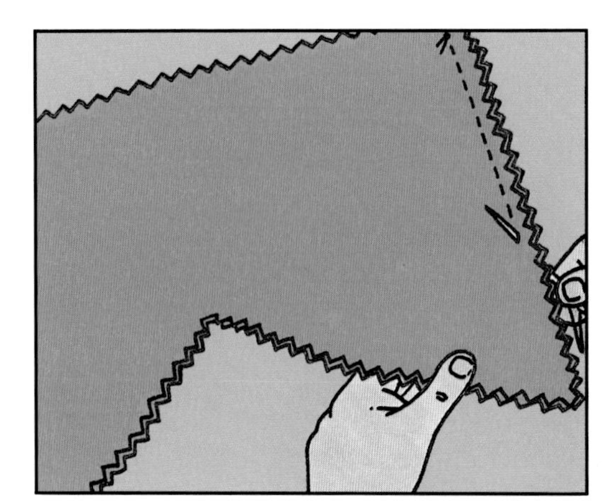

6 Pour la queue, fais d'abord un patron de papier grandeur nature d'après le schéma de la page 87. Suis les instructions de la page 8 pour faire le patron et le couper. Puis, avec des ciseaux crantés, découpe deux formes de queue dans le tissu scintillant. Couds ensemble au point avant (voir page 8) les deux morceaux de la queue le long des côtés.

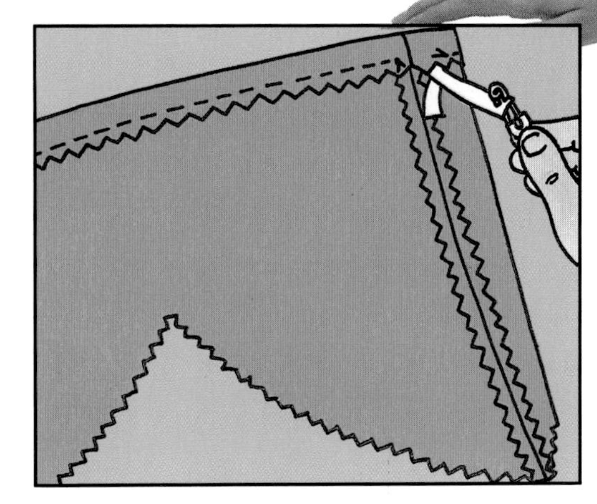

7 Fais une coulisse sur le bord droit du haut de la queue comme tu l'as fait pour le soutien-gorge. Passe un élastique dans la coulisse. Essaie la queue et ajuste l'élastique pour qu'il te serre bien aux genoux sans pour autant te gêner. Couds alors les extrémités de l'élastique ensemble.

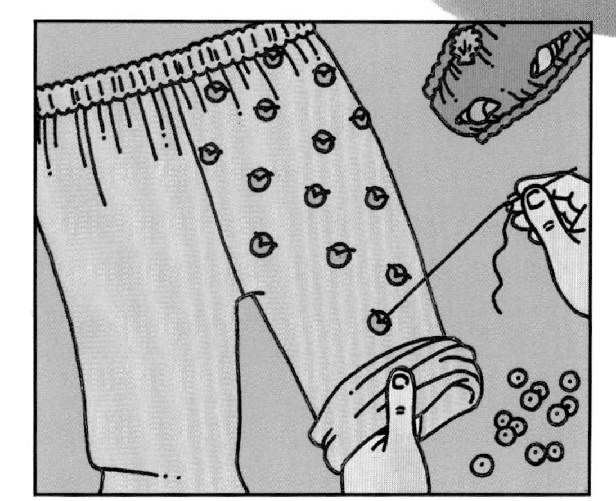

8 Enfin, couds des paillettes sur le caleçon et colle des coquillages sur le soutien-gorge et la queue.

L'ENDORMI

Il te faudra seulement un vieux pyjama
pour réaliser ce costume. Tu te fabriqueras
un bonnet de nuit avec le pantalon.
N'oublie pas de prendre un chandelier
et ton ours favori pour avoir
vraiment l'air d'aller te coucher.

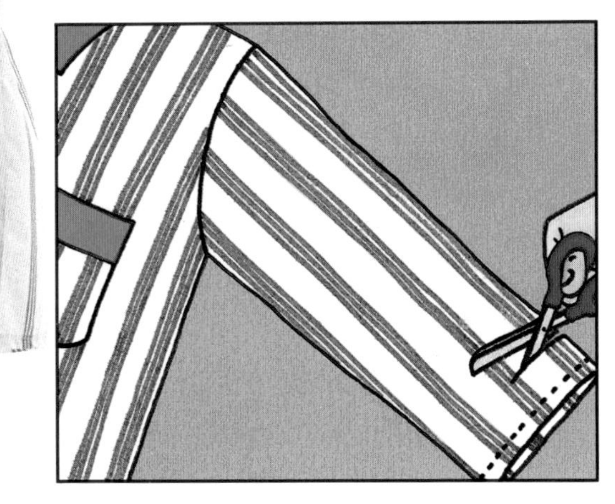

1 Essaie la veste de pyjama.
Si les manches sont trop longues,
coupe le bas et fais un ourlet.

2 Pour le bonnet de nuit, coupe le long des coutures internes des jambes du pantalon et ouvre le tissu.
Le bas ourlé du pantalon sera parfait pour faire le bas de ton bonnet de nuit. Coupe deux triangles équilatéraux de 42 cm de côté.

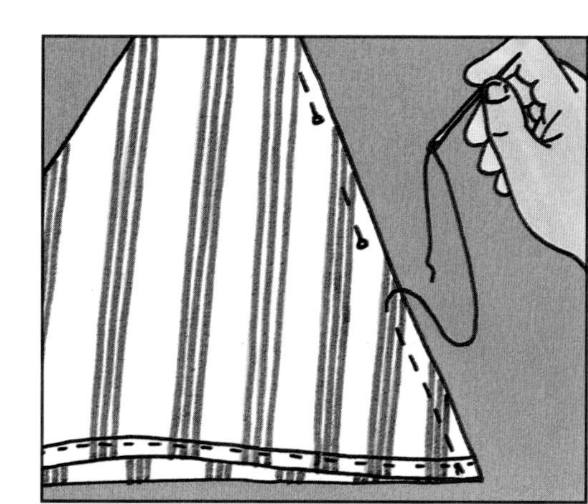

3 Épingle ensemble les côtés obliques des triangles, endroit contre endroit. Couds les côtés ensemble et retourne le bonnet sur l'endroit.

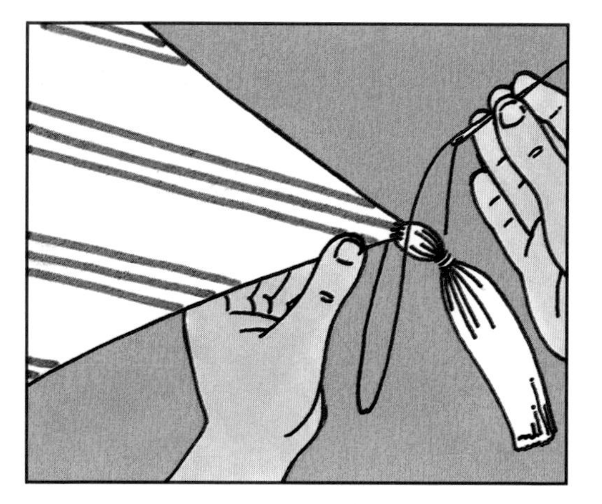

4 Enfin, couds un pompon à l'extrémité du bonnet de nuit. Retrousse le bord du bonnet de nuit avant de le mettre sur ta tête.

IL TE FAUT

- Un vieux pyjama d'adulte
- Un pompon blanc
- Une aiguille et du fil
- Des ciseaux et des épingles
- Un ours en peluche
- Une paire de chaussons fourrés
- Un chandelier et une bougie

MADAME LA CHANCE

Choisis ta carte de chance pour ce déguisement tout simple. Ajoute du ruban rouge pour une carte rouge, du ruban noir pour une noire. Il te faut seulement un body ou un maillot de bain à porter sous la carte à jouer. Fabrique-toi un chapeau en forme de dé pour parfaire l'ensemble.

IL TE FAUT

Un body ou un maillot de bain
2 grandes feuilles de carton blanc
Du plastique adhésif rouge ou noir
5 m de ruban rouge ou noir
Une boîte carrée de 14 cm de côté
Des gommettes rondes blanches
De la gouache noire et un pinceau
Du papier fort et un crayon
De l'élastique à chapeau
Des ciseaux et une agrafeuse

1 Découpe les feuilles de carton comme sur la photo. Coupe les coins en les arrondissant. Dessine les formes que tu as choisies pour décorer ta carte sur du papier fort. Découpe ces formes, qui te serviront de patron.

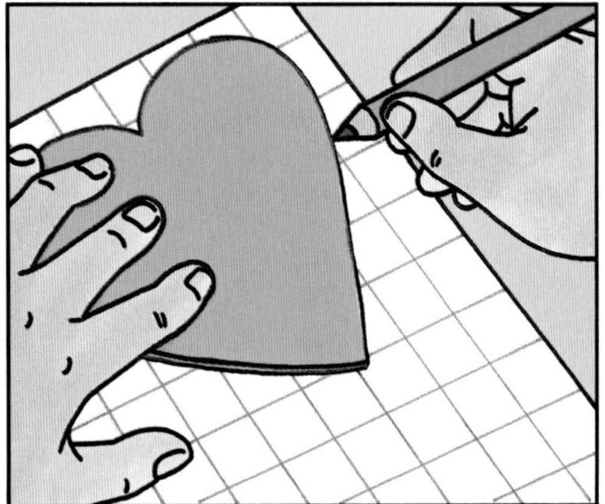

2 Pose les patrons sur le plastique adhésif et dessine leurs contours. Découpe les formes. Enlève le papier protecteur du plastique adhésif et colle soigneusement les formes sur les cartes.

3 Coupe le ruban en 8 morceaux égaux. Agrafe 2 morceaux en haut de chaque carte à 10 cm du bord de chaque côté. Agrafe un morceau de ruban sur chaque côté de chaque carte à 25 cm du haut de la carte. Attache la carte en nouant les rubans sur tes épaules et sous tes bras.

4 Pour faire le chapeau en forme de dé, peins la boîte en noir et laisse sécher. Colle des gommettes rondes blanches sur chaque face. Fais un trou de chaque côté de la boîte et passe un élastique dans les trous. Noue les extrémités de l'élastique ensemble.

LA GRENOUILLE

Un body de danseuse ou un tee-shirt et un collant, et voilà ton déguisement de grenouille presque fait. Les mains et les pieds palmés sont taillés dans de la matière plastique souple, et l'insecte est fait d'un cure-pipe enroulé autour d'un morceau de papier de soie. Ajoute des yeux mobiles au masque pour le rendre encore plus étonnant.

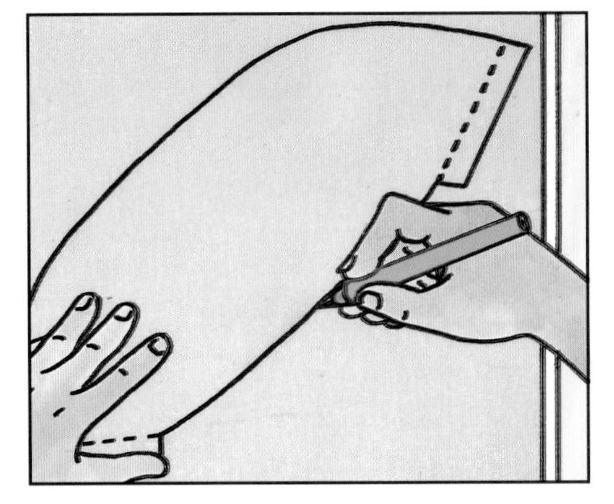

1 Pour faire le masque, décalque les patrons du haut et du bas de la tête des pages 88 et 89. Retourne les tracés sur l'envers du carton vert. Passe un crayon sur les contours en appuyant très fort. Les formes apparaîtront sur le carton et tu pourras les découper.

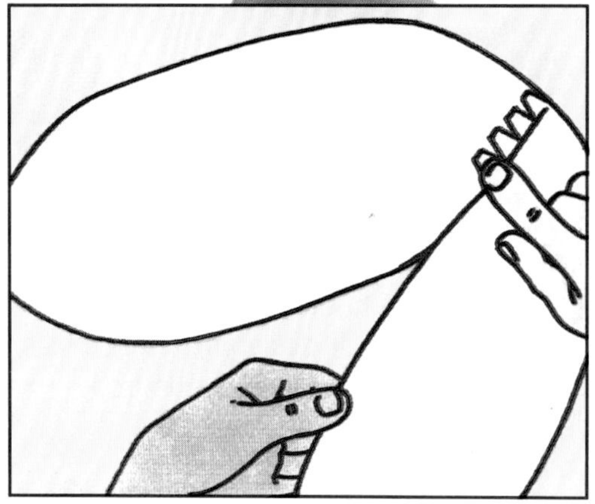

2 Replie les languettes sur l'envers de la partie basse du masque. Tourne le masque de manière à ce que l'envers du carton soit devant toi. En commençant par les coins, colle les languettes sous le bord du bas de la partie haute du masque.

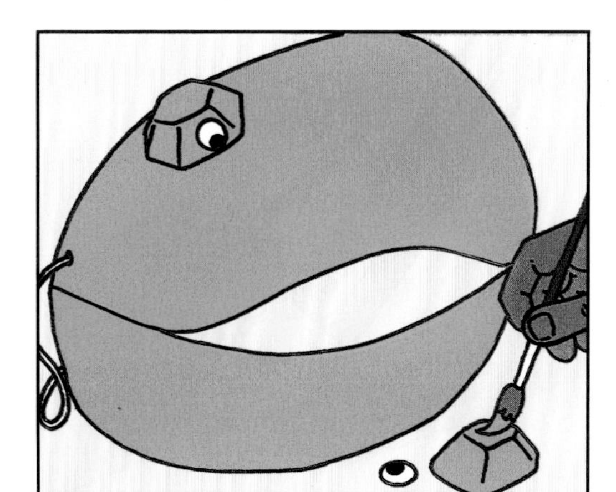

3 Fais des trous au niveau des points indiqués sur le patron de la partie haute du masque. Passe un élastique à chapeau dans les trous et fais des nœuds à l'intérieur du masque. Coupe deux alvéoles d'une boîte à œufs en carton. Peins-les en vert. Quand ils sont secs, colle deux yeux dessus. Colle ensuite les morceaux de boîte à œufs sur la partie haute du masque. Dessine des narines avec un crayon-feutre noir sur la partie haute du masque.

(Suite page suivante.)

IL TE FAUT

Un body de danseuse et une paire de gants verts
Du carton vert et du carton blanc
50 cm de matière plastique souple verte en 90 cm de large
Une boîte à œufs en carton et des yeux
Un cure-pipe noir
Un crayon-feutre noir
80 cm d'élastique à chapeau
30 cm d'élastique de 13 mm de large
Du fil de fer fin et du papier de soie
Du papier rouge et des ciseaux
De la colle universelle et du ruban adhésif

ATTENTION : *N'utilise pas le fil de fer sans l'aide d'un adulte.*

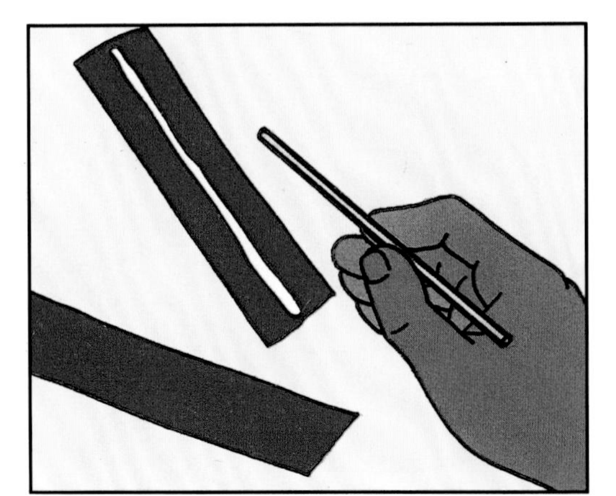

4 Pour faire la langue, coupe deux bandes de papier rouge de 21 cm de long sur 2 cm de large. Colle le fil de fer fin au milieu d'une des bandes, puis colle les deux bandes ensemble en enserrant le fil au milieu. Coupe une des extrémités de la langue en pointe et colle l'autre à l'intérieur de la bouche.

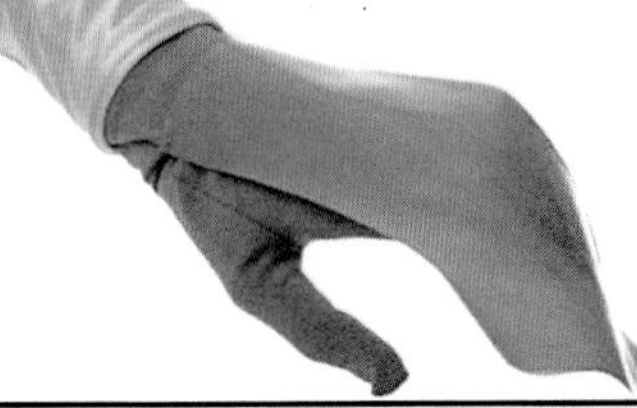

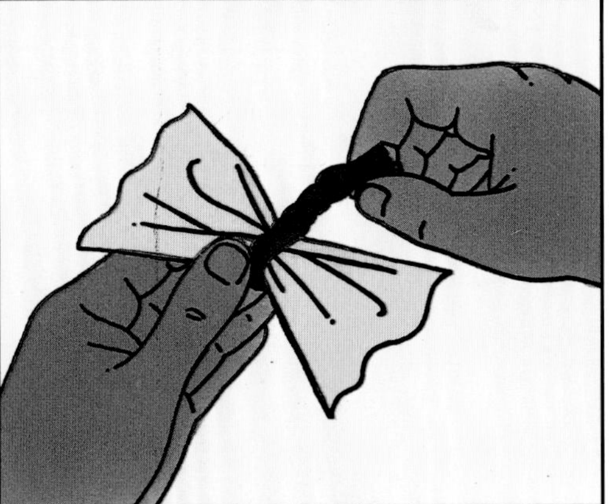

5 Pour l'insecte, coupe un morceau de cure-pipe de 8 cm de long et recourbe-le à la moitié. Fais un tortillon de papier de soie et glisse-le entre les branches du cure-pipe. Entortille alors le cure-pipe comme sur le dessin. Entortille une longueur de fil de fer fin autour du cure-pipe et fixe l'autre bout sur le masque avec du ruban adhésif.

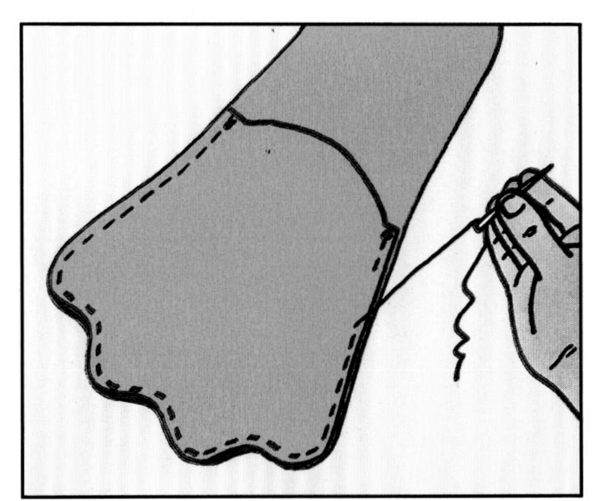

8 Couds les dessus des chaussures aux semelles en plastique en faisant attention à ce que les points indiqués sur le patron coïncident parfaitement. Enfin, colle les semelles en carton sous les semelles en plastique.

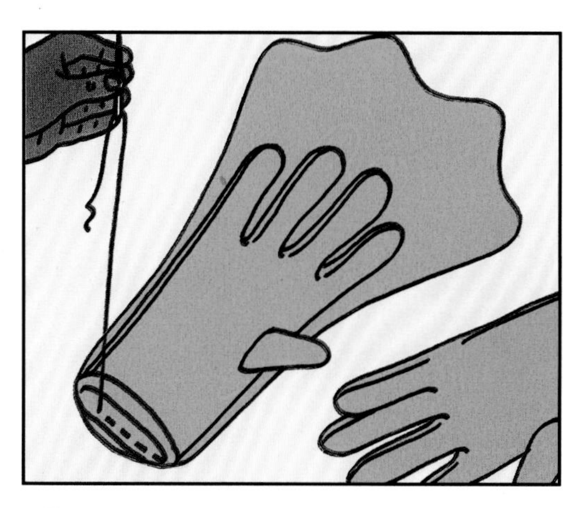

9 Pour les mains palmées, décalque le patron de la page 90 et découpe-le. Fixe le patron sur une double épaisseur de plastique et découpe deux formes de main. Couds les palmes sur le dessus des gants.

6 Pour faire les chaussures palmées, décalque les patrons de la semelle et du dessus de la chaussure des pages 90 et 91. Retourne le tracé de la semelle sur le carton blanc et passe un crayon sur le contour en appuyant très fort. Le tracé apparaîtra sur le carton et tu pourras le découper. Reprends le tracé et recommence pour obtenir une seconde semelle. Pose une des semelles sur une double épaisseur de matière plastique verte et fixe-la avec du ruban adhésif. Découpe deux semelles dans la matière plastique.

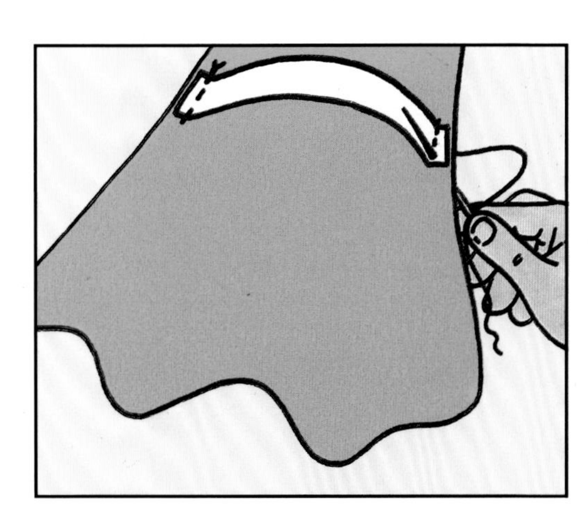

7 Coupe l'élastique large en deux morceaux. Couds les bouts de chaque morceau sur les points indiqués sur le patron. L'élastique passera sur le dessus de ton pied. Découpe le patron du dessus de la chaussure. Fixe-le sur une double épaisseur de plastique et découpe deux dessus de chaussure.

LE VAMPIRE

Avec deux carrés de satin rouge et noir cousus ensemble, tu feras une magnifique cape pour ce costume étonnant. Tu as certainement dans ta garde-robe une chemise blanche et un pantalon noir ou gris foncé que tu habilleras d'une ceinture en satin. Fabrique-toi un chapeau haut de forme et n'oublie pas les crocs, qui seront du meilleur effet.

1 Pour faire la cape, coupe un carré de satin noir et un carré de satin rouge de 1,20 m de côté. Épingle les carrés ensemble, endroit contre endroit. Fais une couture au point avant (voir page 8) le long des quatre côtés en laissant une ouverture pour pouvoir retourner la cape sur l'endroit. Retourne la cape et fais des petits points pour fermer l'ouverture. Fais une couture au point avant à 9 cm du bord d'un des côtés en traversant les deux épaisseurs de tissu.

IL TE FAUT
Une vieille chemise blanche,
un pantalon noir
et des chaussures noires
1,20 m de satin noir
et 1,20 m de satin rouge
en 150 cm de large
3 m de ruban mauve large
60 cm de ruban noir large
Du carton noir et de la colle
Des crocs en plastique
(à acheter dans une boutique
de farces et attrapes)
Une aiguille et du fil
Une épingle à nourrice
Des ciseaux et un crayon

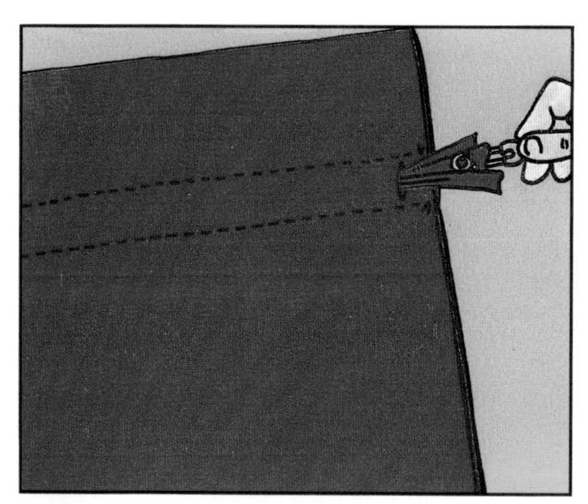

2 Fais une seconde couture à 2,5 cm de la première pour former une coulisse. Découds délicatement quelques points des côtés de la cape aux deux extrémités de la coulisse. Coupe un morceau de ruban mauve de 1,60 m de long. Attache une épingle à nourrice à l'un des bouts du ruban et passe-le dans la coulisse. Tu sentiras l'épingle à nourrice à travers le tissu, ce qui t'aidera à faire glisser le ruban dans la coulisse.

3 Pour faire le chapeau, coupe une bande de carton noir de 55 cm de long sur 20 cm de large. Trace un trait sur le plus long côté à 1,5 cm du bord. Plie le carton en suivant le trait et coupe des petites languettes tout le long du bord. Roule la bande de carton pour former un tube et colle les bords ensemble. Tu as ainsi la calotte du chapeau.

4 Pour le bord du chapeau, découpe un cercle de carton noir de 30 cm de diamètre. Appuie la base de la calotte au centre du cercle et trace un trait tout autour. Découpe le petit cercle ainsi obtenu. Glisse le bord du chapeau sur la calotte et colle les petites languettes de la calotte sous le bord. Colle un ruban noir autour du chapeau.

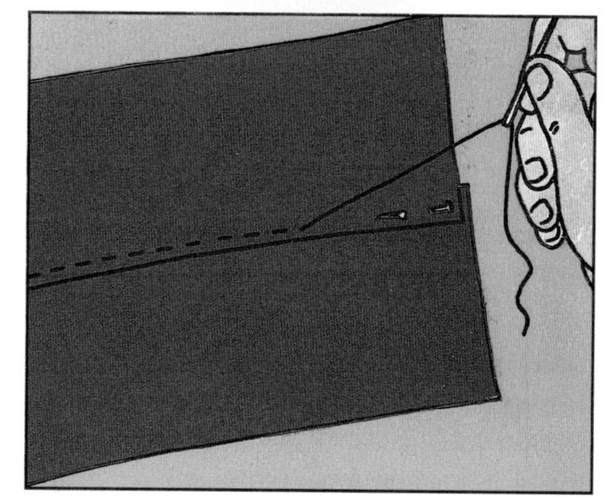

5 Coupe le morceau de ruban restant en deux pour faire la ceinture. Fais se chevaucher les bords des parties les plus longues et couds-les ensemble. Enfin, fais un ourlet à chaque bout (voir page 9). Attache la ceinture autour de ta taille.

LE MONSTRE MENAÇANT

Donne à ce costume de monstre l'aspect le plus terrifiant possible en cousant des morceaux d'emballage plastique à bulles sur le body pour faire comme des écailles et des bosses. Si tu n'as pas de body, un tee-shirt et un caleçon ou un collant feront très bien l'affaire.

1 Pour faire le masque, décalque les patrons des pages 88 et 89. Retourne les tracés et reporte-les sur l'envers du carton violet en passant un crayon sur le contour et en appuyant très fort. Les formes apparaîtront sur le carton, tu n'auras plus qu'à les découper. Replie la languette de la partie basse du masque sur l'envers, et découpe-la suivant le dessin. Retourne les deux parties du masque, pour que l'envers du carton soit devant toi.

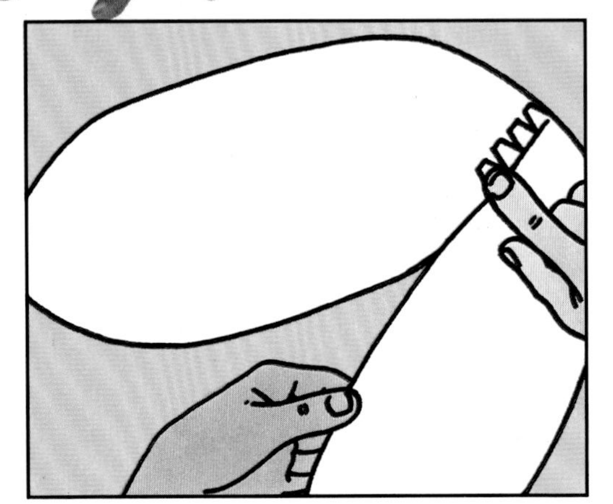

2 En commençant par les coins, colle les languettes sous le bord inférieur de la partie haute du masque. Fais un trou à l'endroit des points indiqués sur le patron et passe l'élastique à chapeaux dans les trous en faisant des nœuds à l'intérieur du masque. Colle les yeux sur la partie haute du masque.

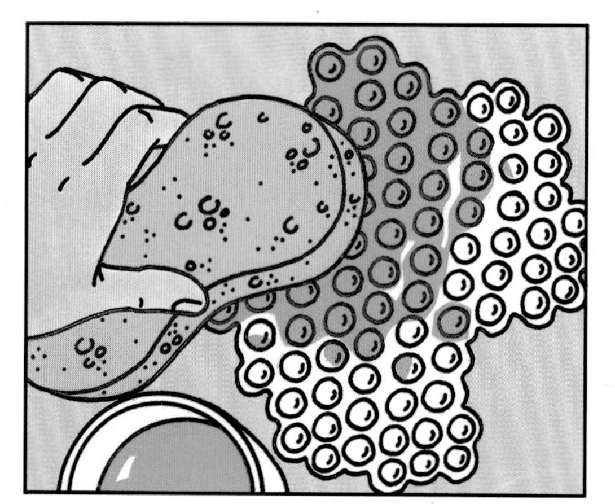

3 Mets de la peinture verte dans une assiette creuse. Avec une éponge, imprègne de peinture le morceau d'emballage plastique à bulles et laisse sécher. Découpe des morceaux de l'emballage à bulles et colle-les sur le masque. Découpe d'autres formes que tu fixeras plus tard sur le body.

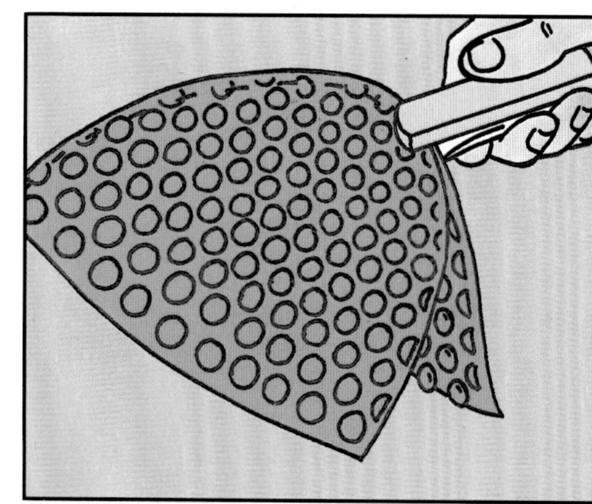

4 Pour faire les bosses, découpe deux cercles de 15 cm de diamètre dans l'emballage à bulles. Coupe les cercles en deux et agrafe-les ensemble comme sur le dessin. Laisse le bas ouvert et mets des serviettes en papier à l'intérieur des bosses.

5 Essaie le body et attache des épingles à nourrice aux endroits où tu placeras les morceaux d'emballage plastique à bulles et les bosses. Enlève le body. Fixe les morceaux d'emballage à bulles et les bosses avec quelques points. Peins des chutes de carton en vert et découpe six triangles pour faire les griffes. Colle-les ou couds-les au bout de chaque chaussette.

IL TE FAUT

Un body de danseur violet et une paire de chaussettes violettes
Du carton violet et de l'emballage plastique à bulles
De la gouache verte et un pinceau
Une assiette creuse et une éponge
80 cm d'élastique à chapeau
2 yeux (à acheter dans une boutique de jouets)
Des serviettes en papier vert
De la colle universelle et des ciseaux
Du papier-calque et un crayon
Une aiguille, du fil et une agrafeuse

JOJO LE CLOWN

Tu seras le roi de la fête dans cet habit de clown. Décore la chemise avec des peintures scintillantes et fais des bretelles en ruban de couleur vive. Pour que le pantalon se tienne raide à la taille, remplace l'élastique par du gros-grain, que tu trouveras dans les grands magasins. Pour parfaire l'ensemble, fabrique-toi un chapeau rigolo et voyant, une paire de chaussures trop grandes et un énorme nœud papillon.

IL TE FAUT

Un vieux pantalon de travail avec ceinture élastique
Une vieille chemise d'adulte
Du carton jaune
1 m de gros-grain rigide
2,30 m de ruban large
40 cm de matière plastique jaune en 90 cm de large
30 cm d'élastique en 13 mm de large
2 m d'élastique à chapeau
Du papier crépon scintillant rouge

1 Découpe les poignets de la chemise. Glisse un sac en plastique à l'intérieur de chaque manche et décore le bas des manches avec des peintures scintillantes. Porte la chemise avec des bandes élastiques que tu mettras au bas des manches pour faire un volant.

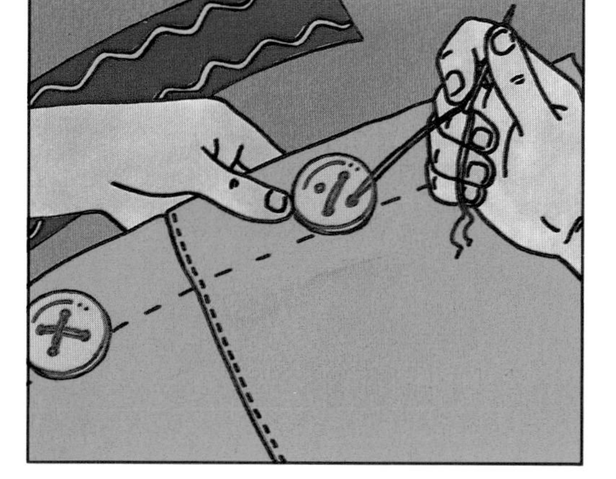

3 Pour faire les bretelles, coupe le ruban en deux et décore-le avec des peintures scintillantes. Couds deux boutons sur le devant du pantalon et deux derrière, à 7,5 cm de la couture centrale. Fais une fente aux bouts de chacun des rubans et fais-y passer les boutons du dos du pantalon.

IL TE FAUT AUSSI

- 4 gros boutons
- Une balle de ping-pong
- De la peinture scintillante
- Du ruban à cadeaux étroit
- 3 pompons rouges
- 2 bandes élastiques
- Du ruban adhésif transparent
- De la colle universelle
- Des sacs en plastique
- Des ciseaux
- Du papier-calque et un crayon

(Suite page suivante.)

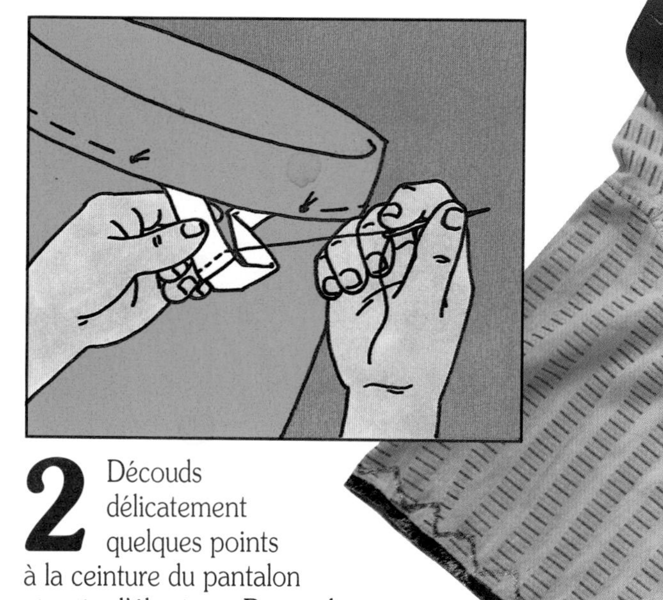

2 Découds délicatement quelques points à la ceinture du pantalon et retire l'élastique. Pousse le gros-grain à l'intérieur de la coulisse de la ceinture du pantalon jusqu'à ce que l'autre bout ressorte. Couds ensemble les extrémités du gros-grain.

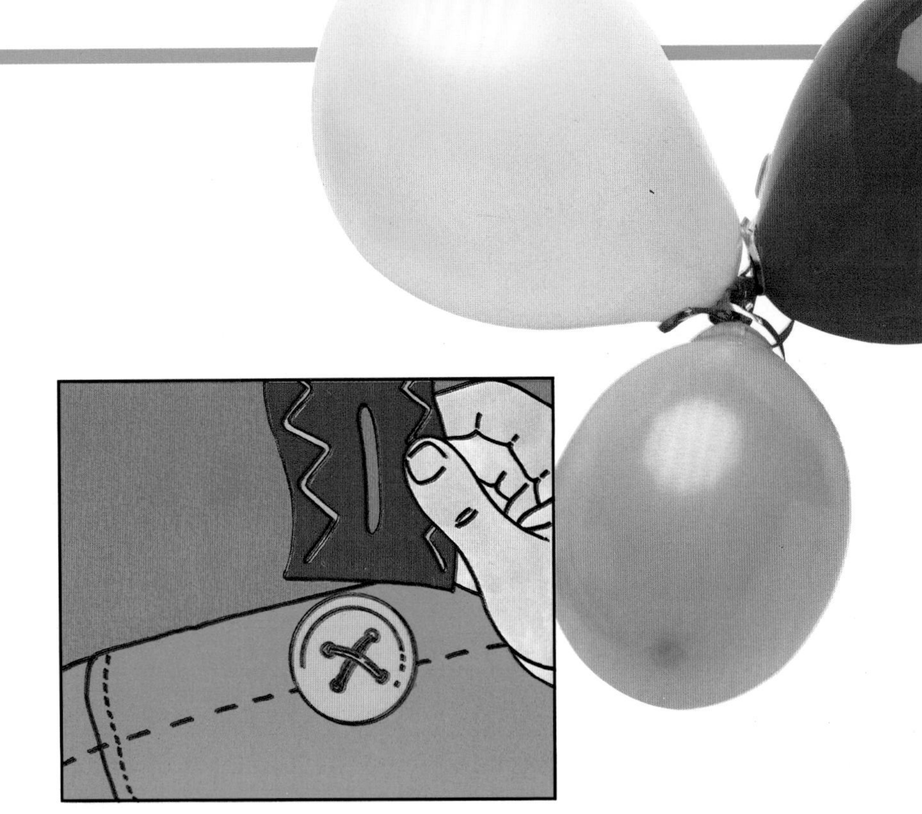

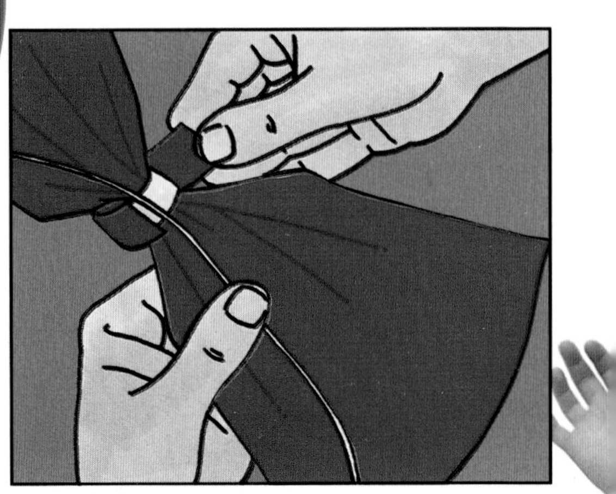

7 Place un morceau d'élastique à chapeau derrière le nœud papillon. Entoure-le d'un petit morceau de papier crépon métallisé que tu colleras pour maintenir l'élastique en place. Noue les extrémités de l'élastique sur ta nuque.

4 Essaie le pantalon et passe les bretelles sur tes épaules. Fais deux autres fentes au bout des rubans et attache les bretelles aux boutons du devant.

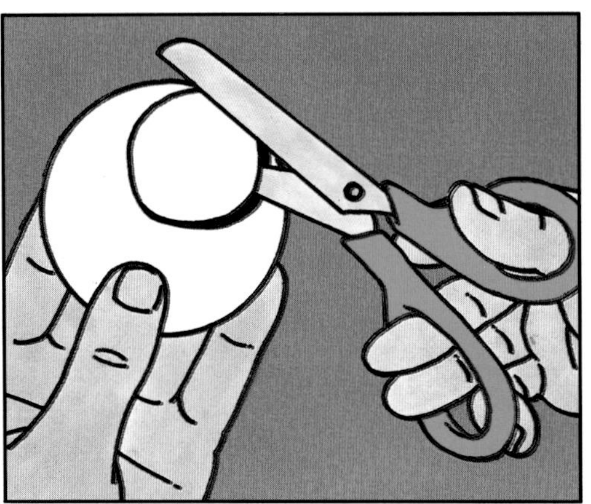

5 Pour le nez, découpe dans une balle de ping-pong un rond assez grand pour y passer ton propre nez. Peins la balle avec de la peinture scintillante et laisse sécher. Fais un trou de chaque côté du nez et passe dedans l'élastique à chapeau. Noue l'élastique derrière la tête.

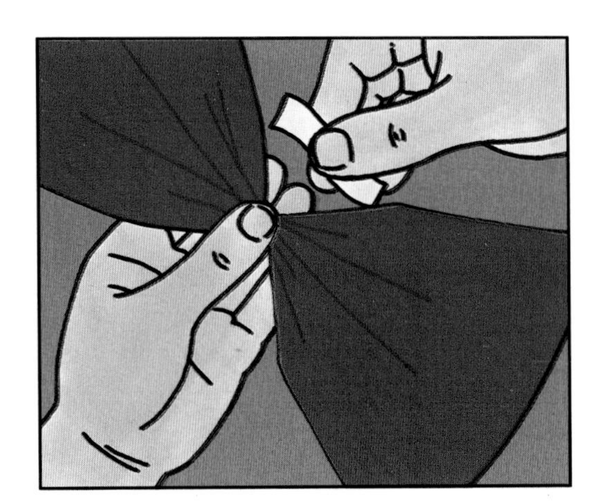

6 Découpe un rectangle de 30 sur 16 cm dans le papier crépon métallisé pour faire le nœud papillon et deux rectangles de 20 sur 12,5 cm pour les nœuds des chaussures. Resserre les rectangles en leur milieu pour former les nœuds et attache-les avec du ruban adhésif. Décore les nœuds avec des peintures scintillantes.

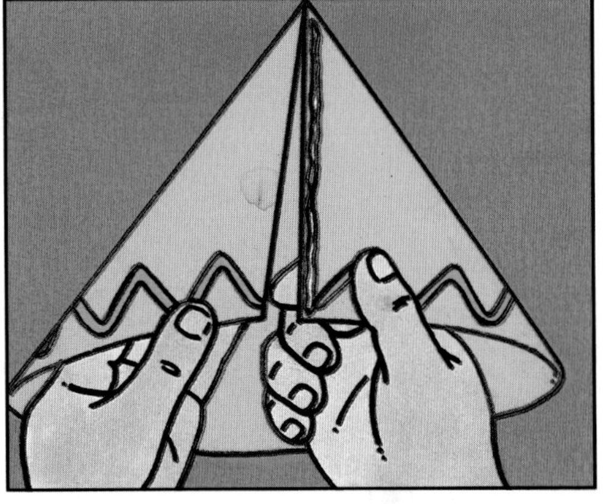

8 Décalque le patron du chapeau des pages 94 et 95 et reporte le tracé sur le carton jaune. Repasse sur le contour avec un crayon. Le tracé apparaît. Découpe la forme. Décore-la avec de la peinture scintillante. Colle ensemble les deux bords du chapeau. Décore-le avec les pompons. Fais un trou de chaque côté du chapeau et fais-y passer l'élastique. Colle des morceaux de ruban à cadeaux à l'intérieur du chapeau.

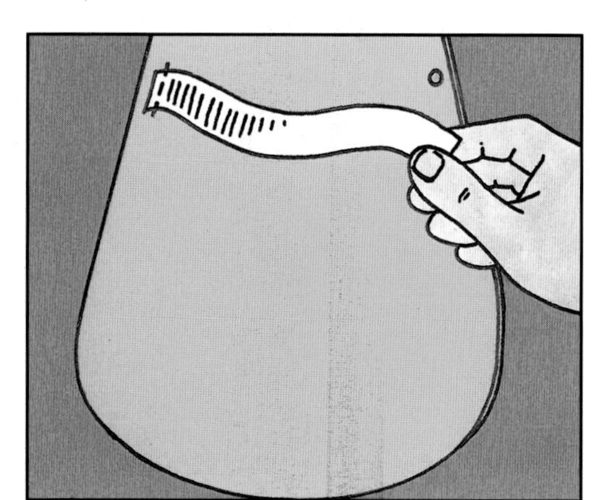

10 Prends l'élastique large et coupe deux morceaux de 11,5 cm de long. Fixe chaque extrémité sur les semelles de plastique aux points indiqués sur le patron. Porte les chaussures en plaçant l'élastique sur le dessus du pied. Puis découpe le patron du dessus des chaussures. Fixe-le sur une double épaisseur de plastique jaune et découpe le tout.

9 Pour faire les chaussures, décalque les patrons de semelle et de dessus de chaussure des pages 93 et 94. Reporte le tracé de la semelle sur le carton et repasse sur le contour avec un crayon. Le patron apparaîtra sur le carton et tu pourras découper la forme. Recommence l'opération pour faire une seconde semelle. Place une des semelles sur une double épaisseur de matière plastique jaune et fixe-la avec du ruban adhésif. Coupe les deux semelles.

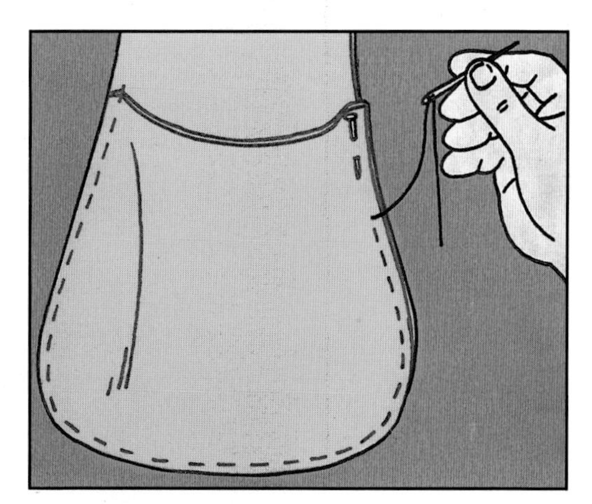

11 Couds le dessus des chaussures sur les semelles en plastique en faisant coïncider parfaitement semelles et dessus grâce aux points indiqués sur le patron. Colle les semelles en carton sous les semelles en plastique. Colle les nœuds sur les chaussures.

L'ARBRE DE NOËL

Pourquoi ne pas te rendre à une fête de fin d'année déguisé tout simplement en arbre de Noël ? La petite cape et la jupe sont faites dans du papier crépon scintillant vert froncé à la taille et autour du cou avec des bandes de plastique adhésif. Lorsque tu auras terminé le chapeau, décore ton costume avec toutes sortes d'étoiles, grelots et autres boules de Noël.

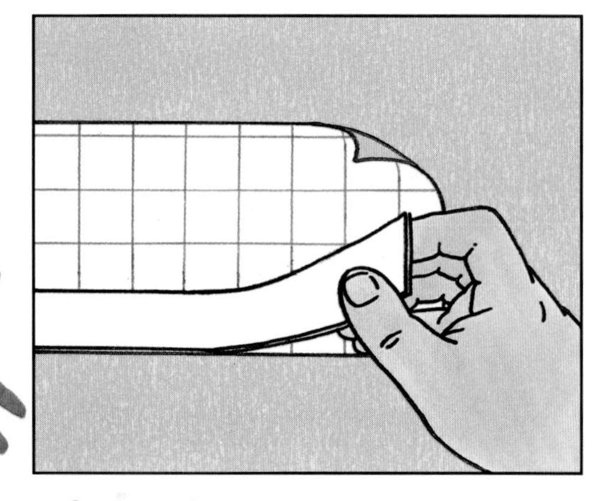

IL TE FAUT

Un body de danseuse vert,
ou un tee-shirt et un collant verts
Du papier crépon scintillant vert
Du carton mince
Du plastique adhésif doré
70 cm d'élastique à chapeau
Des guirlandes et des décorations
de Noël légères
Du Velcro adhésif
Du ruban adhésif double face
et du ruban adhésif transparent
Une aiguille et du fil
De la colle universelle
Des ciseaux et un mètre-ruban
Du papier-calque et un crayon

1 Pour faire la ceinture, découpe une bande de plastique adhésif de 4 cm de large et à la mesure de ton tour de taille plus 5 cm. Coupe une autre bande de 40 cm de long sur 4 cm de large pour le tour de cou. Colle du ruban adhésif double face sur un des côtés longs de la ceinture et du tour de cou. Surtout, n'enlève pas le papier protecteur du plastique adhésif.

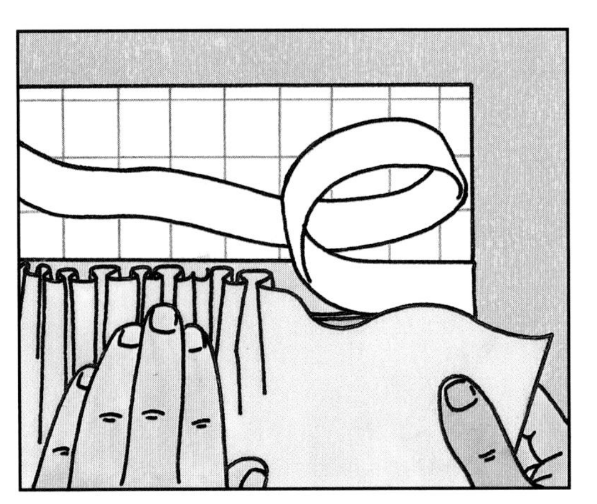

2 Coupe deux bandes de papier crépon scintillant de 1,80 m sur 30 cm pour la cape et la jupe. Pour faire la jupe, décolle le papier protecteur du ruban adhésif double face de la ceinture et colle-le sur le côté long d'une des bandes de papier crépon. Fais des fronces pour que celui-ci coïncide avec la ceinture. Attache les extrémités avec du Velcro. Fais de même pour la cape, et colle-la sur le tour de cou.

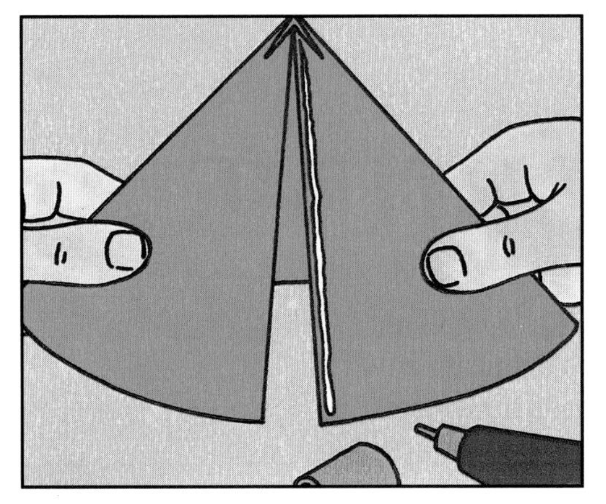

3 Pour le chapeau, décalque le patron des pages 94 et 95. Reporte le tracé sur du carton fin en appuyant sur le contour avec un crayon. La forme apparaît sur le carton : découpe-la. Colle dessus du papier crépon scintillant et coupe les morceaux qui dépassent. Fais des fentes sur le haut du chapeau aux endroits indiqués sur le patron. Enroule le chapeau en forme de cône, fais se chevaucher les bords droits et colle-les ensemble.

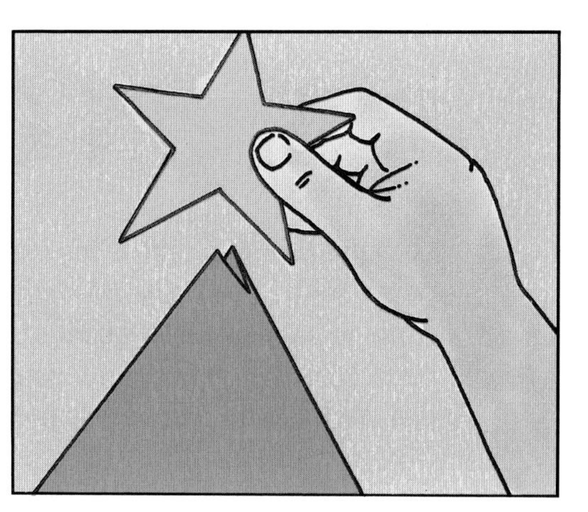

4 Fais un trou de chaque côté du chapeau et passe l'élastique dans les trous. Fais des nœuds au niveau des trous à l'intérieur du chapeau. Colle du plastique adhésif doré sur les deux faces d'un morceau de carton et découpe des étoiles. Place les étoiles dans les fentes prévues sur le haut du chapeau. Colle une guirlande tout autour du bord du chapeau.

5 Fixe des guirlandes tout autour de la jupe et de la cape en faisant quelques points. Couds aussi des décorations d'arbre de Noël sur le chapeau, la jupe et la cape. Colle du ruban adhésif sur l'envers des coutures pour que le papier crépon scintillant ne se déchire pas. Entoure tes poignets de morceaux de guirlande et demande à un ami de les fixer avec du ruban adhésif.

VARIATIONS SUR UN COSTUME

Lorsque tu auras réalisé les costumes de ce livre, pourquoi ne pas créer toi-même tes déguisements ? Nous te suggérons ici quelques façons d'adapter certains des déguisements en utilisant des matériaux, des couleurs ou des accessoires différents.

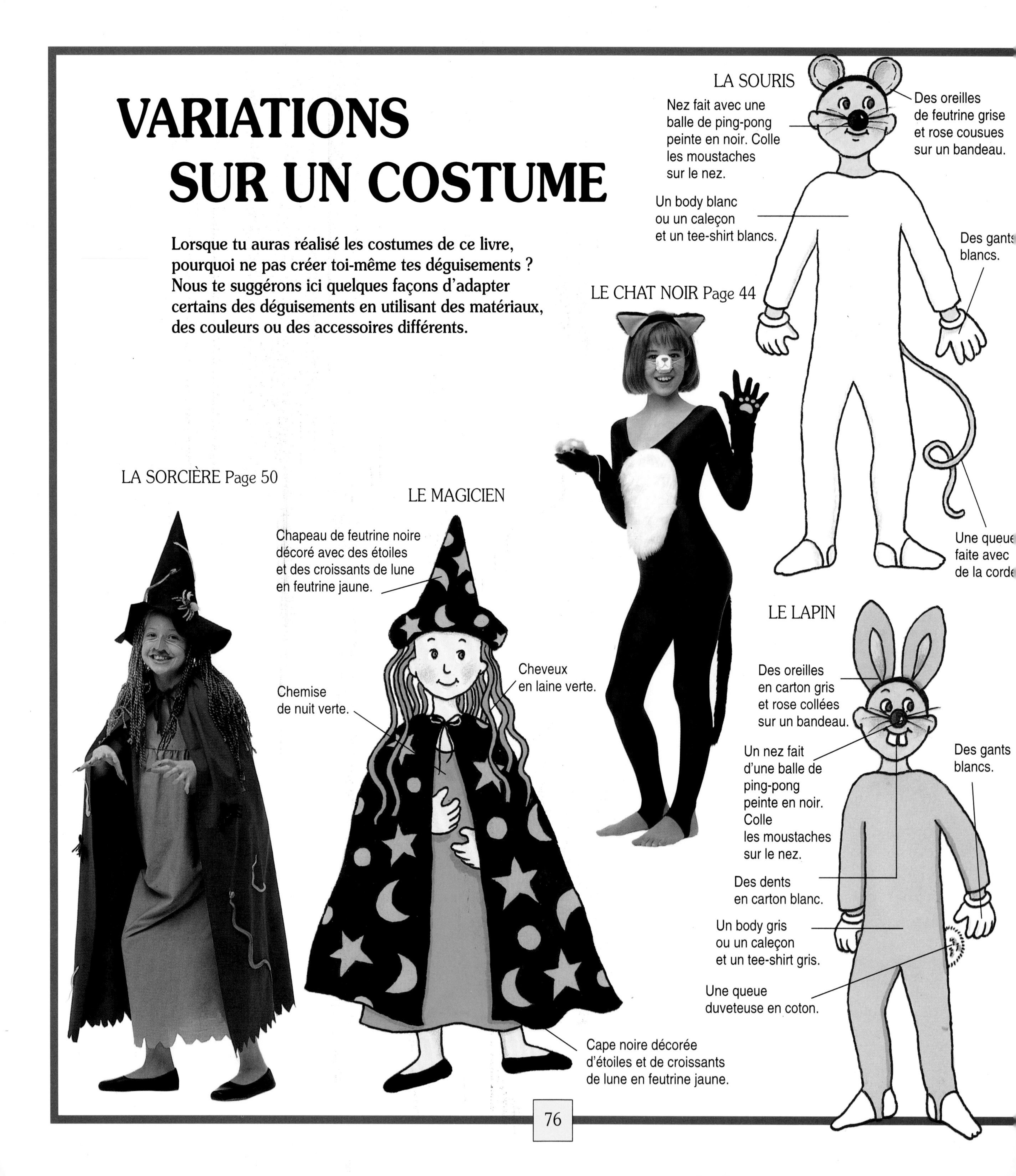

SCARLETT O'HARA Page 22
LA PRINCESSE TSIGANE
Des anneaux de rideau
pour les boucles d'oreilles.
Un tee-shirt blanc.
Un châle
ou une écharpe à fleurs.
Une jupe verte
faite dans un sac poubelle
et bordée d'un galon doré.
LE CRAYON
Page 52
LA FLEUR
LA FUSÉE
DE FEU D'ARTIFICE
Un chapeau
en forme
de cône décoré
avec des feutres
scintillants.
Des pétales en papier
crépon de couleur vive
attachés avec
un élastique.
Le corps en carton
décoré avec de la gouache
et des feutres scintillants.
Des feuilles
en papier crépon
vert collées sur
le corps.
Du carton vert
pour faire la tige.
Un volant
en papier crépon.

PATRONS

Les pages qui suivent contiennent les patrons nécessaires à la réalisation de la plupart des déguisements de ce livre. Avant de reproduire l'un d'entre eux, lis attentivement les instructions données point par point pour chaque projet. Certains de ces patrons se présentent sous forme de schéma. Il te faudra reporter les mesures correspondantes sur du papier pour obtenir la bonne taille.

Pour comprendre la technique, reporte-toi aux indications données page 8 et intitulées « Confection d'un patron en papier ». Tous les patrons présentés ici sont conçus pour des enfants de neuf à dix ans. Vérifie que les mesures figurant sur les patrons correspondent bien à ta taille avant de couper le tissu. Si nécessaire, adapte les patrons à ta propre taille.

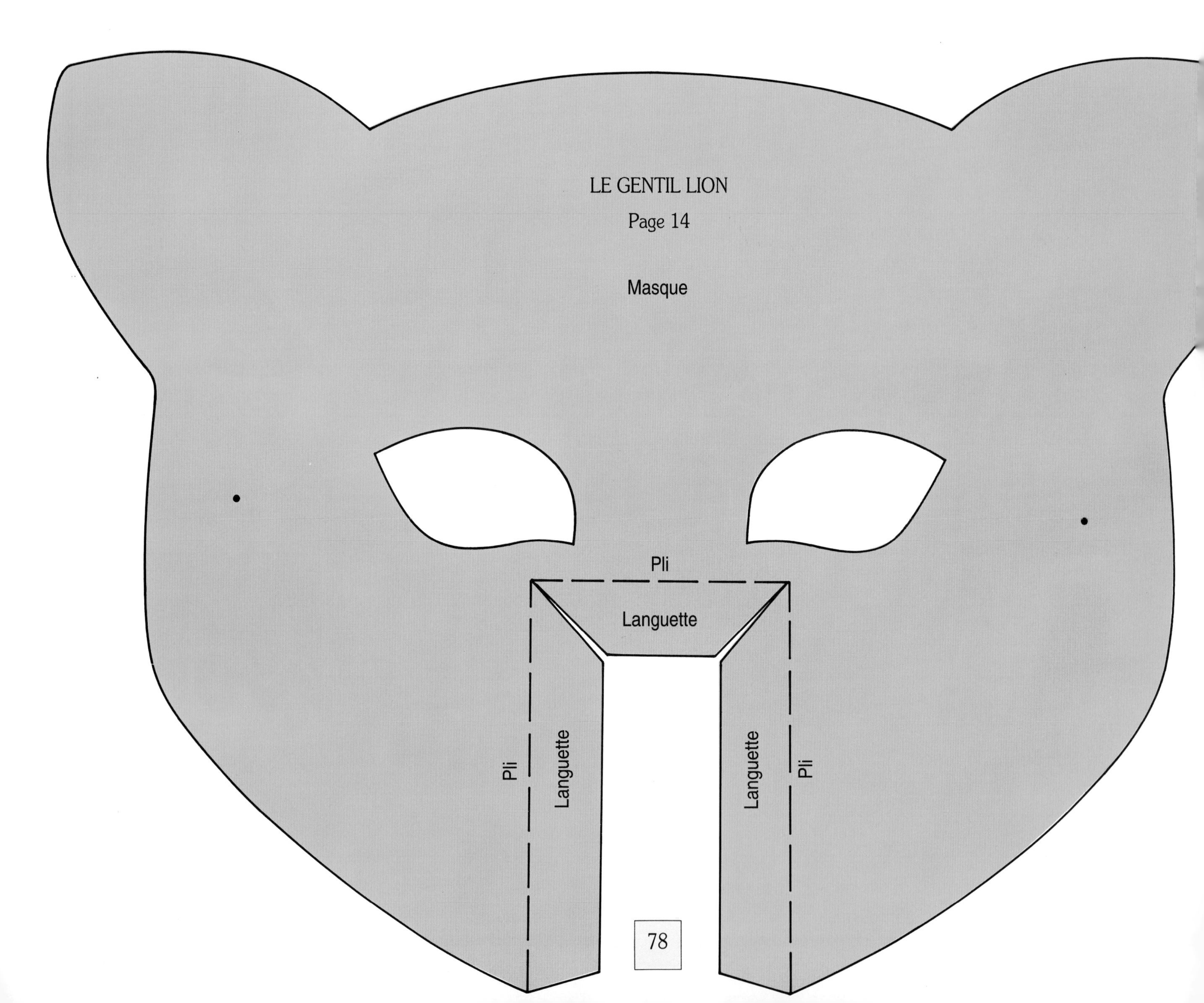

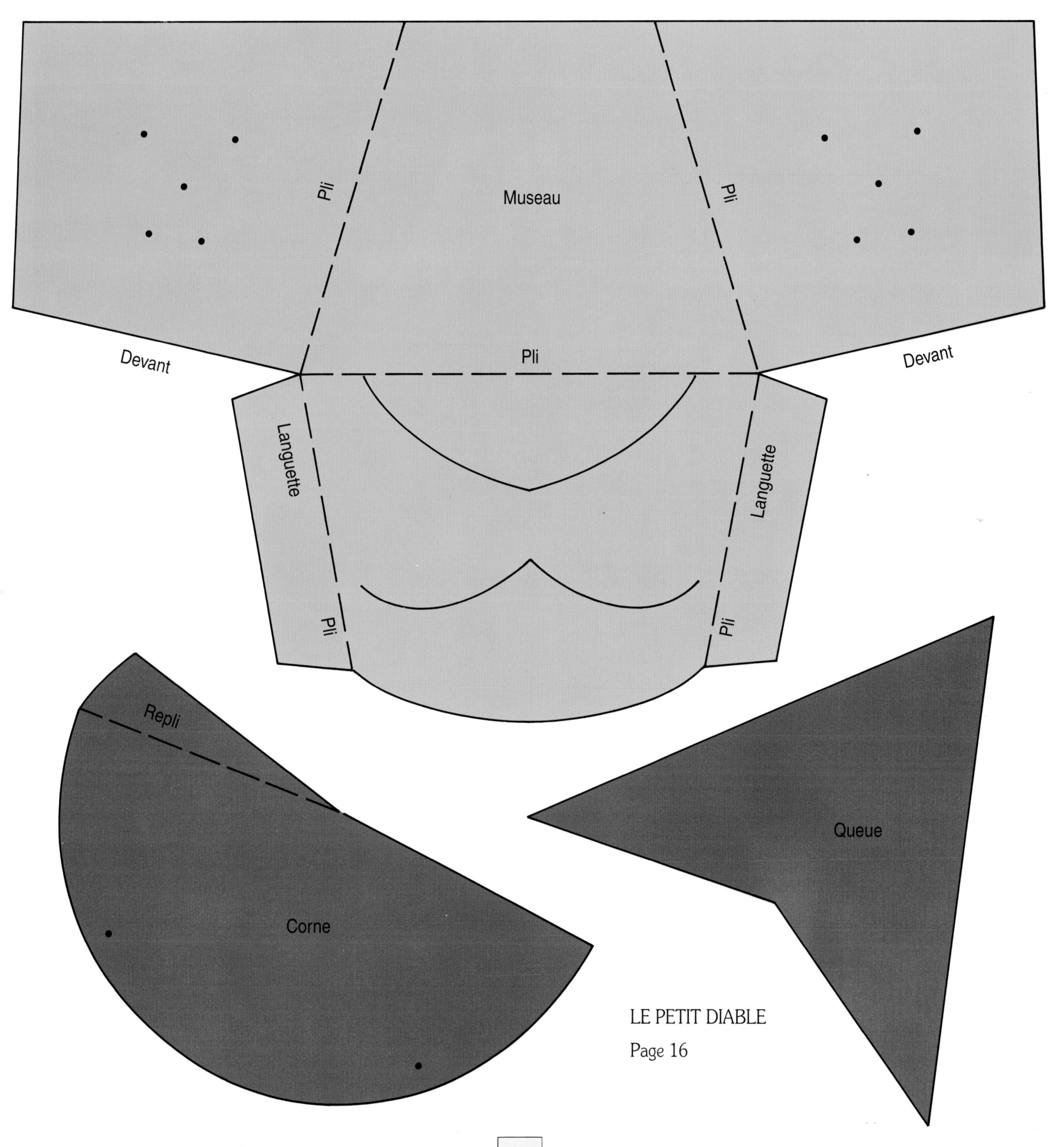

LE PETIT DIABLE
Page 16

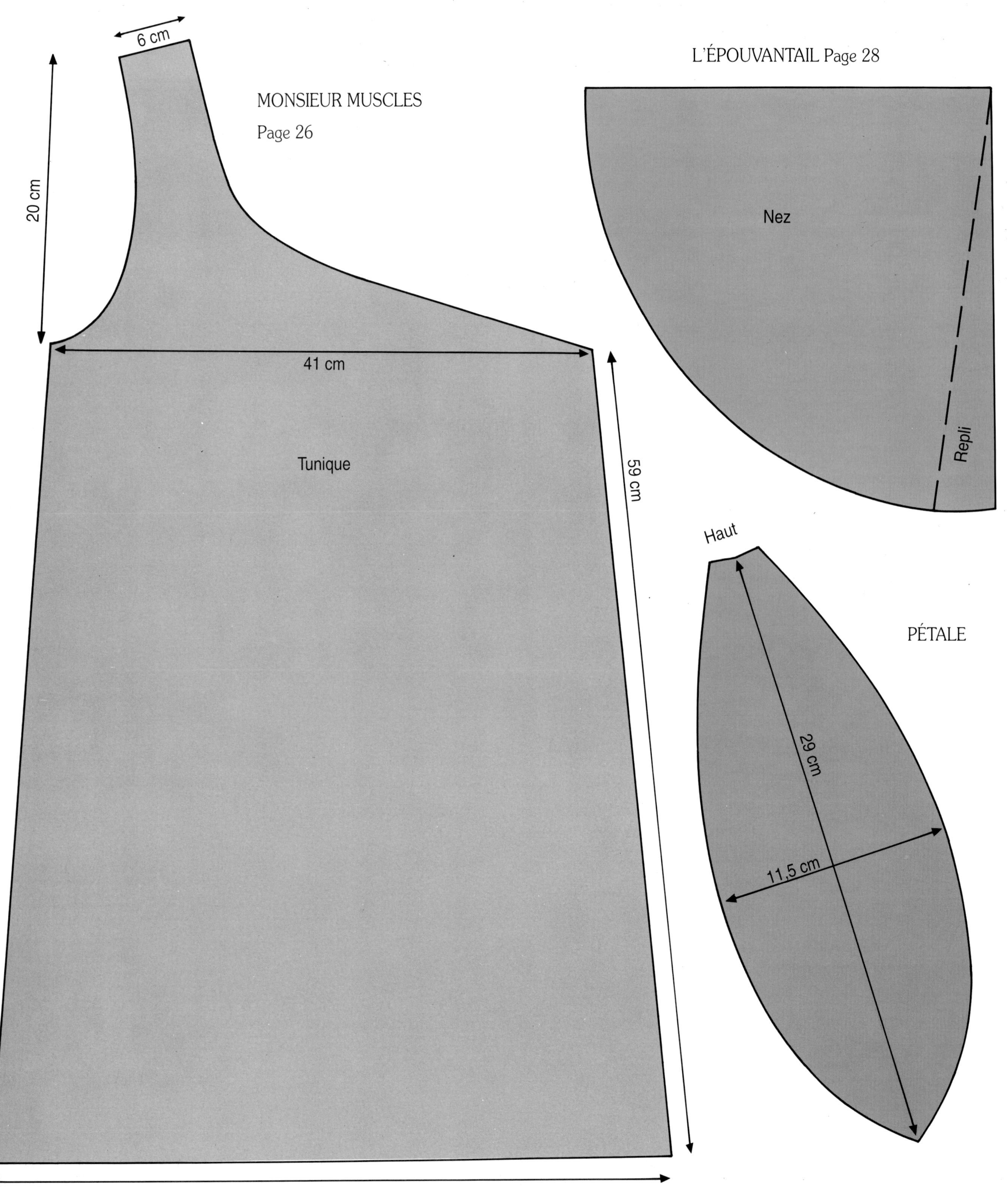
6 cm
20 cm
MONSIEUR MUSCLES
Page 26
41 cm
Tunique
59 cm
58 cm
L'ÉPOUVANTAIL Page 28
Nez
Repli
Haut
PÉTALE
29 cm
11,5 cm

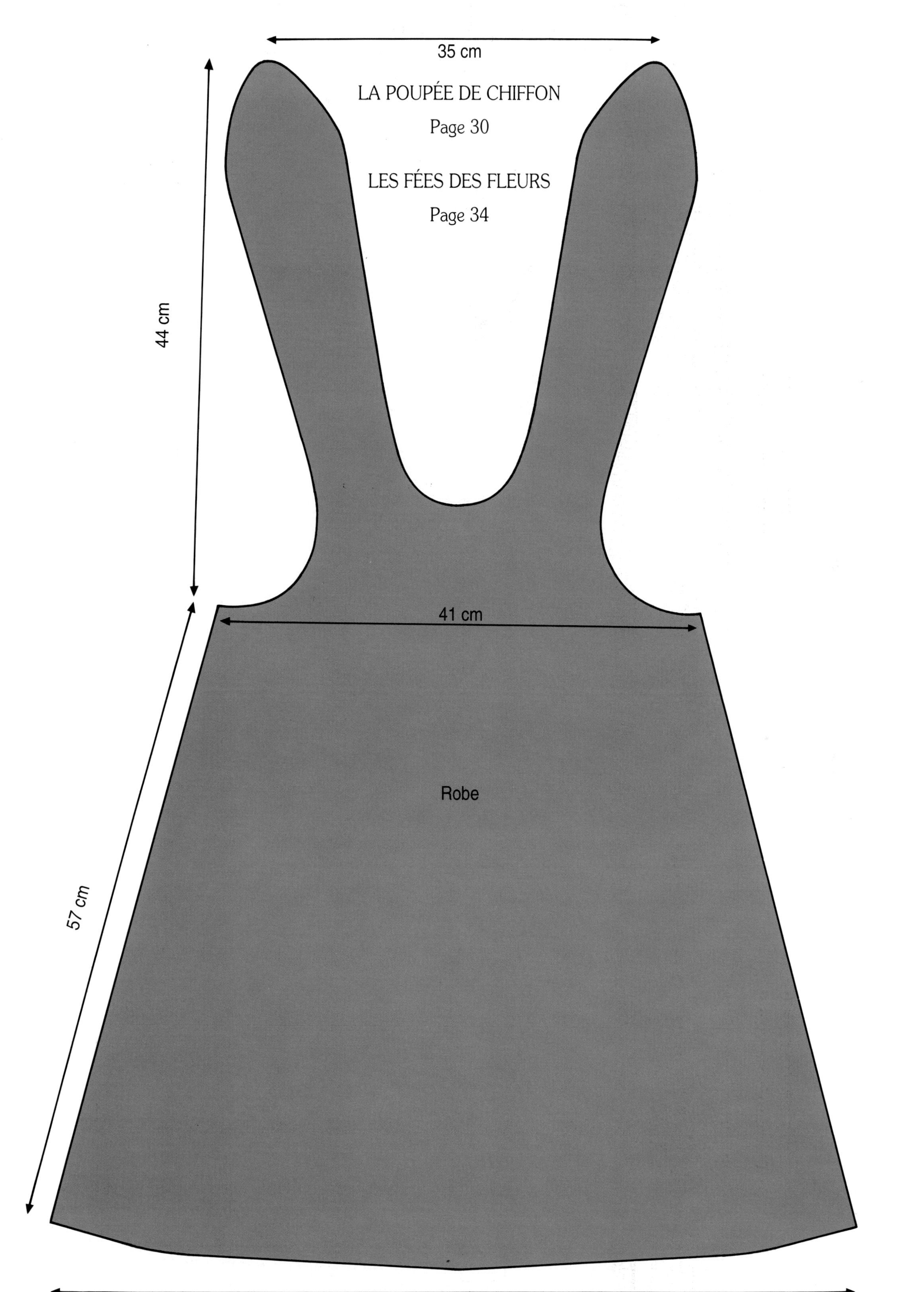
35 cm
LA POUPÉE DE CHIFFON
Page 30
LES FÉES DES FLEURS
Page 34
44 cm
41 cm
Robe
57 cm
70 cm

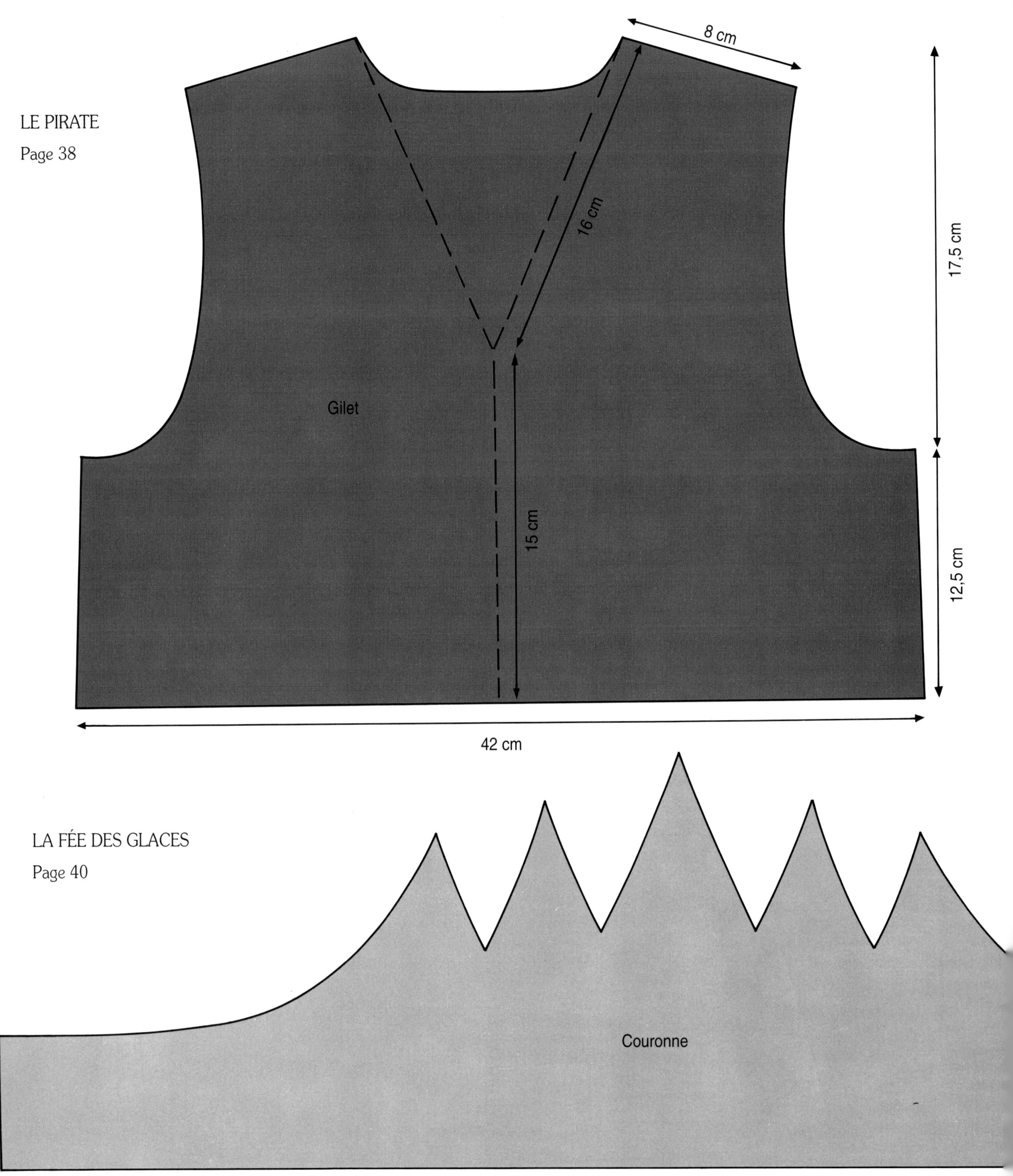
LE PIRATE
Page 38
8 cm
16 cm
17,5 cm
Gilet
15 cm
12,5 cm
42 cm
LA FÉE DES GLACES
Page 40
Couronne
60 cm

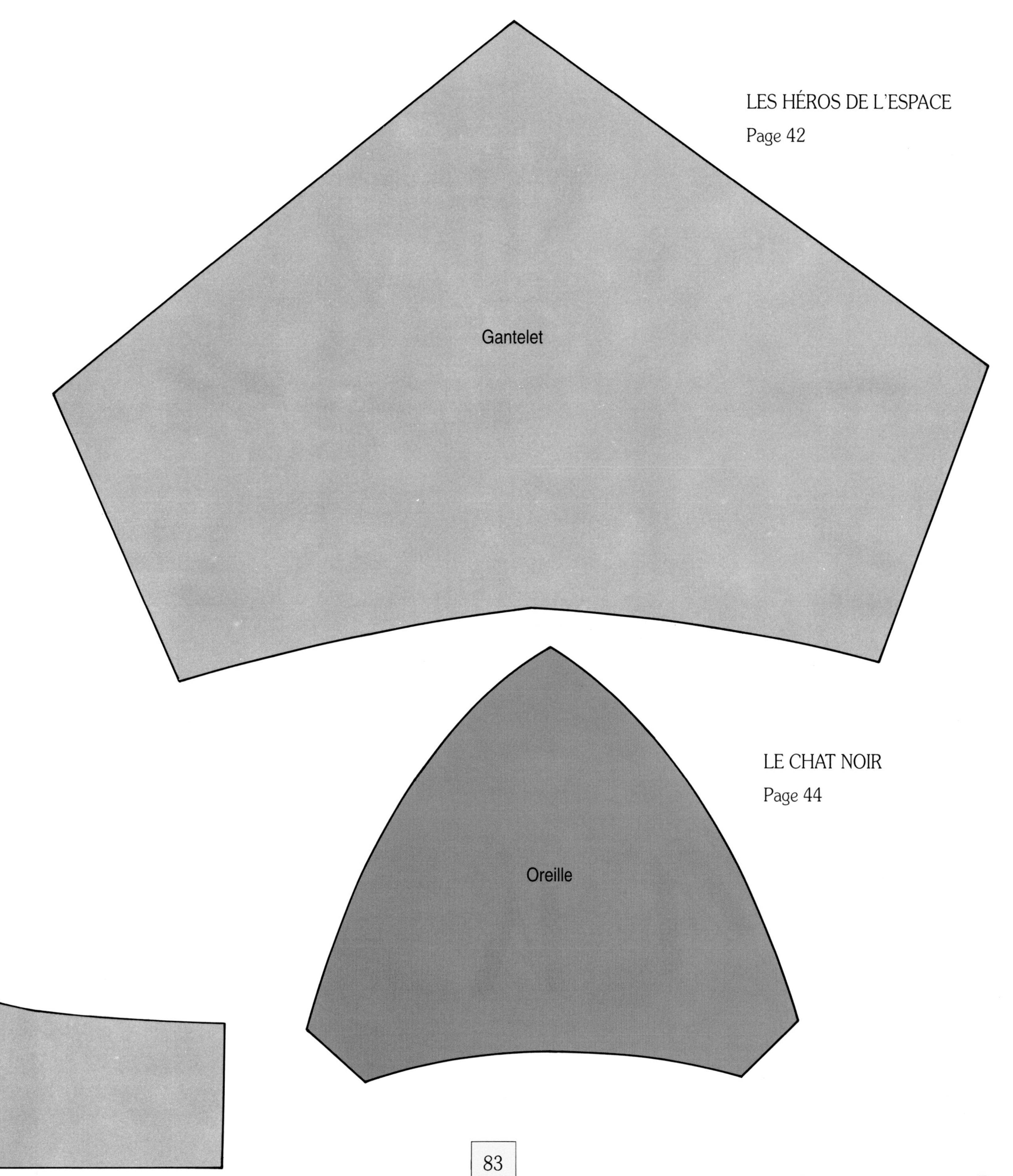
LES HÉROS DE L'ESPACE
Page 42
Gantelet
LE CHAT NOIR
Page 44
Oreille

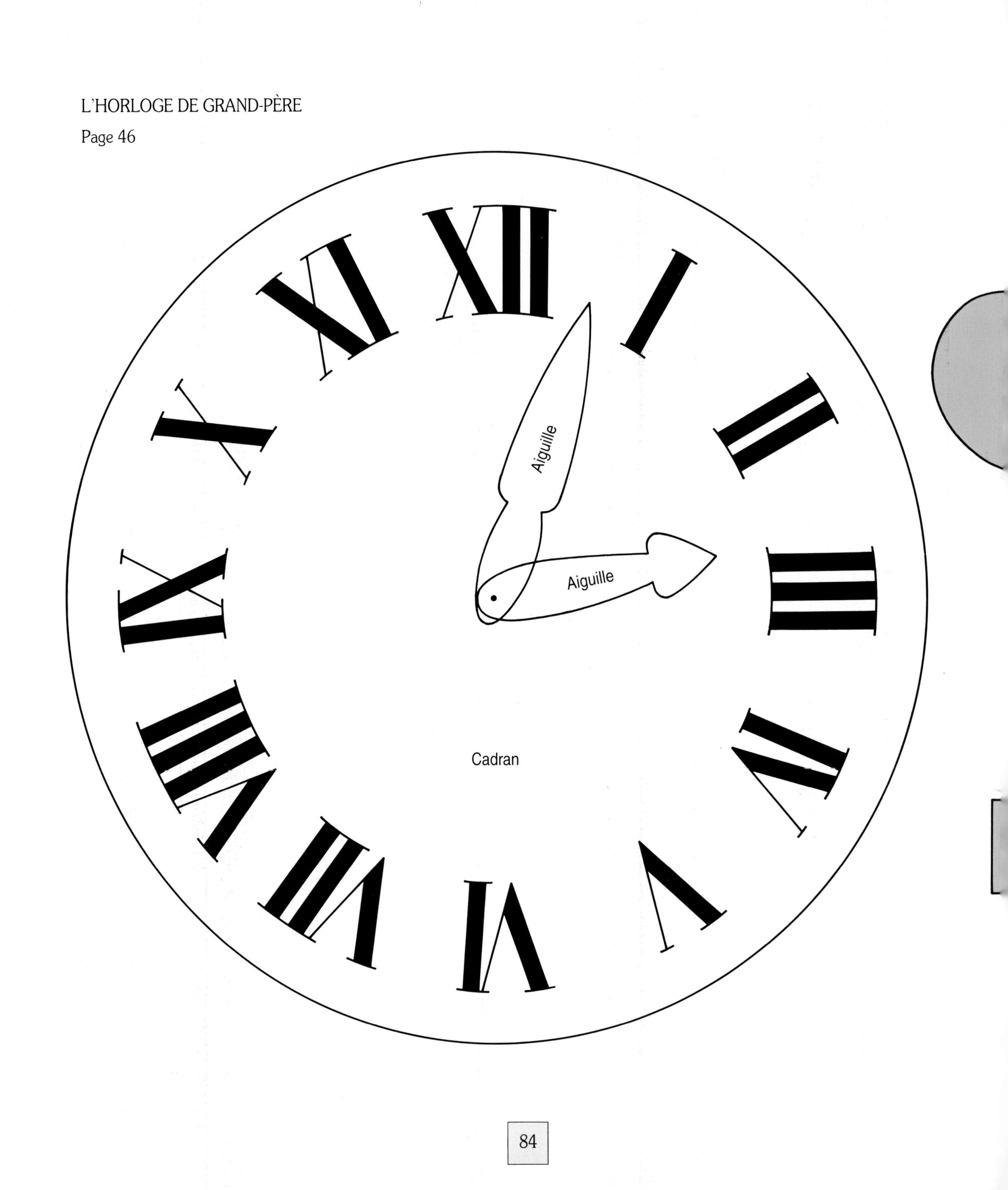
XII
I
II
III
IIII
V
VI
VII
VIII
IX
X
XI
Aiguille
Aiguille
Cadran

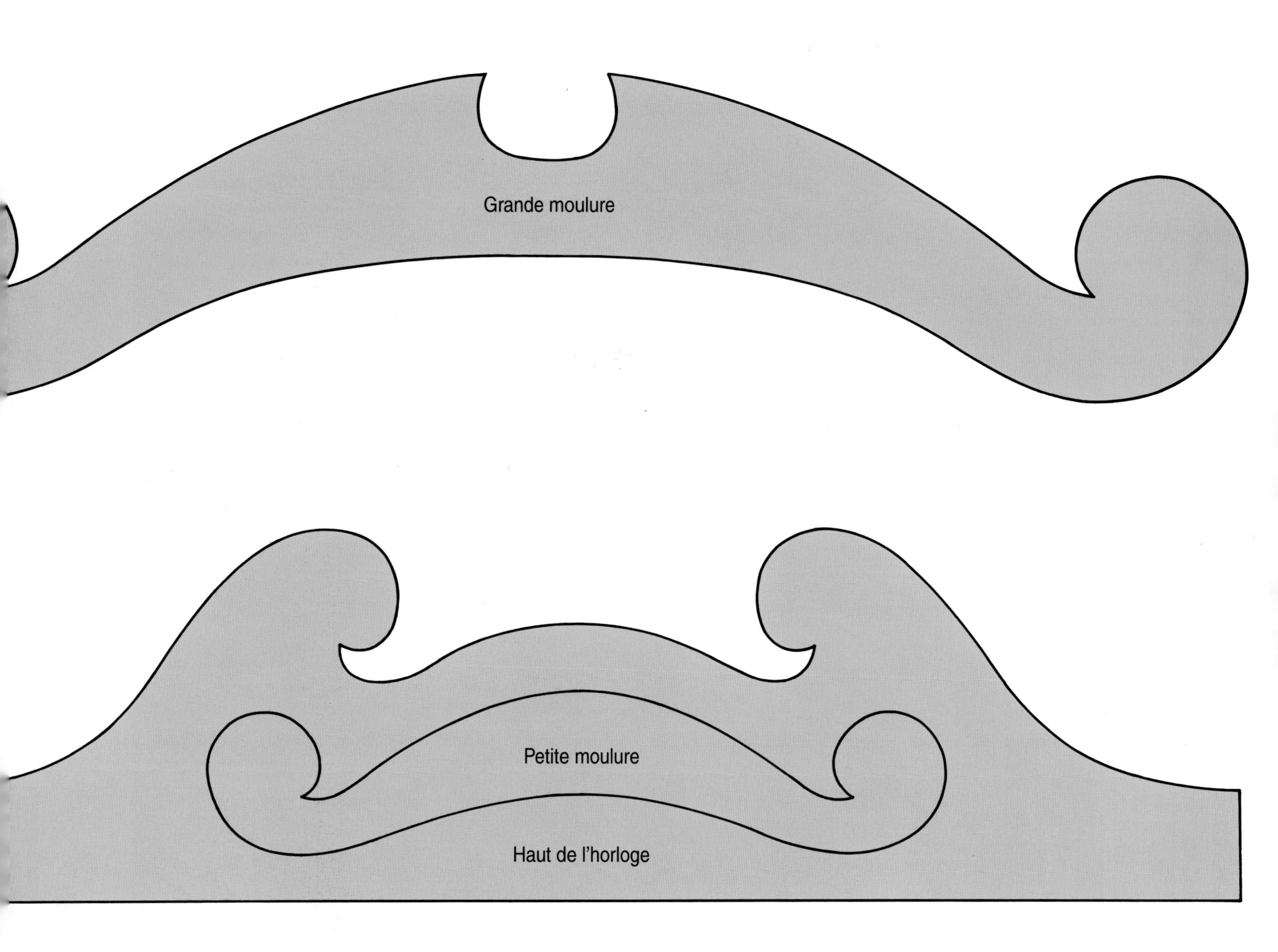
Grande moulure
Petite moulure
Haut de l'horloge

LA SORCIÈRE

Page 50

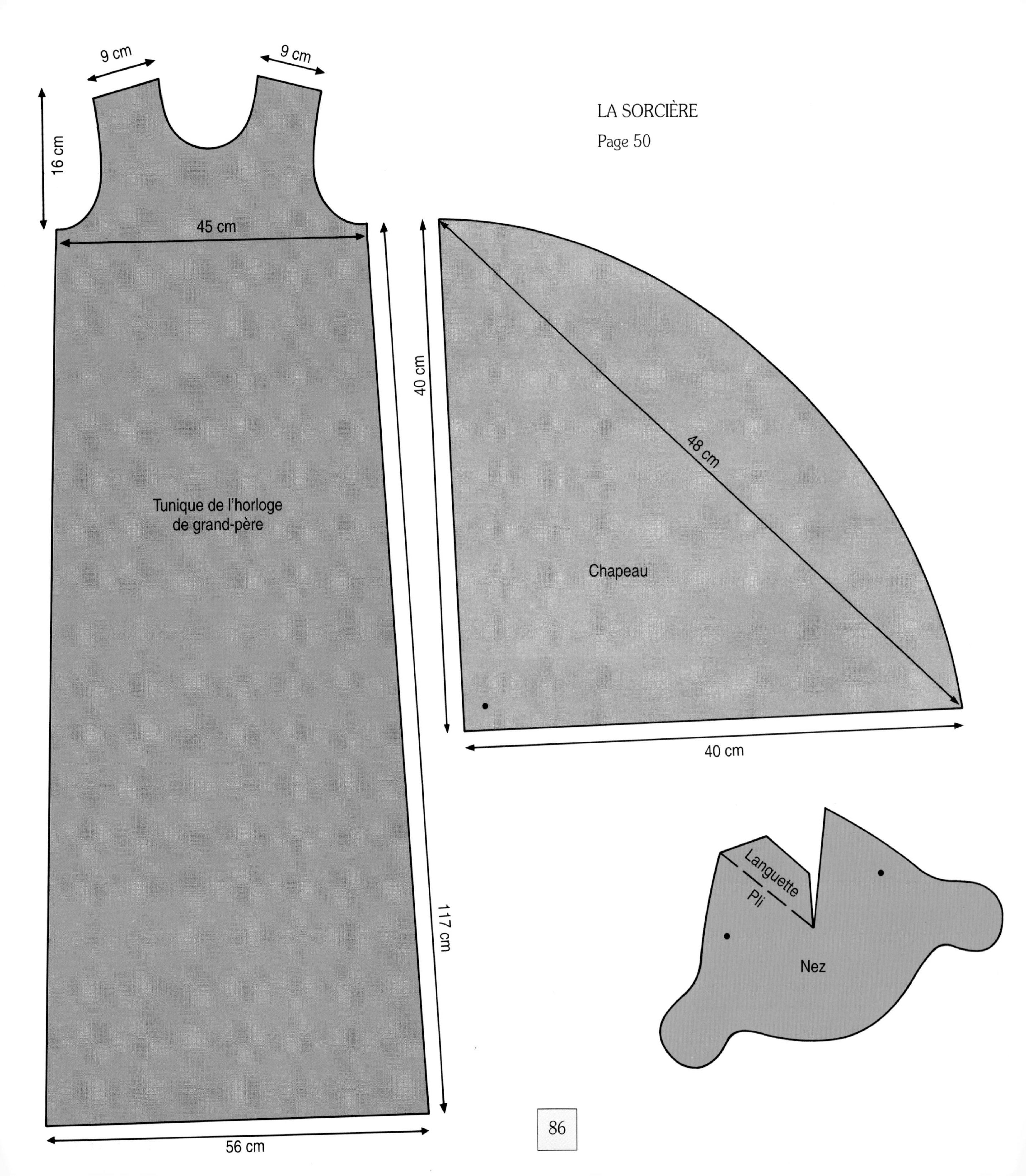

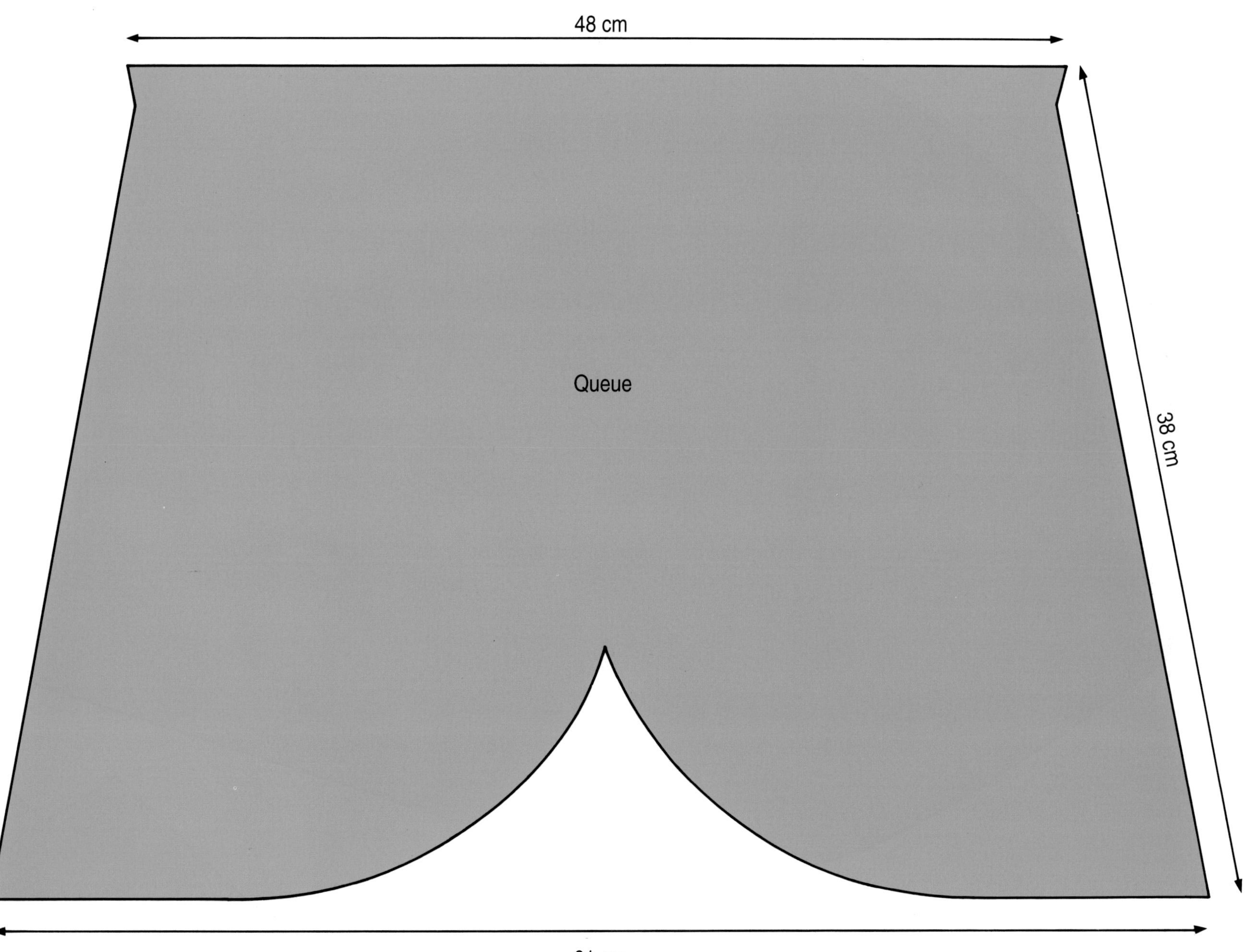
48 cm
Queue
38 cm
61 cm

LA GRENOUILLE

Page 62

LE MONSTRE MENAÇANT

Page 68

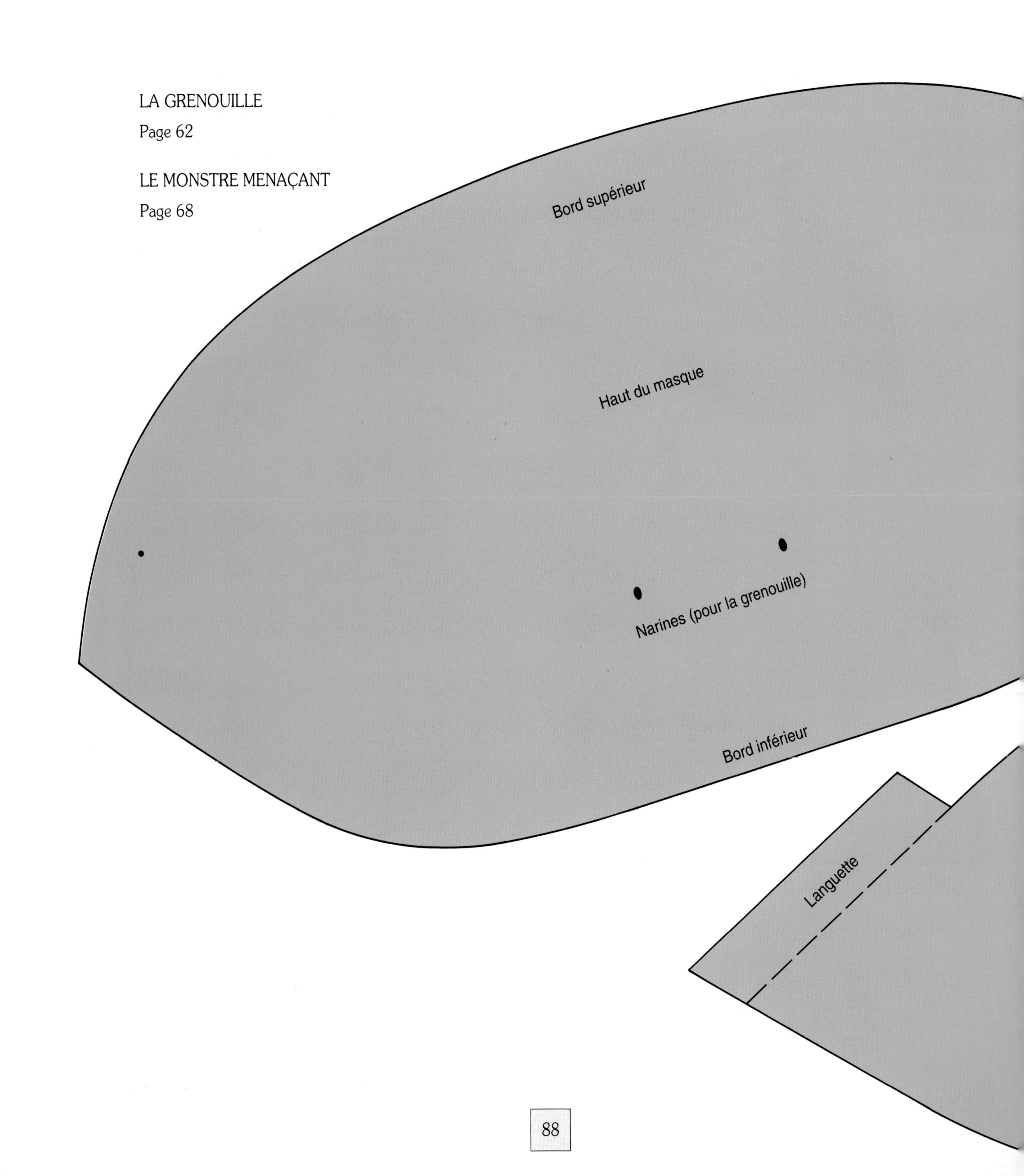

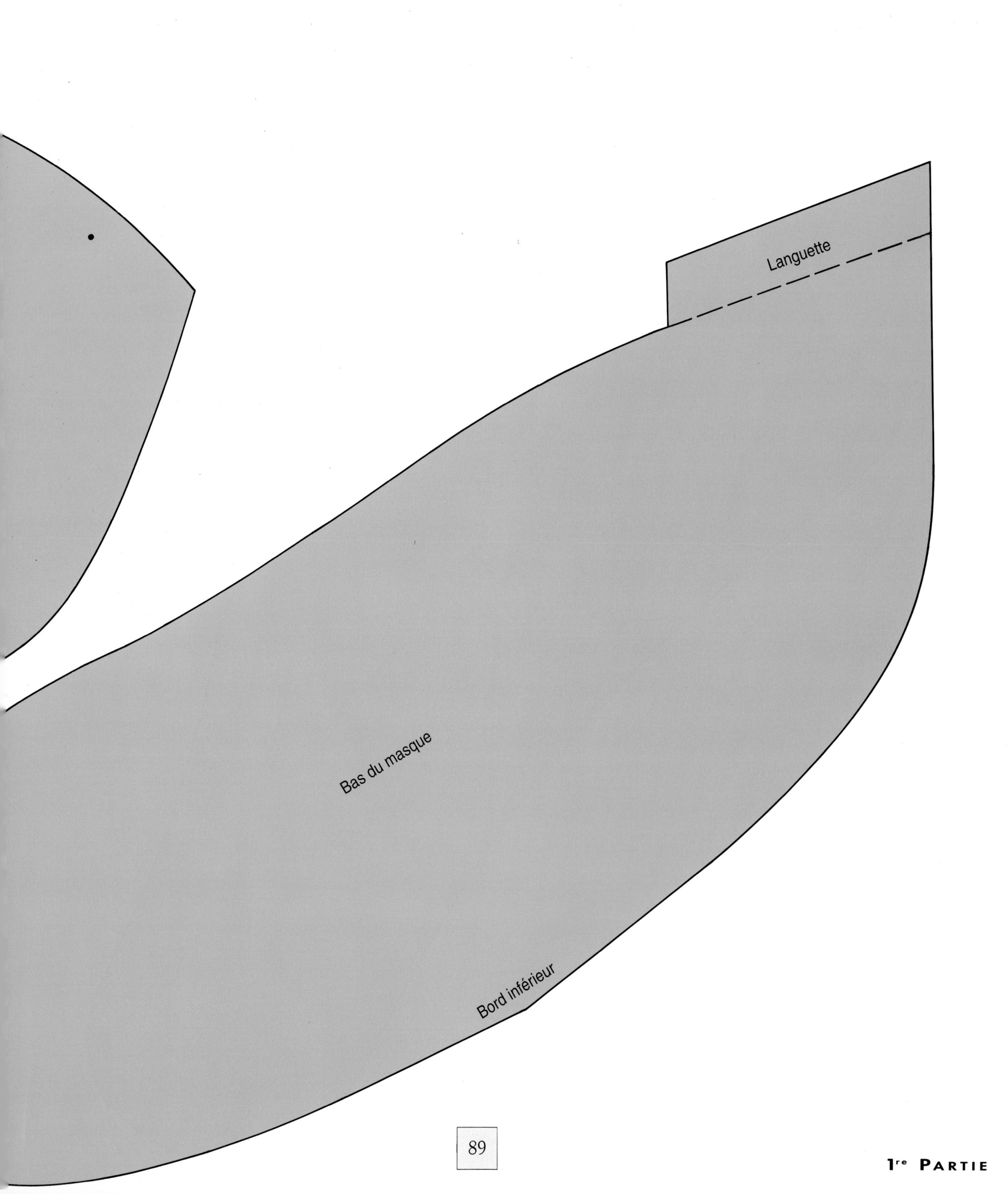
Languette
Bas du masque
Bord inférieur

LA GRENOUILLE

Page 62

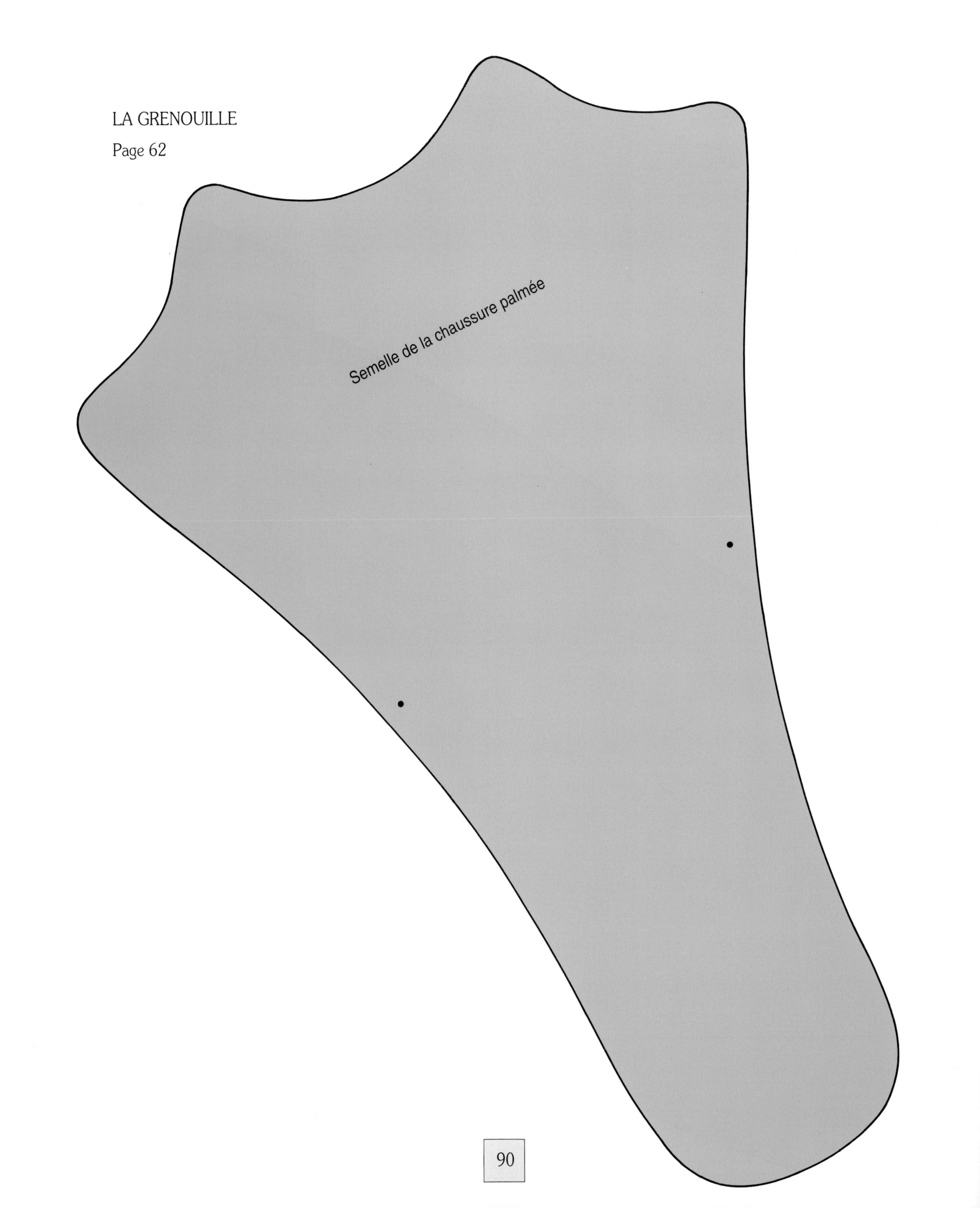

Dessus de la chaussure palmée

LA GRENOUILLE

Page 62

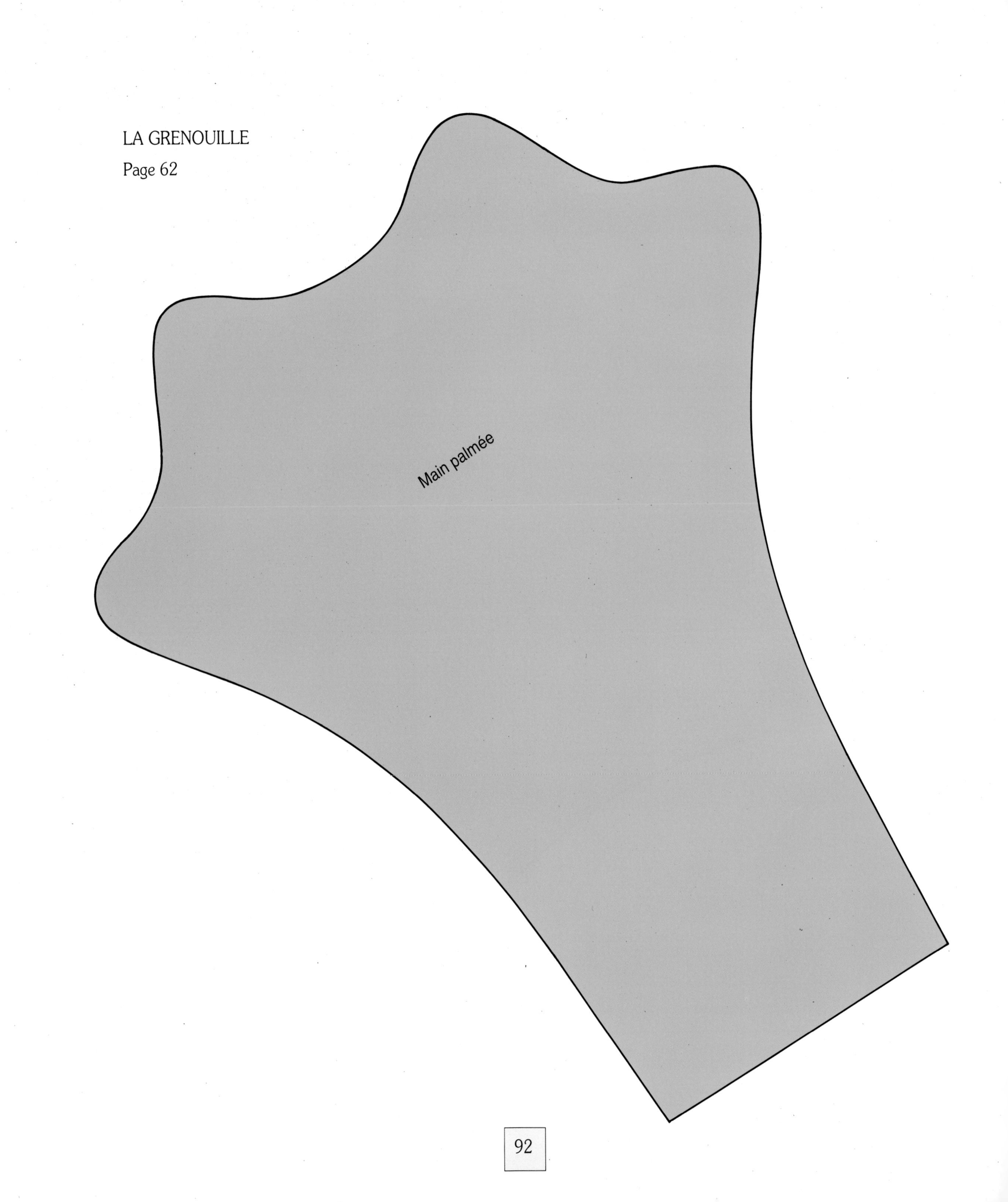

JOJO LE CLOWN

Page 70

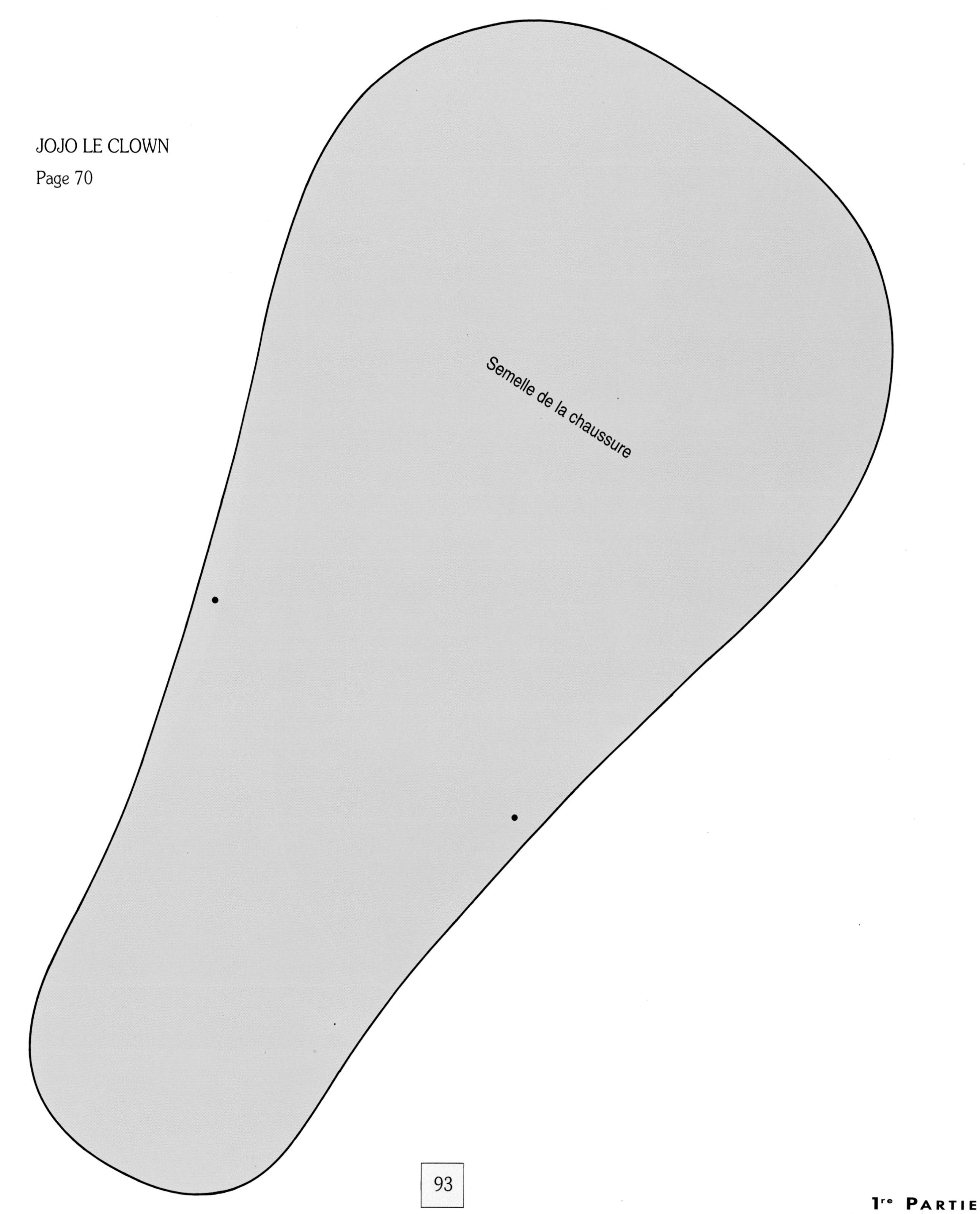

JOJO LE CLOWN

Page 70

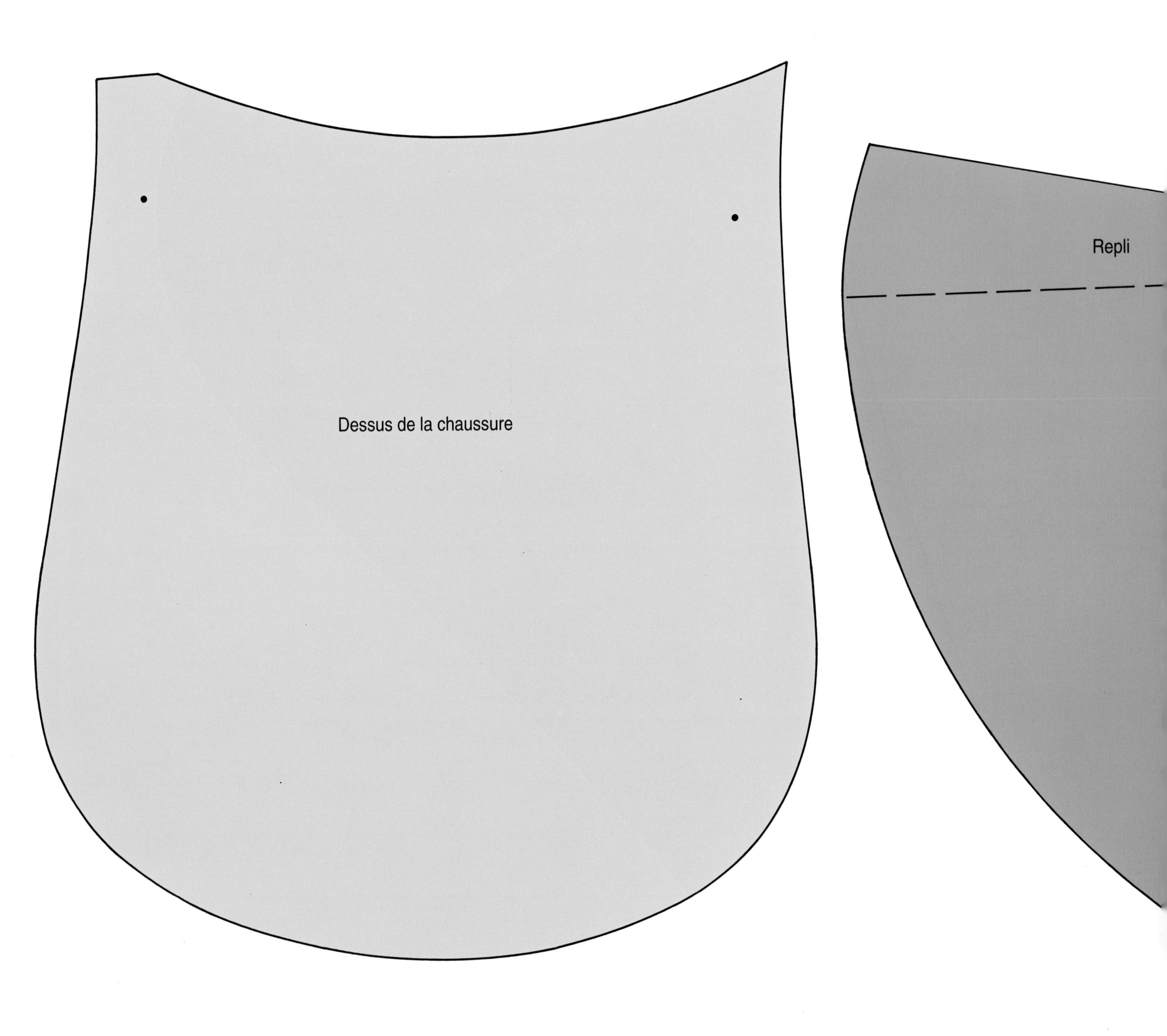

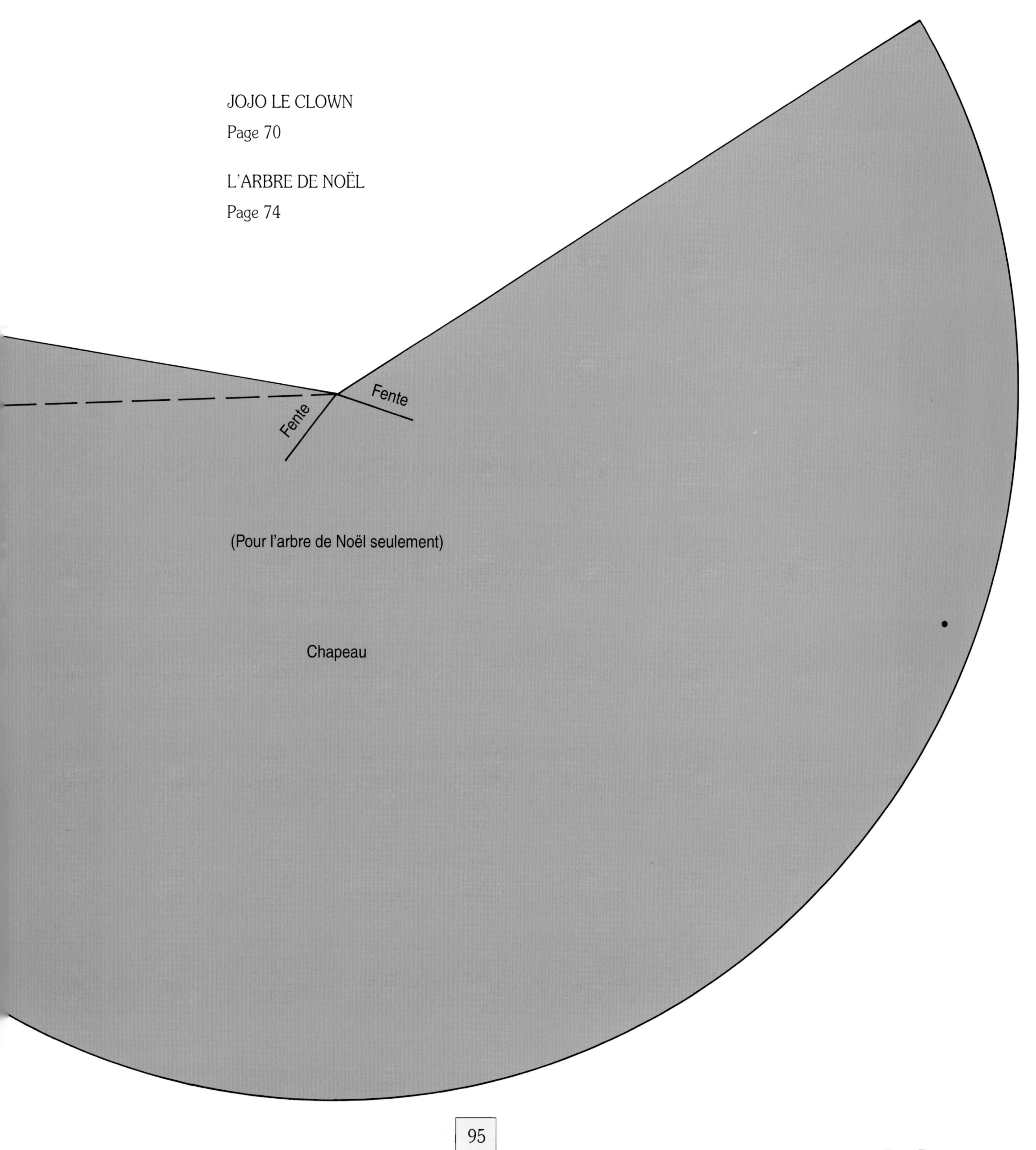
JOJO LE CLOWN
Page 70
L'ARBRE DE NOËL
Page 74
Fente
Fente
(Pour l'arbre de Noël seulement)
Chapeau

PREMIÈRE PARTIE

INDEX

DEUXIÈME PARTIE

1, 2, 3, JE CRÉE...
MES CADEAUX

CHERYL OWEN . ANNA MURRAY

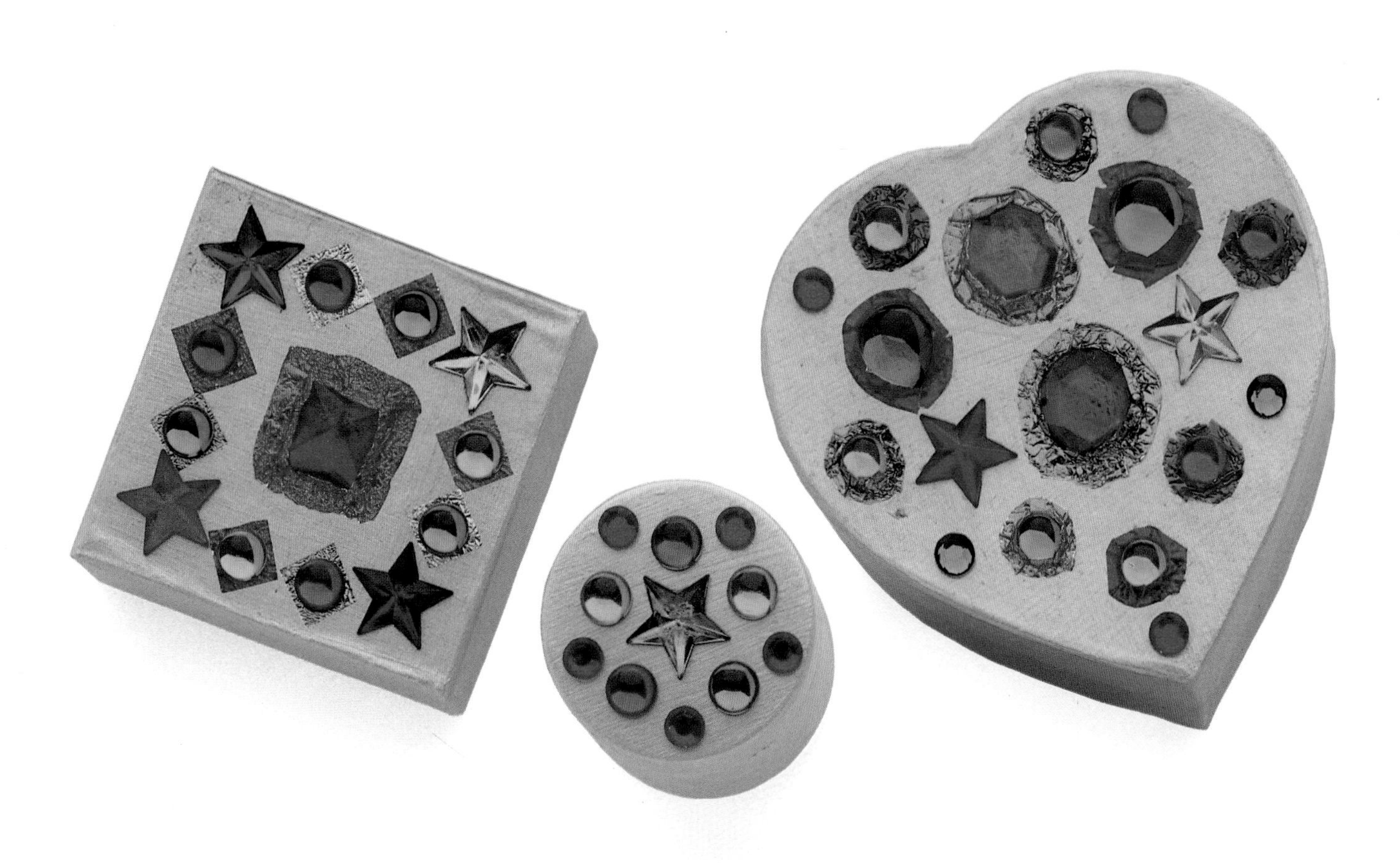

Cette partie pleine de couleurs et de fantaisie offre aux enfants plus de 35 charmants objets à réaliser pour eux-mêmes ou pour leur famille et leurs amis. Ils apprendront à teindre des tissus, à décorer des tennis ou une casquette, à fabriquer des badges-dinosaures, des bijoux en pâtes ou en coquillages, des marionnettes à doigts ou des bols en papier mâché...

Des instructions faciles à suivre, des dessins illustrant chaque étape, des photographies en couleurs et des patrons en grandeur réelle leur permettront de réussir tous les projets présentés.

DEUXIÈME PARTIE

MES CADEAUX

SOMMAIRE

INTRODUCTION

Bienvenue dans ce livre. Tu trouveras dans *Mes Cadeaux* des pages d'objets fabuleux à créer toi-même. Tout est expliqué simplement, étape par étape, et en couleurs. Tu apprendras à teindre des tissus, à dessiner des cartes de vœux, à fabriquer des marionnettes, des bols en papier mâché, des bijoux fantaisie... Ce livre t'aidera à réaliser de jolies choses pour toi mais aussi des cadeaux originaux pour tes amis et ta famille.

Rassemble tout ce dont tu as besoin avant de commencer, et n'oublie pas de ranger quand tu as terminé !

AVANT DE COMMENCER

- Avant toute chose, demande à un adulte de regarder avec toi ce dont tu as besoin.
- Lis bien les instructions avant de t'y mettre.
- Réunis tout ce dont tu as besoin.
- Recouvre la table sur laquelle tu vas travailler avec du papier ou un morceau de tissu usagé.
- Protège tes vêtements avec un tablier ou enfile de vieux habits.

QUAND TU AS TERMINÉ

Range tout ce que tu as sorti. Mets les crayons, les tubes de peinture et de colle dans de vieux pots en plastique ou des boîtes à biscuits.

Nettoie les pinceaux et n'oublie pas de refermer les pots dans lesquels tu as mis les crayons, les peintures ou la colle.

PRUDENCE !

- Fais bien attention quand tu te sers de quelque chose de chaud ou de coupant. Tu es capable de faire la plupart des objets tout seul, mais il t'arrivera d'avoir besoin d'aide. La mention ATTENTION t'indiquera les projets qui nécessitent l'aide d'un adulte.
- **Rappelle-toi ces règles de base :**

  Ne laisse jamais traîner des ciseaux ouverts ou, même fermés, près de plus petits que toi, qui risquent de les attraper.
- Quand tu ne les utilises pas, prends bien soin de piquer les aiguilles et les épingles sur un coussinet spécial ou un petit morceau d'étoffe.
- Ne te sers jamais d'un four, d'un fer à repasser ou d'un couteau à lame coulissante (cutter) sans l'aide d'un adulte.

N'utilise jamais
le four, le fer à repasser
ou un couteau à lame coulissante
sans l'aide d'un adulte.

MATÉRIEL

Pour fabriquer chaque objet, tu trouveras une liste du matériel nécessaire : pour la plupart d'entre eux, il te suffira de fouiner dans la maison pour rassembler tout ce dont tu as besoin. Mais, d'abord, vérifie bien cette liste avec un adulte. Parfois, il faudra te procurer certains produits vendus dans des boutiques spécialisées, pour teindre les tissus par exemple.

COMMENT UTILISER LES PATRONS

Tu trouveras à la fin du livre les patrons indispensables à la réalisation de certains objets. Reproduis le patron dont tu as besoin sur du papier fin ou du papier calque avec un crayon. Pour les objets à fabriquer avec du tissu, coupe le patron et épingle-le sur le morceau de tissu. Tu n'as plus qu'à découper autour de la forme. Quand tu auras davantage confiance en toi, après avoir fabriqué quelques-uns de ces objets, essaie d'adapter et de réaliser tes propres idées. Si tu aimes dessiner, crée tes propres patrons et tes décorations.

RÉSERVÉ AUX ADULTES

La réalisation de tous les objets proposés dans *Mes cadeaux* est expliquée le plus simplement possible. Toutefois, elle nécessite parfois l'utilisation de certains ustensiles dangereux, comme des couteaux pointus ou un fer à repasser. Votre aide dépendra de la maturité de votre enfant, mais détaillez avec lui toutes les opérations à effectuer avant de le laisser commencer quoi que ce soit.

Fais très attention
quand tu te sers
d'un couteau pointu
ou d'une paire de ciseaux.

LES LIONS AFFAMÉS

Cette drôle de carte surprise contient un cadeau : un ballon gonflable que l'on peut détacher pour jouer. Fais très attention en te servant des ciseaux.

1 Découpe un rectangle de carton souple orange de 35 sur 18 cm. Marque le milieu du rectangle avec la pointe des ciseaux. Plie-le en deux le long des marques.

IL TE FAUT
- Du carton souple orange et jaune
- Un ballon rouge ou rose vif
- Un feutre noir et un crayon
- Du papier-calque
- De la colle
- Une règle
- Des ciseaux

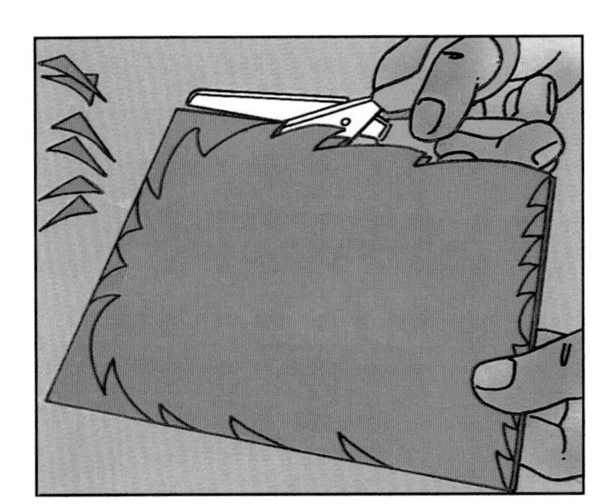

2 Avec un crayon et du papier-calque, reproduis le modèle de crinière de lion qui se trouve page 87. Transfère le dessin sur le carton orange et appuie très fort avec ton crayon sur le contour de la crinière. Le modèle va apparaître sur le carton. Découpe alors les contours de la crinière, en évitant de couper complètement le long du pli de ta carte.

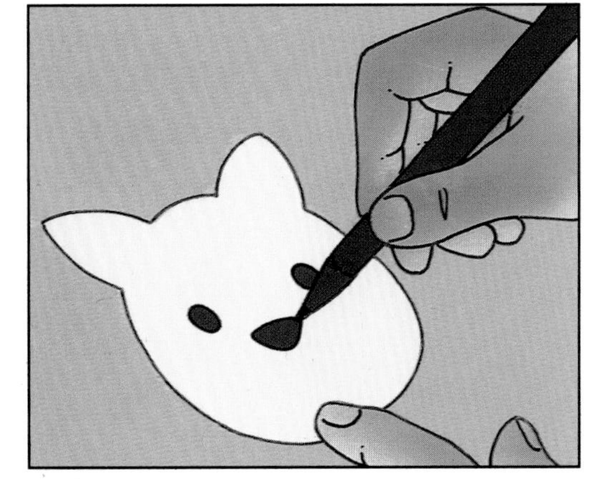

3 Pour faire la tête du lion, retourne page 87. Cette fois, décalque le dessin de sa tête, que tu reporteras sur du carton souple jaune. Découpe les contours et dessine les yeux, le nez et la bouche avec un feutre noir. Colle cette tête sur le dessus de ta carte.

4 Ouvre la carte et mets-la bien à plat. À l'aide des des ciseaux, fais une ouverture en suivant le dessin de la bouche. Introduis le ballon dans cette ouverture de manière à former une sorte de grande langue.

LES FLEURS EN PAPIER

Ces fleurs en papier feront un très joli cadeau si tu les présentes enveloppées dans du papier crépon, comme un vrai bouquet de fleuriste. Tu peux aussi en garder quelques-unes pour ta chambre, qu'elles décoreront toute l'année.

IL TE FAUT
Du papier crépon de couleurs vives
Des cure-pipes et des tuteurs
De la colle et des ciseaux
Du papier-calque
Un crayon et une règle
Des épingles

1 Commence par préparer le centre des fleurs. Découpe une bande de papier crépon vert ou jaune de 30 sur 4 cm. Avec les ciseaux, forme une sorte de frange sur l'un des côtés et sur toute la longueur de la bande. Étale une ligne de colle sur l'autre côté.

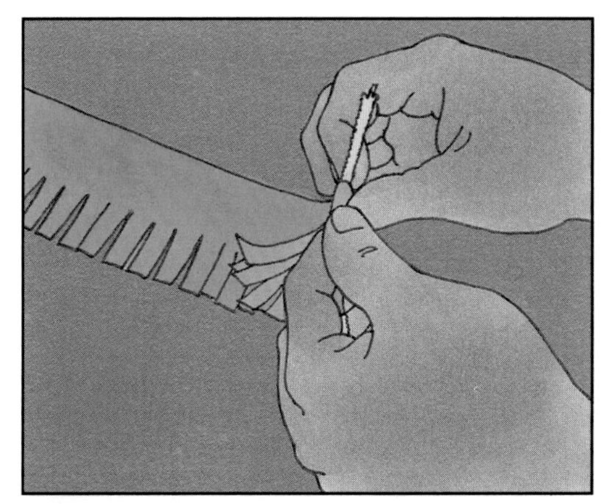

2 Coupe un cure-pipe en deux et enroule le côté encollé de la bande autour. Déploie les franges. Tu as le cœur de la fleur.

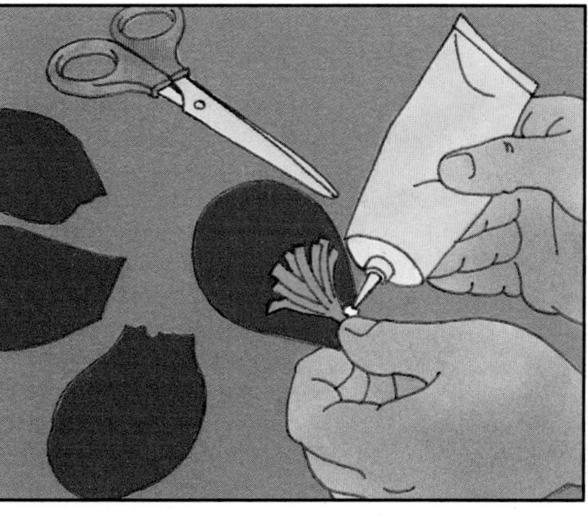

3 Décalque le modèle de pétale de la page 87. Découpe le patron et épingle-le sur cinq feuilles de papier crépon de la même couleur ou de couleurs différentes.Découpe les pétales en suivant le patron. Pose un point de colle à la base de chaque pétale et colle-les, un à un, autour du cure-pipe qui maintient le cœur de la fleur.

4 Pour attacher la tige, tiens ensemble le bout du cure-pipe et un tuteur de jardin. Entoure-les avec une bande de papier crépon vert de 1 cm de largeur que tu auras préparée. Colle le papier quand tu arrives au bout de la tige pour qu'il ne puisse pas se défaire.

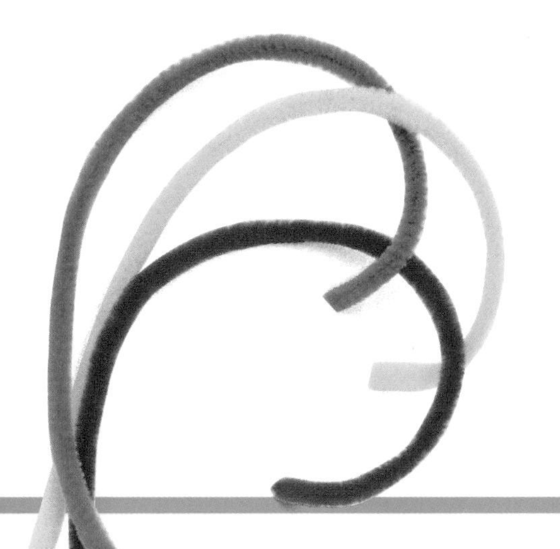

DES CARTES À BOUTONS

Utilise des boutons pour décorer ces jolies cartes, sur lesquelles tu inscriras le nom de celui ou celle à qui tu veux faire un cadeau. Pour Noël, choisis des boutons et des papiers brillants.

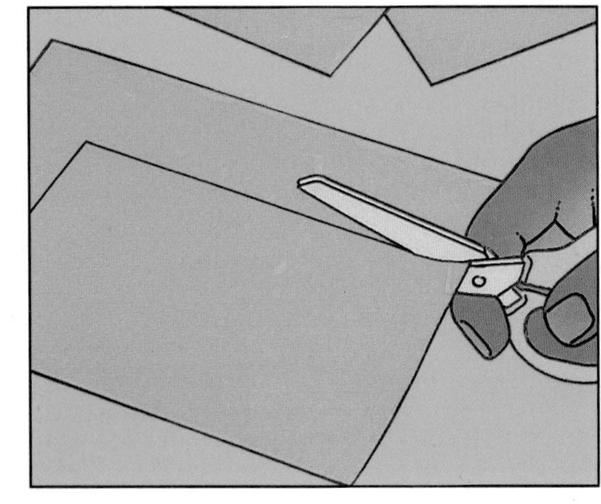

1 Découpe un rectangle de carton pour chacune de tes petites cartes. Tu peux le plier en deux ou prévoir des cartes de différentes tailles.

2 Avec du carton de différentes couleurs, crée des paysages : des arbres, ou un bord de mer. Avec un feutre noir, tu ajouteras des détails. Tu peux aussi garder le carton brut, sans dessin.

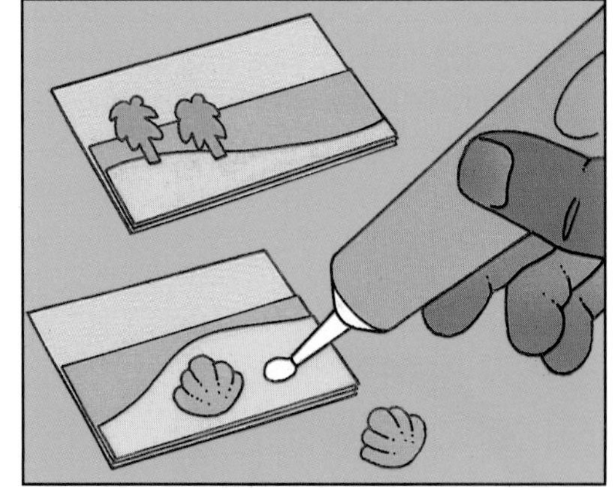

3 Choisis bien les boutons et répartis-les joliment. Dès que tu es satisfait du résultat, colle-les solidement.

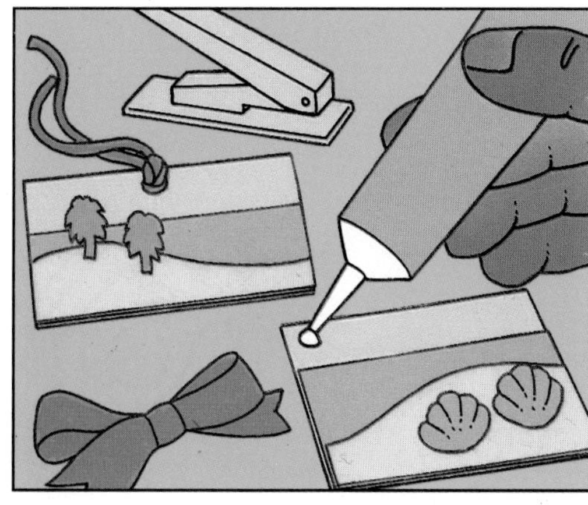

4 En haut de la carte, fais un trou, dans lequel tu passeras un ruban. Tu peux aussi faire un nœud en ruban que tu colleras sur la carte pour la décorer.

LIZZIE LE LÉZARD

Le jour où tu sortiras avec ce drôle d'animal, tu peux être sûr de te faire remarquer ! Attache-lui un fil autour du cou, et il se trémoussera comme un vrai lézard lorsque tu le tireras derrière toi.

IL TE FAUT

Un grand morceau de mousse
Des grands ciseaux
Des épingles
De la peinture et des pinceaux
Du papier-calque et un crayon
Un crayon-feutre
Du fil solide ou de la ficelle

ATTENTION : *Demande l'aide d'un adulte pour faire la laisse de ton lézard.*

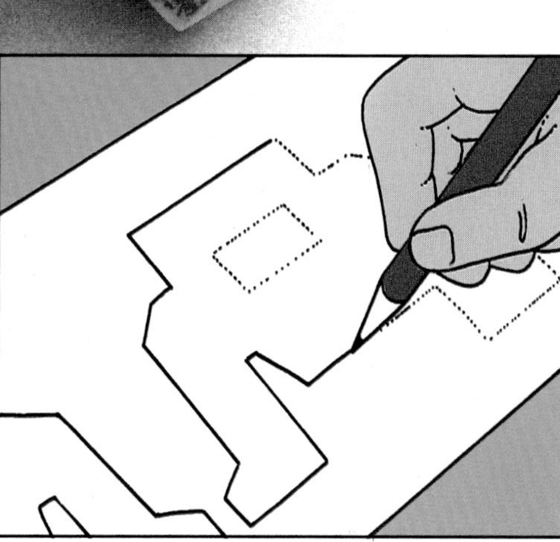

1 À l'aide des patrons des pages 86 et 87, décalque une fois le corps du lézard et deux fois ses pattes. Découpe les contours des modèles et le trou qui se trouve au milieu des pattes.

2 Reporte les patrons sur la mousse et fais-les tenir avec des épingles. Dessine les contours avec un feutre.

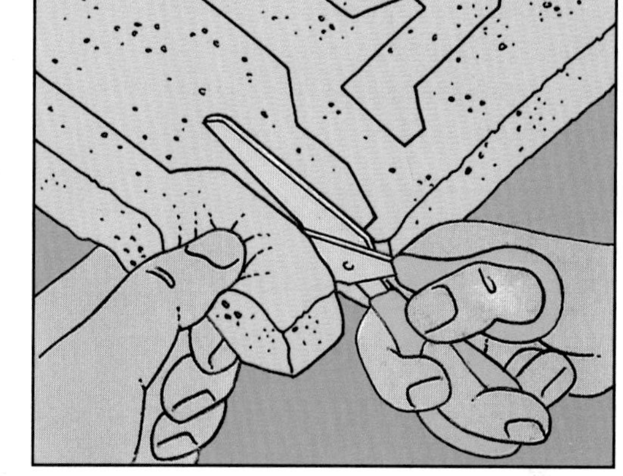

3 Découpe la mousse en suivant le patron, sans oublier le trou au milieu des pattes. Peins tous les morceaux avec des couleurs vives et laisse-les sécher.

4 Glisse les pattes le long du corps du lézard. Demande à un adulte de te fabriquer une laisse. Fais une boucle à l'une des extrémités de cette laisse. Glisse la tête du lézard à l'intérieur de cette boucle. Il te suivra partout en se tortillant.

CHAPEAU, LES CRAYONS !

IL TE FAUT
De la pâte à modeler à cuire au four
Des crayons de couleur, des cure-pipes et des plumes
Un rouleau à pâtisserie
Un couteau et une aiguille à tricoter
De la colle et du vernis spécial

Fais des envieux à l'école avec ces drôles de chapeaux de crayon. Tu les fabriqueras avec de la pâte à modeler. Quand tu auras réalisé toutes les formes que nous te proposons, tu pourras en inventer d'autres. Fais attention d'avoir les mains propres, car la moindre tache risque d'apparaître sur la pâte à modeler.

ATTENTION : *N'utilise pas le four sans l'aide d'un adulte.*

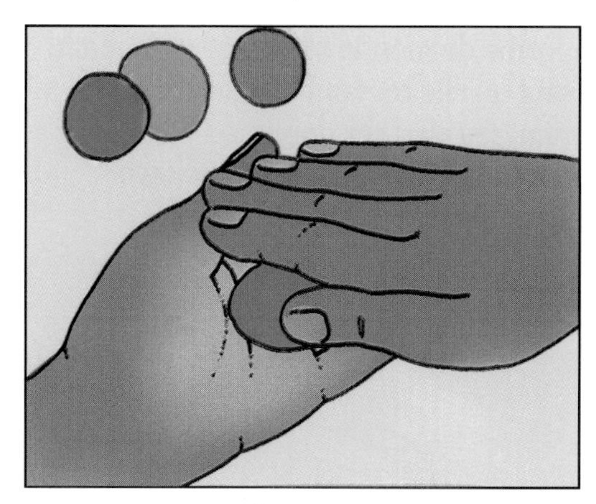

1 Toutes les formes sont obtenues à partir de boules ou de rouleaux de pâte à modeler. Prends une boule de pâte dans les mains, et roule-la jusqu'à ce qu'elle soit assez souple pour être modelée.

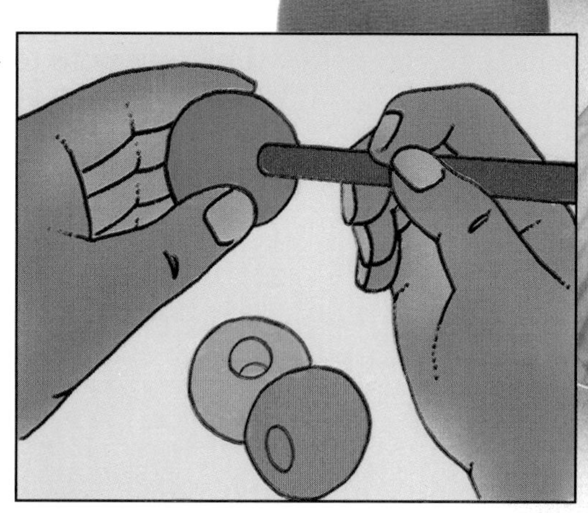

2 Pour l'araignée, la souris, l'oiseau et le poisson, prépare des boules. Enfonce le bout du crayon à l'intérieur pour former un trou de la bonne taille. Redonne la forme ronde en pressant délicatement la pâte.

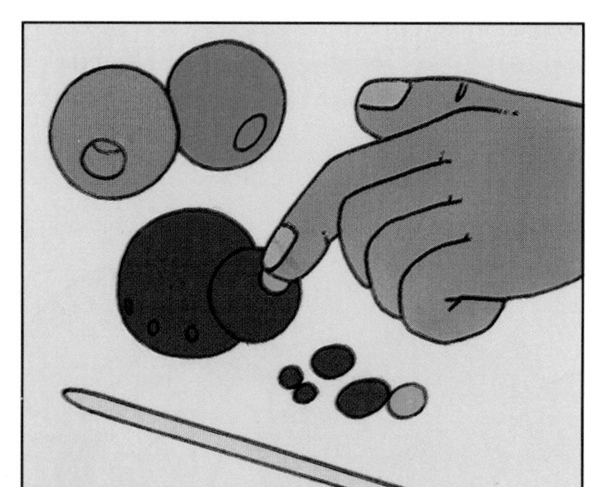

3 Avec l'aiguille à tricoter, fais des trous dans la boule pour les pattes, la queue ou les plumes. Roule un autre morceau de pâte pour faire les détails comme la bouche, le bec, la langue, les yeux ou les oreilles, et mets-les en place en appuyant doucement. Pour l'araignée, ajoute une seconde boule plus petite pour former la tête.

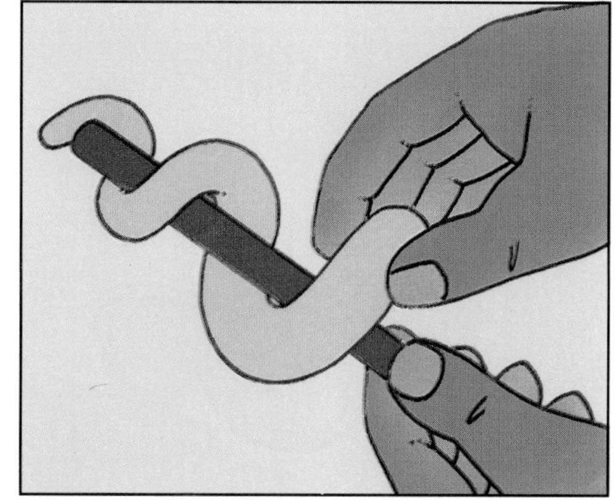

4 Pour le serpent, le hot dog ou la carotte, fais des rouleaux avec la pâte. Pour le hot dog, dans le morceau que tu auras aplati en forme de petit pain, glisse un morceau rouge en forme de saucisse. Pour la carotte, fais un bout pointu d'un côté et ajoute des feuilles en pâte verte de l'autre. Enroule un long morceau de pâte autour d'un crayon pour faire le serpent.

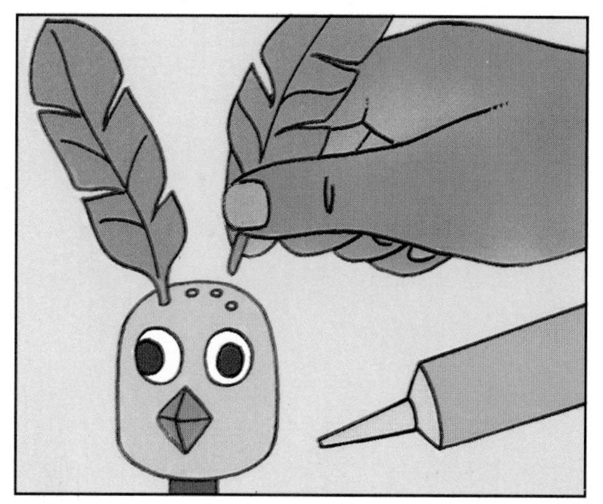

5 Demande à un adulte de t'aider à cuire les chapeaux au four, en suivant les instructions données sur le paquet de pâte à modeler. Quand les objets sont cuits et ont refroidi, enduis-les de vernis spécial. Quand le vernis est bien sec, colle les plumes et les cure-pipes dans les trous réservés aux pattes et à la queue. Colle quelques brins de laine pour les moustaches de la souris.

UN GANT-MARIONNETTE

Cette marionnette en forme de moufle se glisse sur la main, comme un vrai gant, sauf qu'elle ressemble à un personnage ou à un animal. Tu l'animeras avec tes doigts.
Celle que nous te proposons de fabriquer est un clown, et tu pourras lui faire faire plein de pitreries.

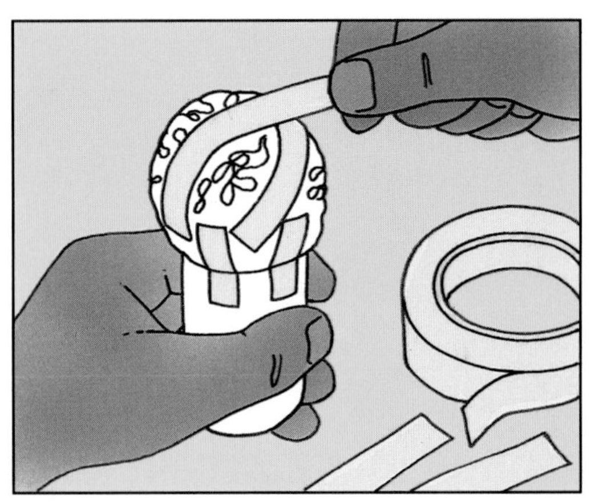

1 Pour faire la tête, forme une boule avec du papier journal. Coupe 5 cm de tube en carton. Utilise du ruban cache pour faire tenir la tête en haut du tube. Puis recouvre entièrement la tête et le tube de ruban cache. Peins-les en blanc. Quand c'est bien sec, peins les yeux, le nez et la bouche.

IL TE FAUT
Du papier journal et un tube en carton
Du ruban cache de 2 cm de large
De la laine et de la feutrine
20 cm de tissu de coton
De la peinture et des pinceaux
Des ciseaux et de la colle pour tissu
Une aiguille et du fil
De la craie et un ruban

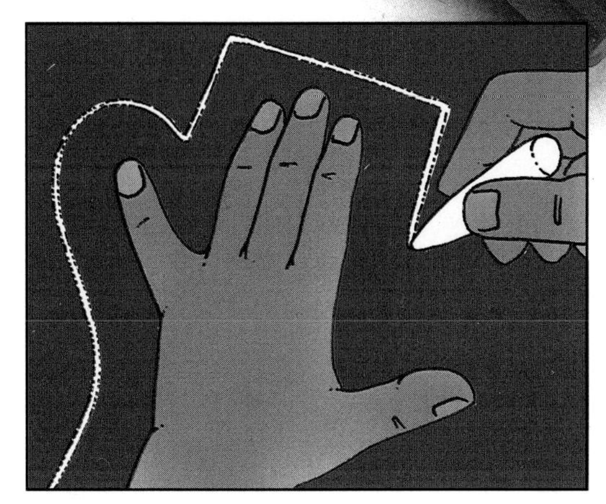

2 Pour faire le gant, pose la main sur le tissu, comme sur le dessin. Avec un morceau de craie, trace une ligne à 5 cm de ta main, et tire un trait bien droit en haut et en bas du gant. Découpe deux morceaux identiques.

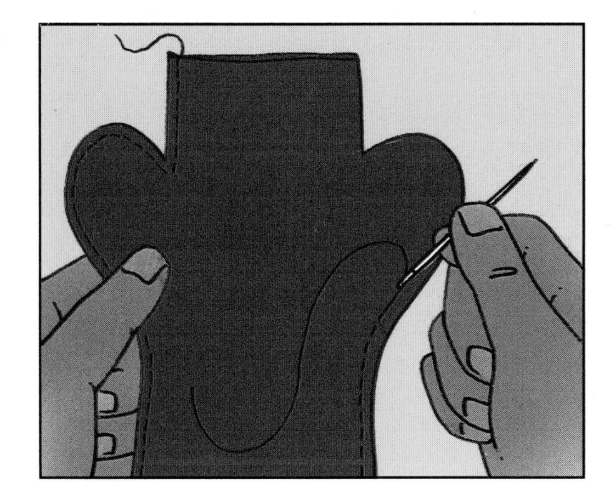

3 Place les deux morceaux l'un sur l'autre, endroit contre endroit, et couds les côtés du gant. Laisse ouvertes la base du gant et la partie qui correspond au cou. Retourne le gant à l'endroit et fais un ourlet dans le bas.

4 Introduis la tête dans l'ouverture qui lui est réservée et colle le tissu sur le tube. Couds trois boutons en feutrine sur la robe du clown, et avec le ruban fais un gros nœud, que tu noueras autour du cou pour cacher l'endroit où le tissu est collé.

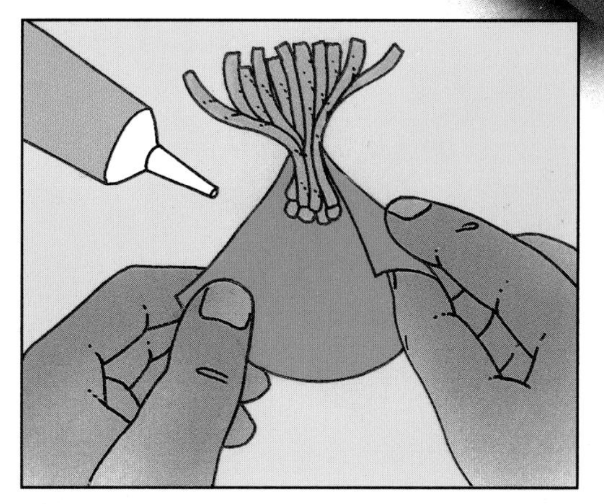

5 Pour les cheveux, enroule de la laine autour de tes doigts et attache-la au centre avec un brin de laine. Fabrique plusieurs boucles de laine et colle-les sur la tête du clown. Pour le chapeau, décalque le modèle de la page 88. Découpe-le et reporte-le sur un morceau de feutrine. Colle quelques brins de laine sur le coin supérieur. Forme le chapeau pointu en enfermant la laine à l'intérieur, et colle les bords, puis colle le chapeau sur la tête du clown. Découpe deux morceaux de feutrine pour les mains, et colle-les au bout des bras du clown.

DES BIJOUX-COQUILLAGES

Si tu vas en vacances au bord de la mer, ramasse des coquillages pour décorer barrettes et peignes, broches ou bagues. Quand tes camarades les verront, il te faudra certainement en fabriquer d'autres pour eux.

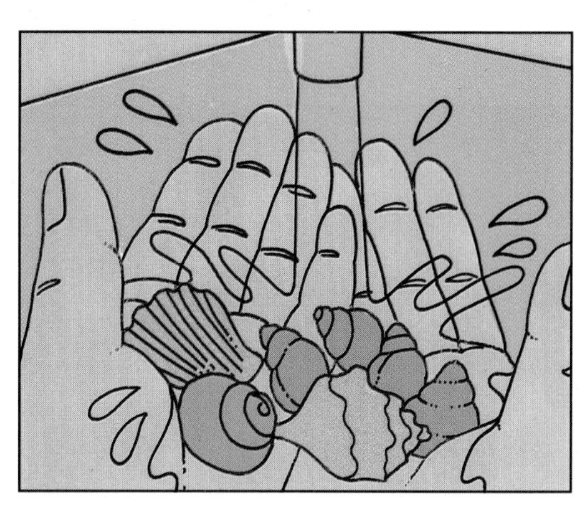

1 Nettoie les coquillages pour enlever toutes les traces de sable ou d'algues. Sèche-les bien et pose-les sur des feuilles de papier journal.

2 Choisis l'objet que tu as envie de décorer et les coquillages que tu vas utiliser. Dispose-les à côté du peigne ou de la barrette que tu veux transformer et arrange-les joliment.

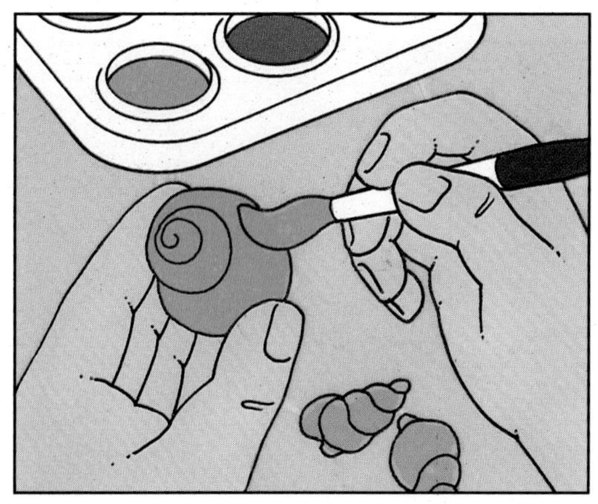

3 Délaie la peinture avec très peu d'eau – plus la peinture est épaisse, mieux c'est – et peins les coquillages. Tu peux aussi ajouter une touche de peinture dorée sur certains, mais attends que la première couche soit bien sèche.

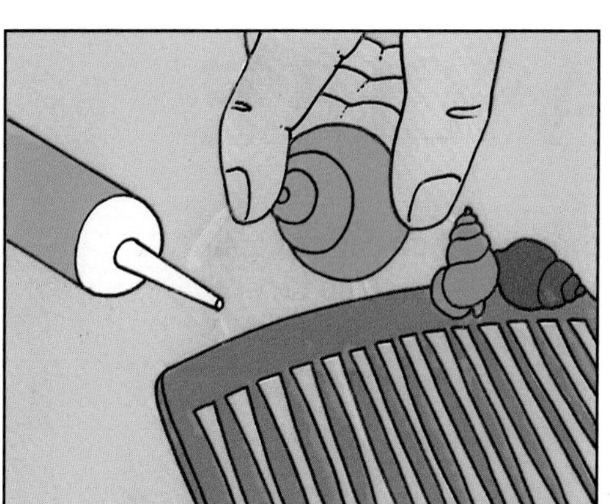

4 Demande à un adulte de t'aider à coller les coquillages. Pose une pointe de colle sur la base du coquillage et sur le peigne ou la broche que tu veux décorer. Laisse la colle sécher un instant. Puis maintiens le coquillage en place jusqu'à ce que la colle ait bien pris. Répète la même opération pour chacun des coquillages.

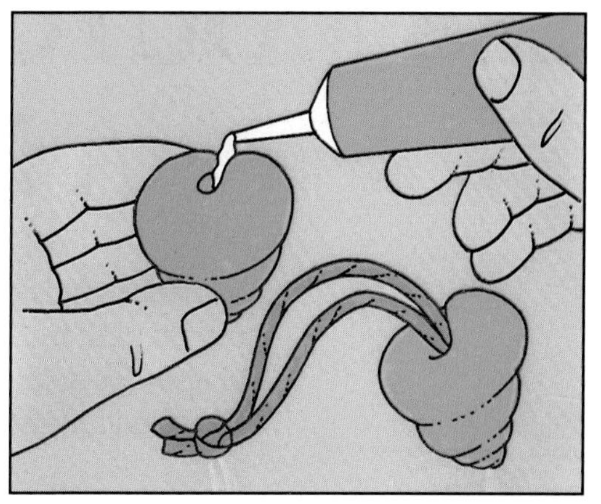

5 Pour l'élastique à cheveux, coupe 15 cm d'élastique et noue les deux extrémités ensemble. Choisis deux coquillages identiques et mets de la colle à l'intérieur des coquilles. Enfonce le nœud dans le trou du premier coquillage et l'autre bout dans le second. Attends que la colle soit bien sèche avant d'utiliser l'élastique.

LES MOUTONS À BASCULE

Ces deux gentils moutons seront un cadeau idéal pour un petit frère, une petite sœur... ou un ami qui aime les animaux. Pousse-les doucement, et ils se balanceront d'un bord sur l'autre.

1 Découpe un grand rond de bristol vert de 24 cm de diamètre. Plie-le en deux. Avec un crayon et du papier-calque, reproduis les patrons du corps et de la tête du mouton de la page 88. Reporte-les sur du bristol blanc en appuyant sur le tracé avec le crayon pour qu'il apparaisse sur le carton. Découpe ton mouton.

2 Dessine les yeux du mouton avec un feutre noir, et sa bouche avec un feutre rouge. Fais un petit trou sur le corps et sur la tête, comme indiqué sur le dessin. Glisse une attache parisienne dans le trou de la tête.

3 Colle du coton sur le corps et entre les oreilles. Fixe la tête du mouton en passant l'attache parisienne dans le trou que tu as fait sur le corps. Ouvre les deux branches de l'attache derrière la tête.

4 Découpe deux languettes de papier noir pour les pattes. Place le corps du mouton au centre du demi-cercle de bristol vert. Colle les pattes de manière à ce que le haut soit caché par le corps du mouton. Colle le mouton sur le bristol vert.

DES BIJOUX EN PÂTES

Des pâtes de différentes formes et peintes de couleurs vives feront de très jolis bijoux. Avec des coquillettes, des macaronis coupés ou des papillons, tu fabriqueras des boucles d'oreilles, des bracelets et des colliers. Utilise des crayons-feutres de couleur pour décorer les pâtes et assortis les bijoux à tes tenues.

IL TE FAUT

Des pâtes de formes variées
Des montures de broches et de boucles d'oreilles, de l'élastique rond
De la colle universelle
Du fil argenté, du cordon et du fil élastique
Des crayons-feutres indélébiles

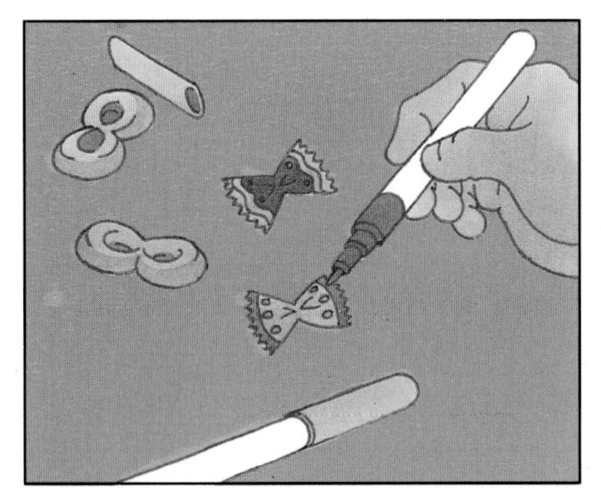

1 Colorie les pâtes avec des crayons-feutres. Dessine des rayures, des pois ou tout ce que tu voudras en variant les couleurs. Laisse bien sécher.

2 Pour le collier et le bracelet, coupe un long morceau de fil argenté. Noue-le autour des pâtes ou enfile les pâtes, en laissant 2,5 cm entre deux pâtes.

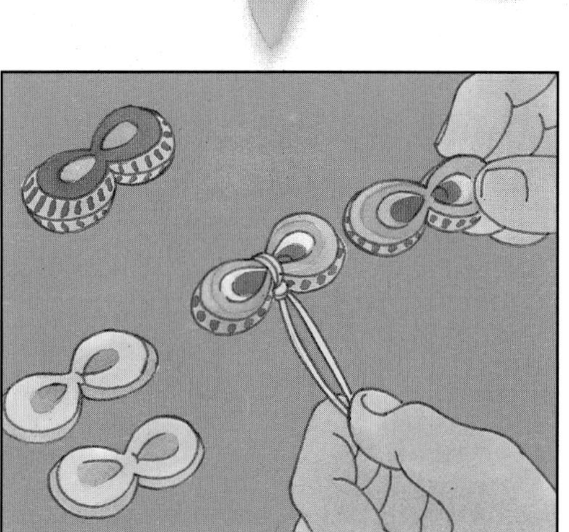

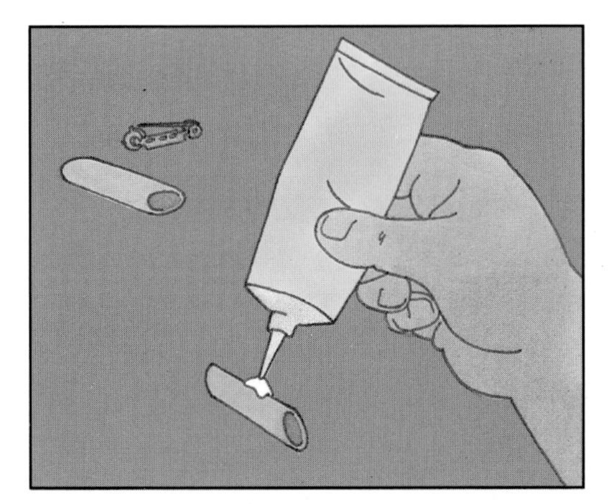

5 Pour les deux élastiques à cheveux, colle deux fois deux paniers, dos à dos. Attache chaque paire de paniers sur un élastique de 10 cm de long.

3 Pour la broche, colle soigneusement ensemble deux pâtes en forme de tube et colle-les sur une monture. Mets-la de côté pour qu'elle puisse bien sécher.

4 Pour les boucles d'oreilles, prends un panier ou un papillon et noue un élastique au milieu. Arrange-toi pour que le nœud soit derrière. Glisse l'accroche de la boucle dans l'élastique.

LES ŒUFS DÉCORÉS

Posés dans un bol, ces œufs feront une belle décoration pour Pâques. Tu peux aussi les attacher avec un ruban et les suspendre à la fenêtre. Si tu as peur de les casser, fais-les durcir dans l'eau bouillante pendant une demi-heure. Demande à un adulte de t'aider. Laisse bien refroidir les œufs avant de les décorer.

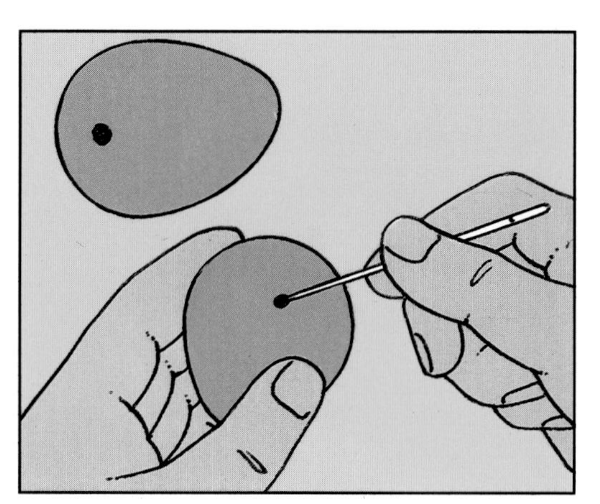

1 Perce un trou à chaque extrémité de l'œuf avec une aiguille à repriser. Fais très attention. Tourne l'aiguille dans le trou pour obtenir une ouverture de 6 mm d'un côté de l'œuf et de 3 mm de l'autre.

2 Enfonce doucement l'aiguille dans l'œuf pour percer le jaune. Tiens l'œuf au-dessus d'un bol et souffle dans le petit trou jusqu'à ce que tout le jaune et le blanc de l'œuf tombent dans le bol.

IL TE FAUT
- Des œufs
- Des pastels gras
- De la teinture pour tissu
- Une aiguille à repriser
- Un bol
- Des gants de caoutchouc

ATTENTION : *Ne prépare pas la teinture sans l'aide d'un adulte.*

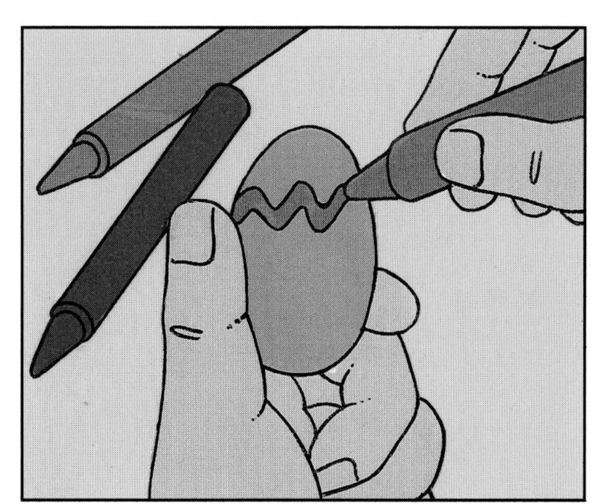

3 En tenant l'œuf avec beaucoup de précaution, décore-le avec des pastels gras. Puis demande à un adulte de t'aider à préparer la teinture comme indiqué sur la boîte.

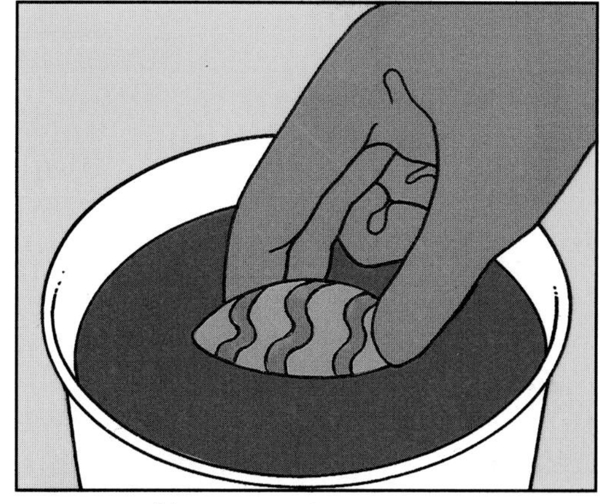

4 Enfile un gant de caoutchouc et plonge l'œuf dans la teinture. Maintiens-le enfoncé jusqu'à ce que l'eau le remplisse entièrement. La teinture va colorer la coquille mais pas les dessins que tu auras faits avec les pastels gras. Retire l'œuf au bout de trois minutes et rince-le.

LES OISEAUX QUI DANSENT

Fabrique ces jolies marionnettes en forme d'oiseaux et organise un spectacle pour tes amis. En actionnant les bâtonnets et les fils des oiseaux, tu pourras leur faire exécuter toutes sortes de danses, et même des claquettes.

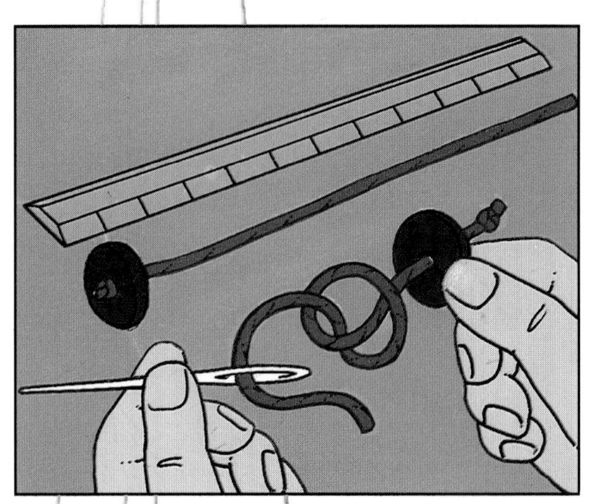

1 Coupe deux brins de grosse laine : un de 30 cm et l'autre de 20 cm de long. Fais un nœud et enfile un bouton plat au bout de chaque brin.

IL TE FAUT

Deux grosses perles rondes et deux petites
Deux boutons ou deux perles plates
Des plumes et deux petits bâtons
Une aiguille plate à gros chas
De la colle universelle et des ciseaux
De la peinture et un pinceau
De la grosse laine et de la laine fine

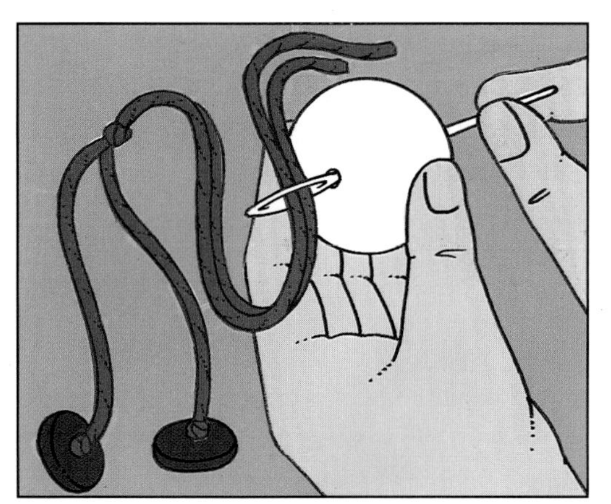

2 Fais un autre nœud au ras du bouton et noue ensemble les deux brins de laine à 12,5 cm des boutons. Passe les deux brins dans le chas de l'aiguille et enfile-les dans une grosse perle. Fais un nœud très près de la perle et coupe ce qui dépasse du bout le plus court.

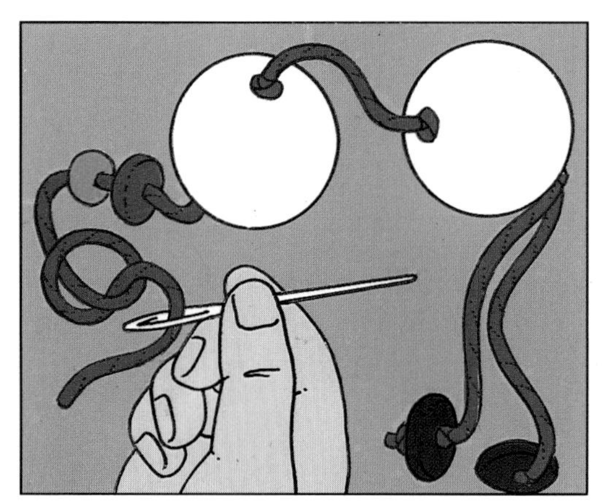

3 Fais un nœud à 10 cm de la perle et enfile le bout de laine qui reste dans deux perles plus petites. Fais un nœud au ras de la plus petite perle et coupe ce qui dépasse.

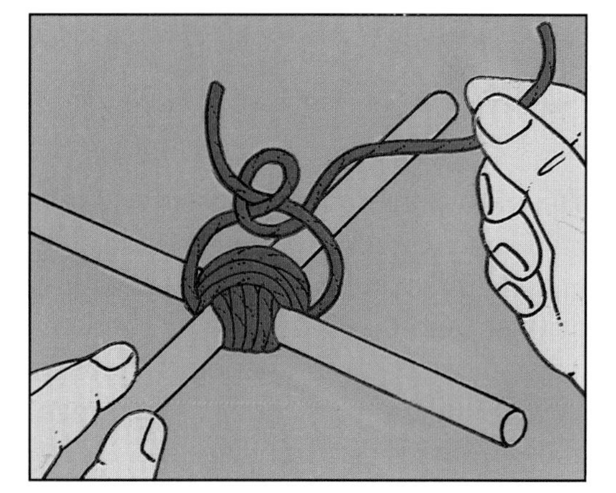

4 Fais une croix avec les deux bâtons et maintiens-la avec de la grosse laine. Coupe cinq longs brins de laine fine. Avec chacun des deux premiers, attache le bout d'une patte de l'oiseau à chaque extrémité d'un des bâtons. Avec un autre brin, relie la tête à un bout de l'autre bâton. Avec les deux derniers brins, attache le corps de chaque côté de la perle, à l'endroit où les bâtons se croisent et au dernier bout du bâton.

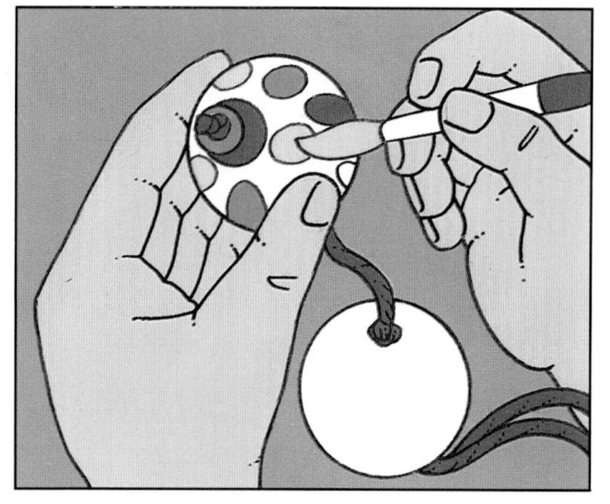

5 Colle les plumes et dessine les yeux avec de la peinture. Si les perles ne sont pas décorées, tu peux les peindre de toutes les couleurs.

DES SACS EN TISSU TEINT

Voici une manière très amusante de teindre du tissu. En pliant et en attachant le tissu de différentes façons, tu obtiendras toutes sortes d'impressions. Prends plutôt des vieux morceaux de tissu de coton, car ils absorbent mieux la teinture. Tu vas pouvoir fabriquer des petits sacs très utiles, mais aussi des écharpes, des mouchoirs et des trousses de maquillage.

IL TE FAUT

Du tissu de coton
De la teinture pour tissu
Des élastiques et des boutons
Du ruban de 1 cm de large
Une aiguille, du fil, une épingle de sûreté et des ciseaux à cranter

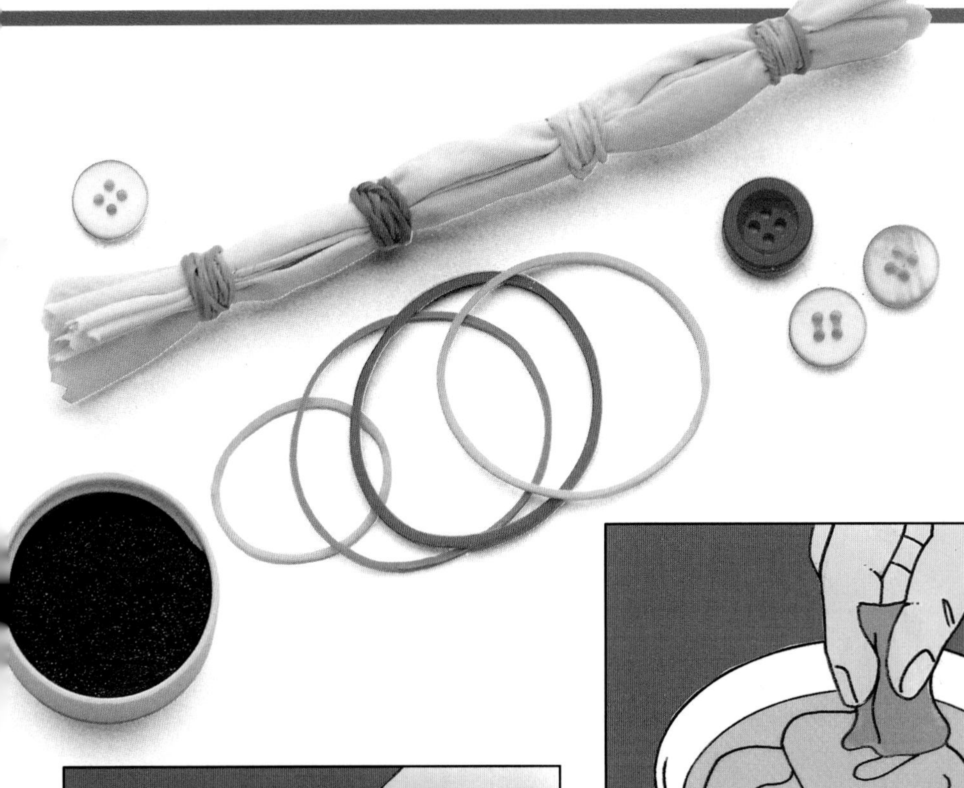

ATTENTION : *Ne prépare pas la teinture sans l'aide d'un adulte.*

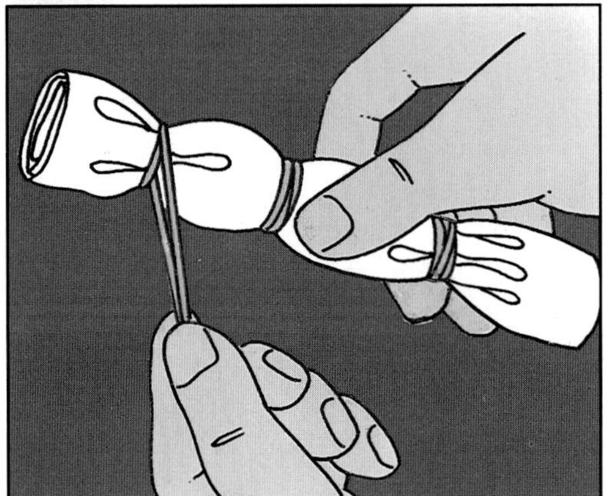

1 Plie le tissu en forme de saucisson et resserre-le par endroits avec des élastiques. Tu peux aussi enrouler le tissu autour de boutons que tu feras tenir avec des élastiques.

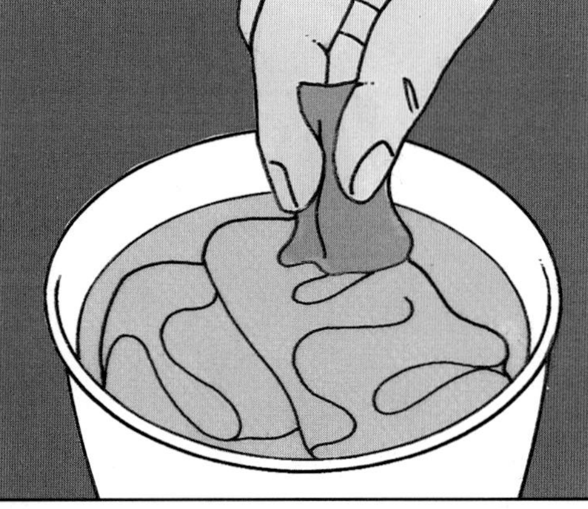

2 Demande à un adulte de t'aider à préparer la teinture comme indiqué sur le paquet. Trempe le tissu et enlève les élastiques. Fais-le sécher.

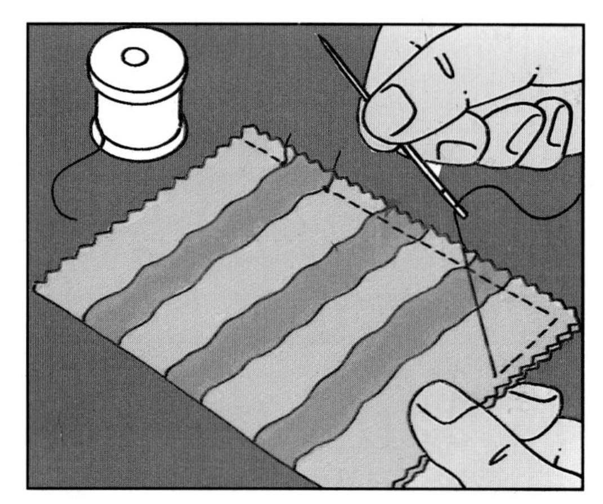

3 Pour fabriquer le petit sac, coupe un rectangle de tissu teint de 30,5 sur 20 cm avec les ciseaux à cranter. Plie le rectangle en deux sur l'envers. Fais des coutures sur deux des côtés comme sur le dessin, en laissant un espace non cousu de 1,5 cm sur un des côtés, à 2,5 cm du bord du côté non cousu.

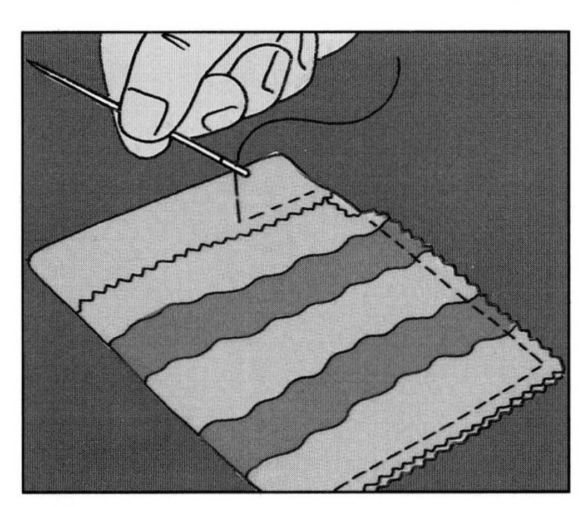

4 Rabats les 2,5 cm de tissu situés en haut du sac et fais un ourlet à 1 cm du bord découpé, comme sur le dessin. Tu obtiens ainsi une coulisse dans laquelle tu pourras passer le ruban.

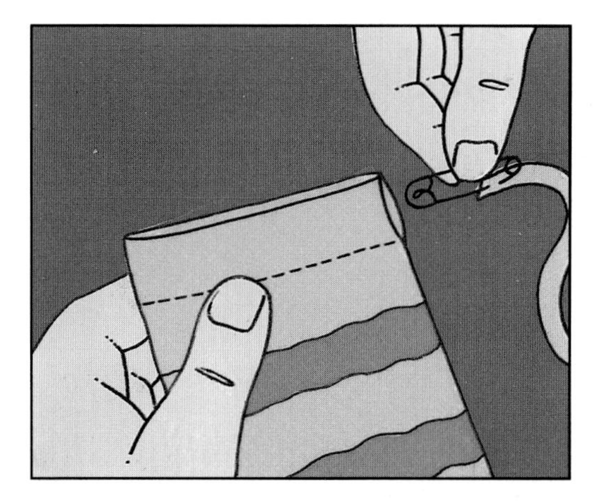

5 Retourne le sac à l'endroit. Attache une épingle de sûreté à un bout du ruban et passe-le dans la coulisse. Noue les bouts du ruban ensemble et tire.

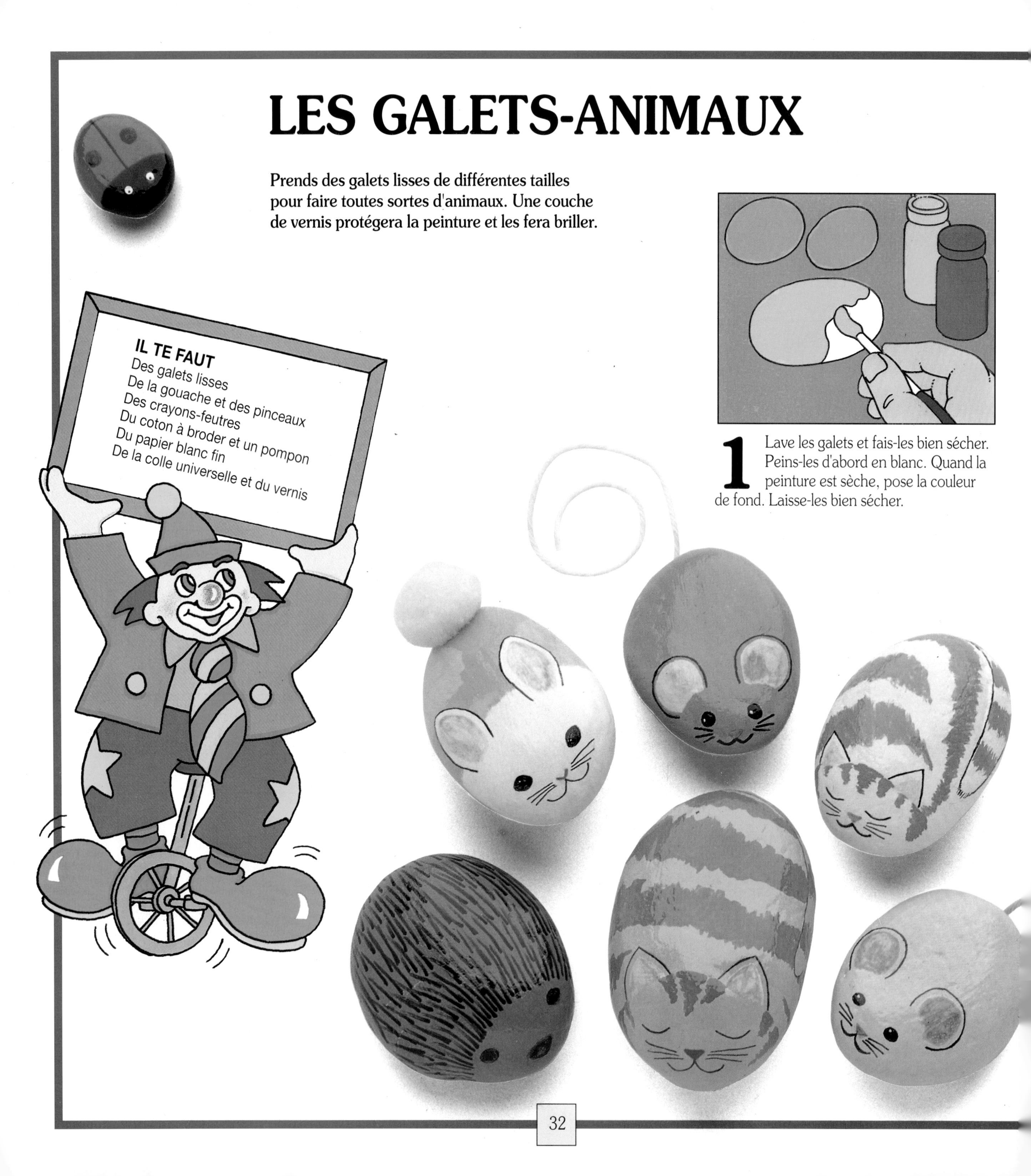

LES GALETS-ANIMAUX

Prends des galets lisses de différentes tailles pour faire toutes sortes d'animaux. Une couche de vernis protégera la peinture et les fera briller.

IL TE FAUT
Des galets lisses
De la gouache et des pinceaux
Des crayons-feutres
Du coton à broder et un pompon
Du papier blanc fin
De la colle universelle et du vernis

1 Lave les galets et fais-les bien sécher. Peins-les d'abord en blanc. Quand la peinture est sèche, pose la couleur de fond. Laisse-les bien sécher.

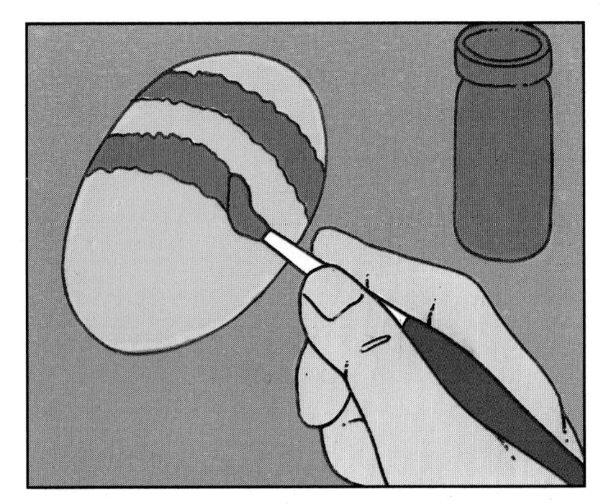

2 Peins soigneusement les lignes principales et les détails du corps de chaque animal, comme les rayures pour le chat ou les points pour la coccinelle.

3 Dessine la tête et les petits détails comme les moustaches avec un crayon-feutre. Ensuite, tu peux passer une couche de vernis.

4 Colle un brin de coton à broder sous la souris et un pompon sur le lapin pour faire la queue. Découpe deux petits morceaux de papier blanc fin en forme de larme, et colle-les sur l'abeille pour faire les ailes.

LES MOULINS À VENT

Observe comme ces moulins à vent colorés tournent bien dans la brise. Ils seront ravissants au milieu des plantes, sur le rebord de la fenêtre, ou dans un vase.

IL TE FAUT
Deux carrés de papier gommé de couleurs différentes
Une paille à boire
Un petit morceau de carton ondulé
Une attache parisienne
Des ciseaux pointus ou une grosse aiguille

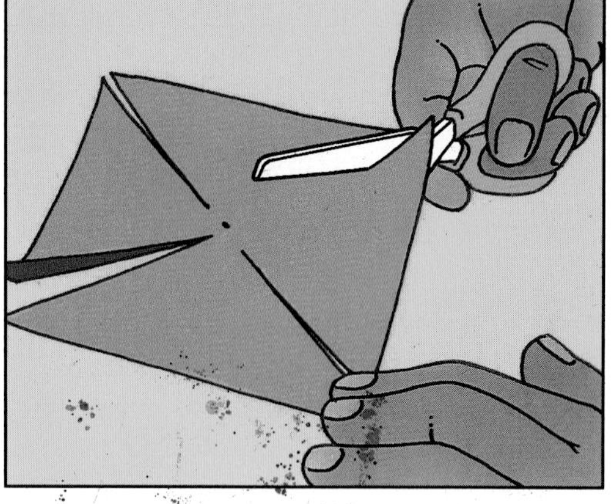

1 Colle deux carrés de papier gommé ensemble. Coupe-les en diagonale en partant de chaque coin, jusqu'à 1 cm du centre.

ATTENTION : *N'utilise pas les ciseaux pointus sans l'aide d'un adulte.*

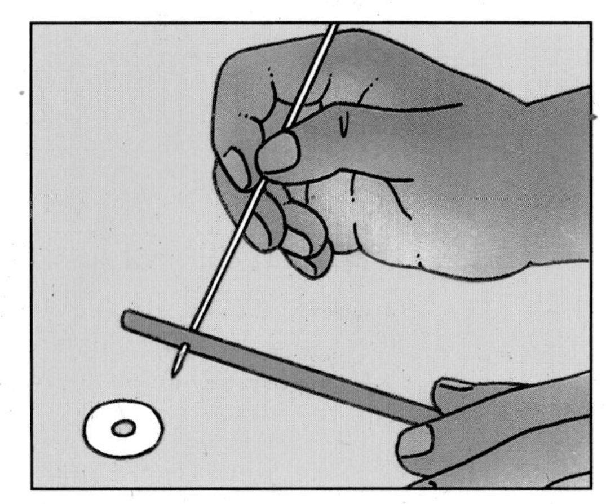

2 Découpe un cercle de carton ondulé de 2,5 cm de diamètre et fais un trou au milieu. Avec une grosse aiguille ou des ciseaux pointus, fais aussi un trou à l'un des bouts de la paille. Demande à un adulte de t'aider.

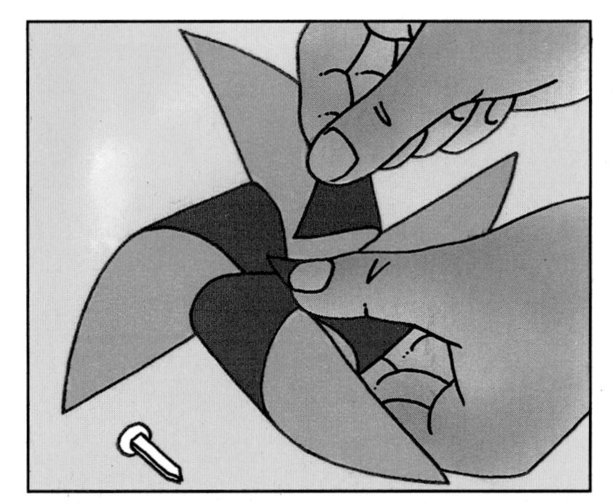

3 Recourbe les pointes du carré vers le centre, comme sur le dessin, et fais un trou au milieu du moulin avec la pointe des ciseaux. Demande à un adulte de t'aider à faire le trou.

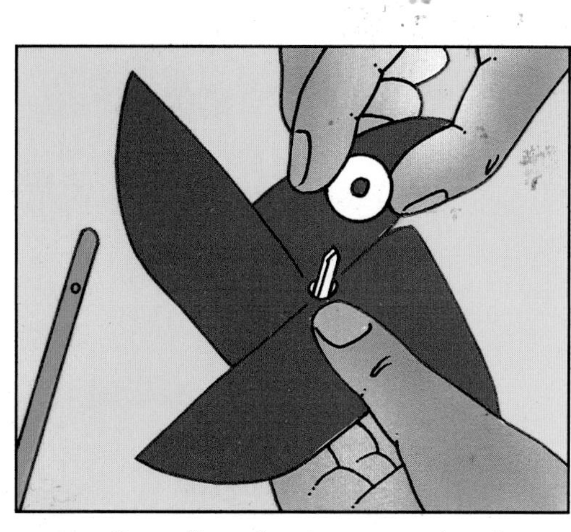

4 Passe l'attache parisienne dans le trou du moulin, puis à travers celui du rond en carton ondulé, et enfin dans celui de la paille. Ouvre les branches de l'attache de l'autre côté de la paille, en prenant soin de laisser le moulin libre de tourner.

DES MASQUES POUR FAIRE PEUR

Pour t'amuser et te déguiser avec tes amis, tu pourras réaliser ces masques effrayants et drôles à la fois. Rends-les encore plus beaux en les décorant avec des rubans brillants et des paillettes.

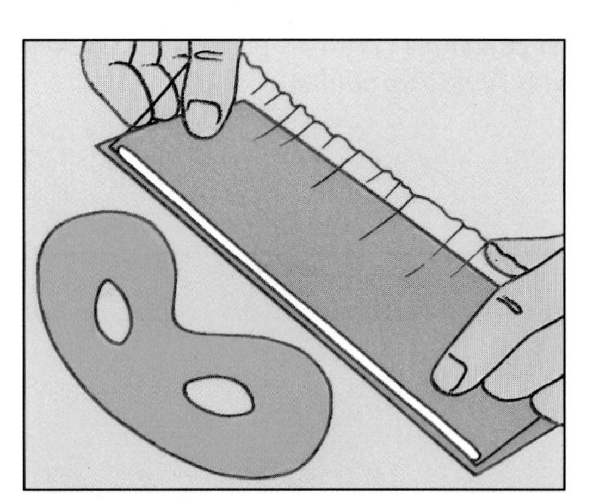

1 Avec un crayon et du papier-calque, copie le modèle de masque de la page 89. Reporte-le sur du carton mince et découpe-le. Découpe une bande de papier crépon et une autre de papier transparent irisé de 50 cm de long sur 8 cm de large. Colle les deux bandes ensemble sur un seul côté.

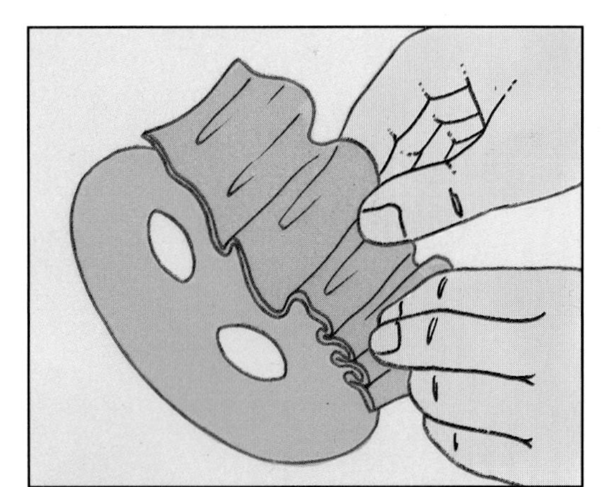

2 Pose un trait de colle sur l'envers du masque, au-dessus ou au-dessous des trous pour les yeux. Prends les deux bandes de papier que tu as collées ensemble et colle le côté du papier transparent sur le masque, en le plissant de manière à ce qu'il rentre sur la longueur.

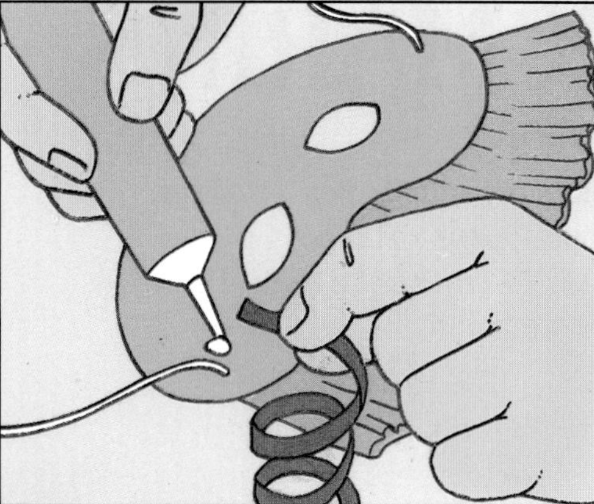

3 Fais un trou de chaque côté du masque. Passes-y un élastique. Fais un nœud aux deux bouts de l'élastique sur l'endroit du masque. Colle trois longueurs de ruban à cadeaux tire-bouchonné au-dessus des nœuds.

IL TE FAUT

Du carton mince de couleur
Du papier crépon
Du papier transparent irisé
Des paillettes et du ruban à cadeaux
De l'élastique à chapeau
De la colle universelle
Du papier-calque et un crayon
Un crayon-feutre et des ciseaux

4 Suis les instructions données en 1 pour décalquer la forme du fantôme ou celle de la citrouille. Découpes-en deux identiques. Dessine les yeux et la bouche avec un crayon-feutre puis découpe-les. Colle les citrouilles ou les fantômes sur les masques. Pour finir, colle les paillettes.

LES ANIMAUX MARINS

Ces animaux des mers remplis de haricots sont faciles à réaliser. Il faut seulement savoir coudre. Ajoute du ruban blanc sur la tête de la baleine : elle aura l'air de cracher de l'eau. L'étoile de mer est faite de tissu teint en jaune selon le procédé expliqué page 30.

1 Pour faire la baleine, décalque le patron de la page 88 et découpe-le. Plie le tissu en deux, endroit contre endroit. Attache le patron sur le tissu avec des épingles ou du ruban adhésif. Découpe la baleine.

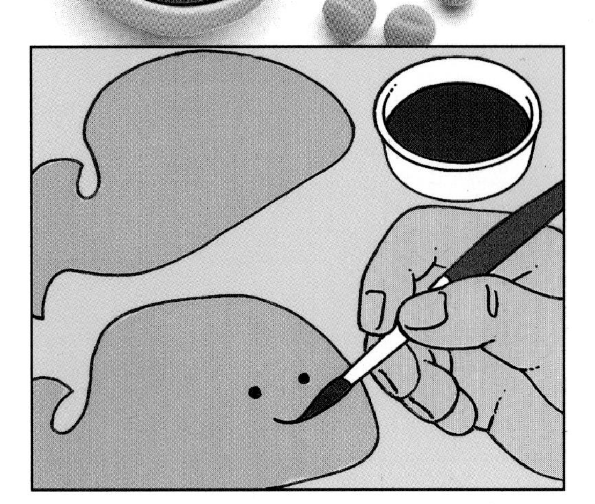

2 Tu as deux morceaux pour faire ta baleine. Avec de la peinture pour tissu, dessine sur l'endroit de l'un d'eux les yeux et la bouche de l'animal.

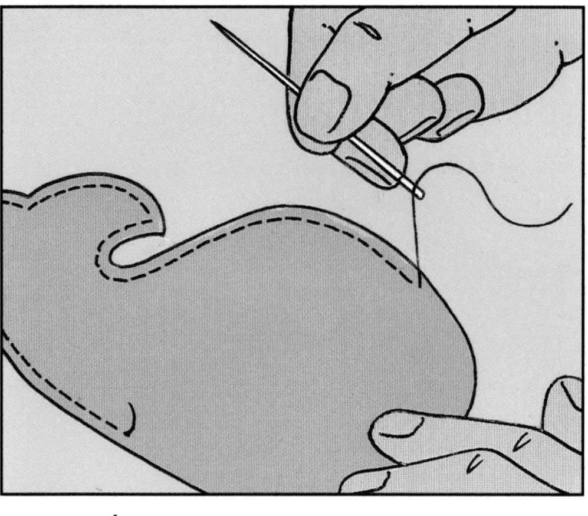

3 Épingle les deux morceaux, endroit contre endroit. Couds-les ensemble en faisant une couture à 6 mm du bord. Laisse une ouverture pour pouvoir remettre le tissu sur l'endroit.

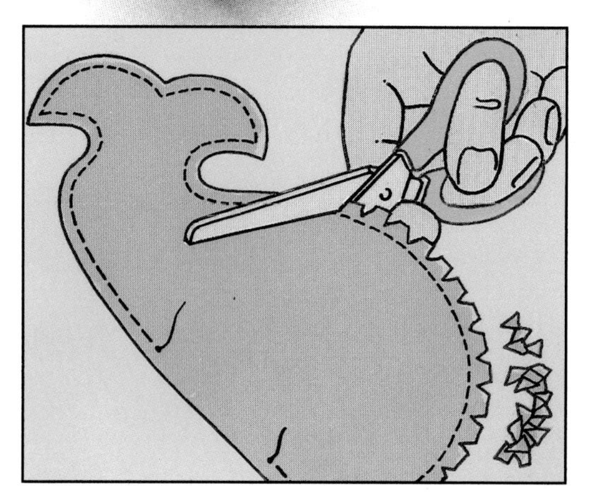

4 Découpe des petits triangles tout le long de la couture, en prenant soin de ne pas la couper. Retourne la baleine sur l'endroit.

IL TE FAUT

Du tissu et du ruban blanc
De la peinture noire pour tissu
Des haricots secs
Une aiguille et du fil
Des ciseaux et des épingles
Du papier-calque et un crayon
Du ruban adhésif

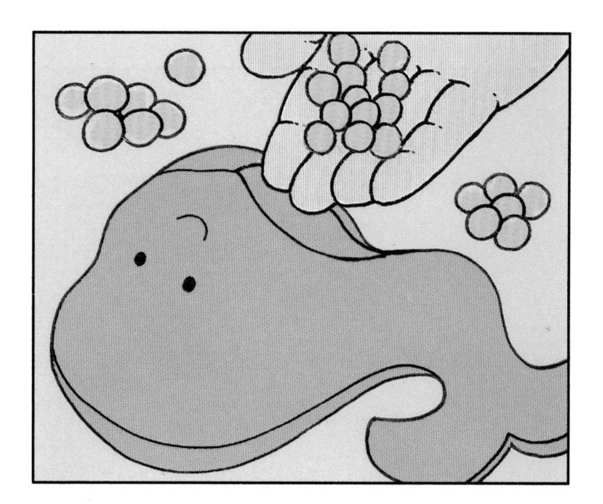

5 Remplis l'animal de haricots secs, mais n'en mets pas trop, car il doit rester mou. Rentre les bords de l'ouverture et couds-les solidement. Couds du ruban blanc sur la tête de la baleine.

DES BADGES-DINOSAURES

C'est avec de la pâte à modeler à cuire au four que tu fabriqueras ces badges en forme de monstres préhistoriques.
Choisis ton modèle : tyrannosaure, stégosaure ou tricératops.
Plutôt qu'un badge, tu peux aussi faire des décorations pour le réfrigérateur en collant un aimant au dos de l'animal.

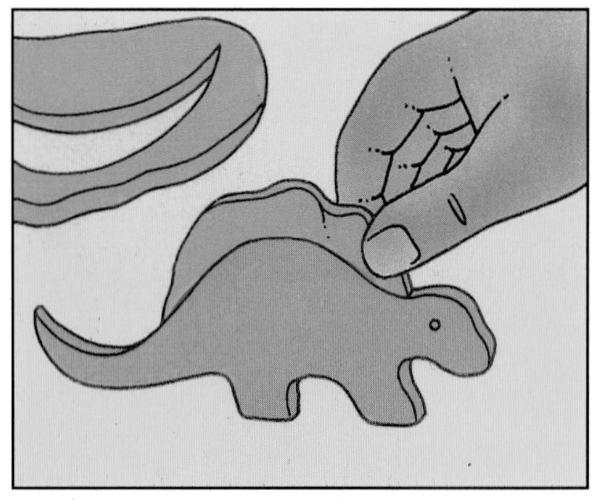

3 Enlève le patron. Dessine un œil avec l'épingle de la broche. Pose la nageoire du tyrannosaure en la pressant sur le dos du monstre de manière à ce qu'elle forme une sorte de vague.

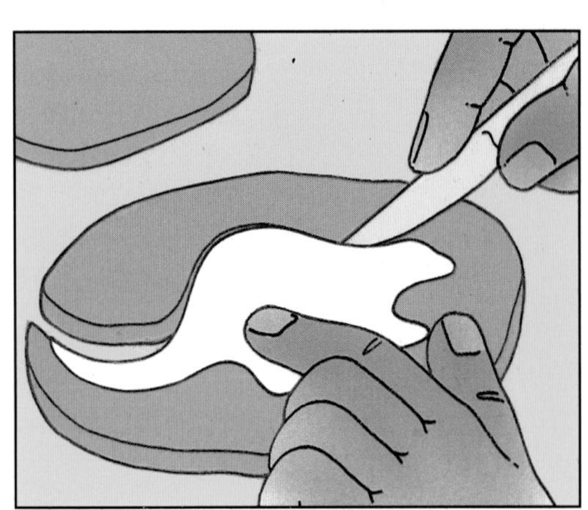

2 Avec un crayon et du papier-calque, reproduis les différents modèles de dinosaures de la page 90. Reporte-les sur du carton épais en repassant sur le tracé au crayon. Les dessins apparaîtront sur le carton. Découpe-les. Appuie fortement ces patrons sur la pâte à modeler et découpes-en les contours avec un couteau.

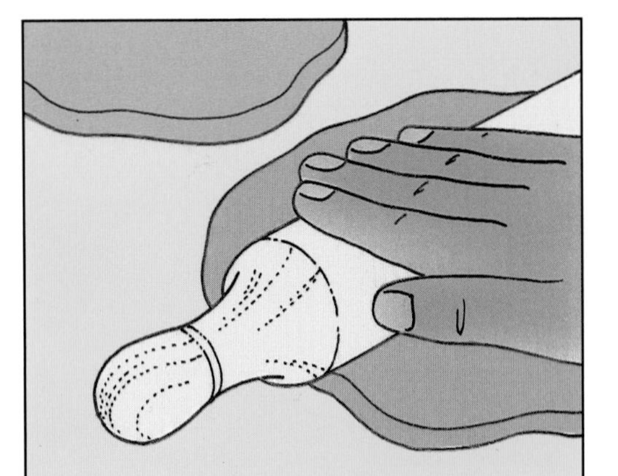

1 Étends la pâte à modeler avec le rouleau à pâtisserie et forme une plaque de 6 mm d'épaisseur. Prends une couleur pour le corps et une autre pour les détails.

ATTENTION : *N'utilise pas le four sans l'aide d'un adulte.*

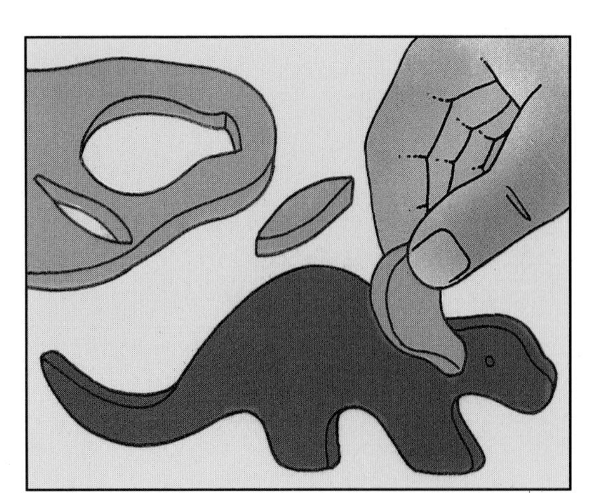

4 De la même manière, pose les grosses épines qui ornent le dos du stégosaure. Dispose les piquants qui forment une sorte de collerette autour du cou du tricératops en pressant doucement sur la pâte à modeler.

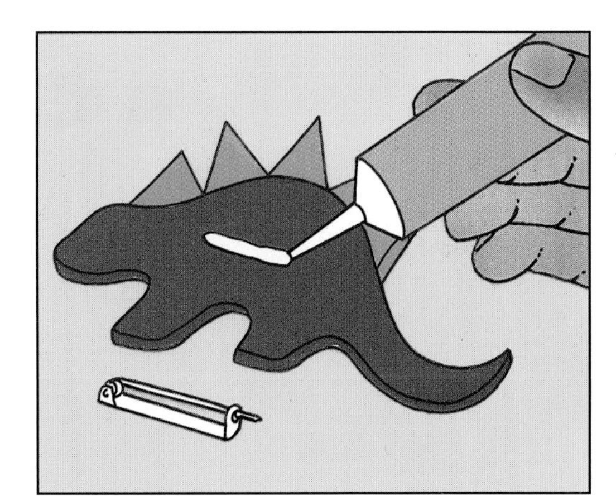

5 Fais cuire les badges au four comme indiqué sur le paquet de pâte à modeler. Laisse-les refroidir, vernis-les et laisse-les sécher. Colle derrière un support de broche ou bien un aimant.

IL TE FAUT

- De la pâte à modeler à cuire au four
- Un rouleau à pâtisserie
- Du carton épais et un couteau
- Des supports de broches ou des aimants
- De la colle universelle
- Du vernis acrylique
- Du papier-calque et un crayon

DES MOUFLES-ANIMAUX

Ces drôles de moufles sont faciles à réaliser et chaudes à porter. Tu peux être sûr d'épater tes amis. Tu les personnaliseras en ajoutant des paillettes, de la fourrure ou des yeux de chat.

IL TE FAUT
Deux carrés de feutrine
De la colle pour tissu
De la laine et une aiguille à laine
Des décorations de ton choix
Du papier, un crayon, des ciseaux et des épingles
Du ruban adhésif

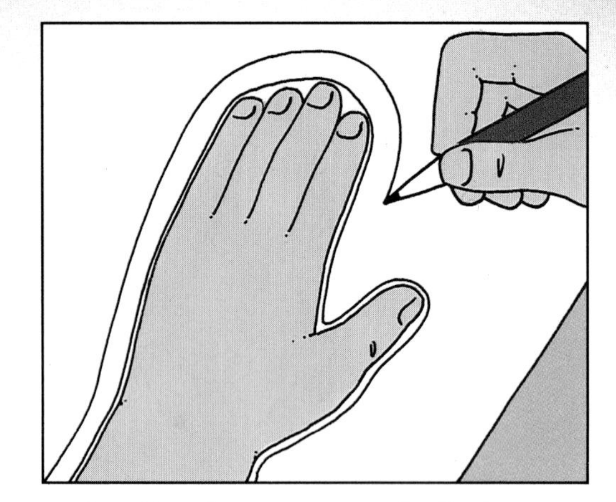

1 Pose la main sur une feuille de papier, les doigts serrés et le pouce en dehors. Dessine son contour au ras de tes doigts, puis trace une deuxième ligne à 2,5 cm de la première. Découpe ton patron en suivant le second tracé.

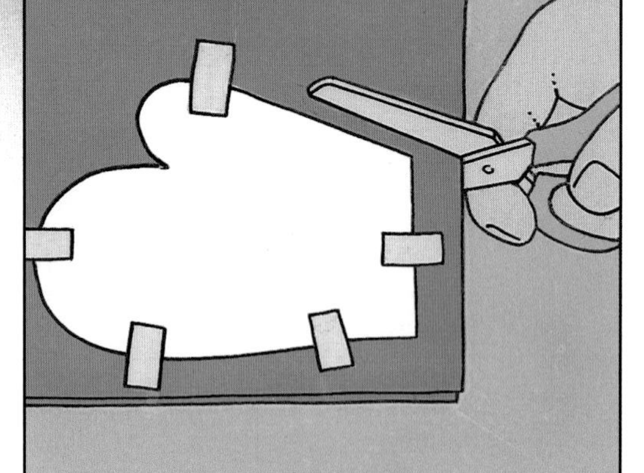

2 Pose le patron de papier, comme sur le dessin, sur deux épaisseurs de feutrine, et maintiens-le avec du ruban adhésif ou des épingles. Découpe la feutrine le long du patron : tu obtiens deux morceaux identiques. Détache le patron et recommence la même opération pour avoir deux autres morceaux.

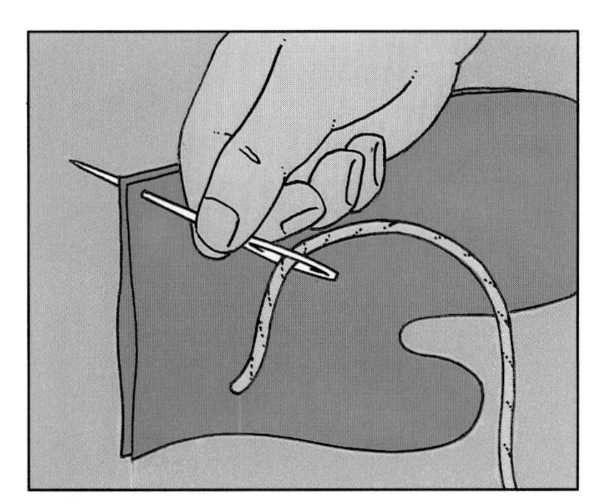

3 Enfile la laine dans une aiguille, et fais un nœud à un bout. Couds ensemble les deux parties de la moufle au point de languette. Pour exécuter le point de languette, plante ton aiguille dans les deux épaisseurs de tissu du devant vers l'arrière à 6 mm du bord.

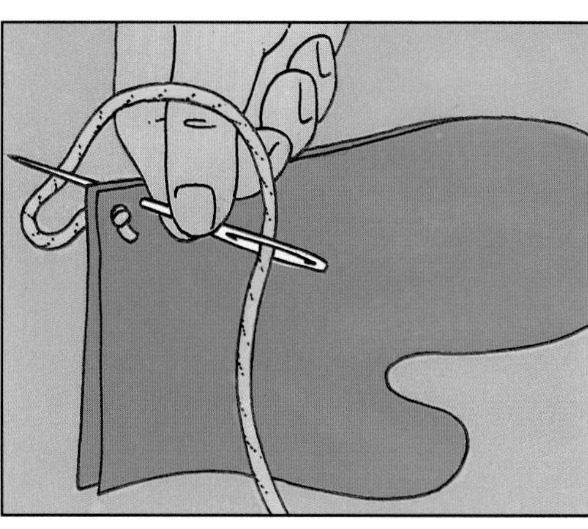

4 Fais un second point à 3 mm du premier et cette fois passe l'aiguille dans la boucle formée par la laine, avant de tirer celle-ci fermement. Répète l'opération tout autour de la moufle. Ne couds pas le bas de la moufle.

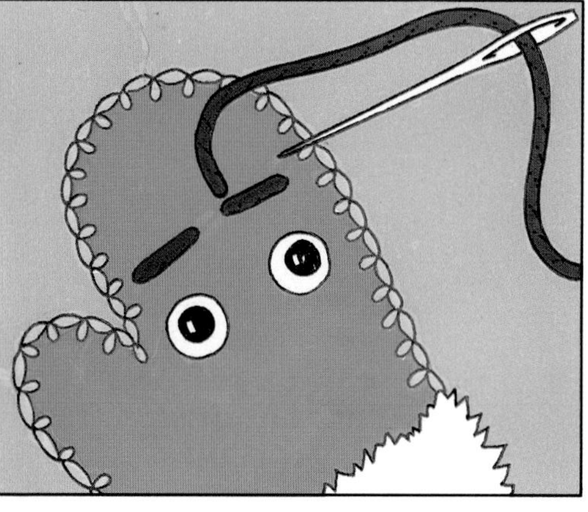

5 Décore les moufles comme il te plaira : colles-y des paillettes, couds de la fausse fourrure aux poignets ou ajoute-leur des yeux pour qu'elles ressemblent à une tête d'animal.

UN BOUQUET DE TULIPES

Ces tulipes multicolores feront un très joli cadeau de Noël ou d'anniversaire. Fais-en un gros bouquet que tu disposeras dans un joli vase, ou attache-les ensemble avec un ruban pour un vrai cadeau. Tu peux bien sûr adapter le modèle qui t'est proposé. Change les couleurs et découpe les pétales différemment pour obtenir une plus grande variété de fleurs.

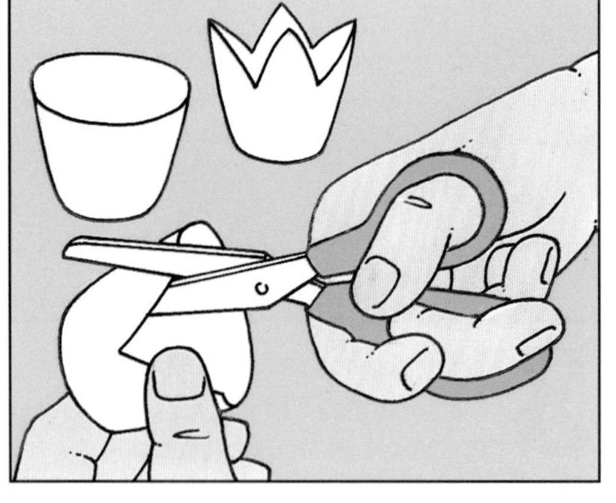

1 Découpe les cartons d'emballage des œufs pour obtenir des alvéoles individuels. Découpe les bords pour former les pétales.

ATTENTION : *N'utilise pas les ciseaux sans l'aide d'un adulte.*

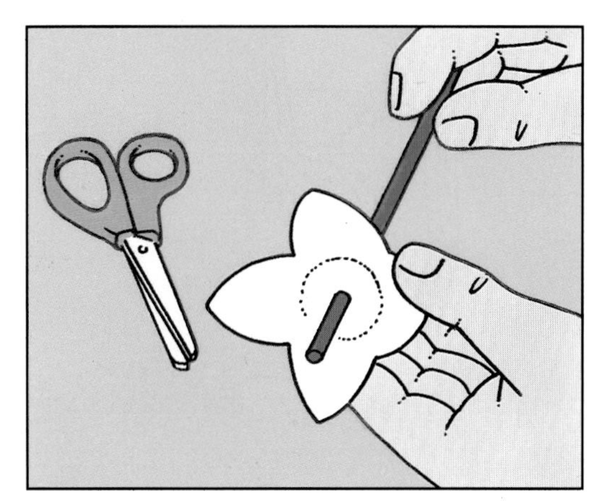

2 Demande à un adulte de t'aider à percer un trou à la base de chacun des alvéoles de carton avec la pointe des ciseaux. Glisse un tuteur de jardin dans le trou.

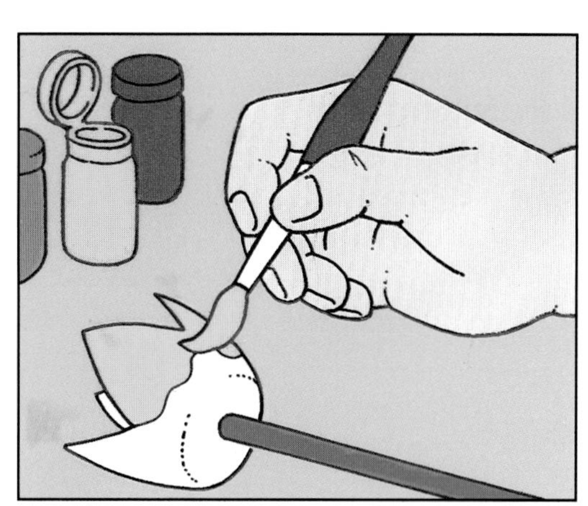

3 Peins les tulipes d'une couleur vive et agréable. Laisse-la sécher à l'abri.

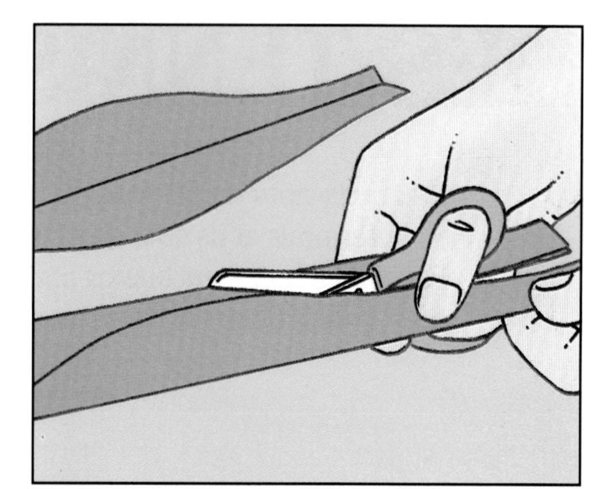

4 Pour faire les feuilles, plie des bandes de carton mince vert en deux, sur toute la longueur. Découpe la forme de la feuille, comme sur le dessin, et fixe-la aux tiges avec un peu de colle.

IL TE FAUT

Des boîtes à œufs en carton
Des tuteurs de jardin
Du carton mince vert
De la gouache
Un pinceau
Des ciseaux
De la colle universelle

DES TENNIS DE FÊTE

Ces ravissants tennis sont du meilleur effet pour sortir avec tes amis et ils sont très faciles à réaliser. Remplace les lacets blancs par d'autres, de couleur vive, ou par des rubans brillants comme nous l'avons fait ici.

1 Colle des pierres de couleur sur les tennis. Dispose-les selon un motif décoratif que tu auras choisi d'avance ou selon ton inspiration du moment.

IL TE FAUT

- Des tennis blancs tout simples
- Des pierres de couleur
- Du ruban ou des lacets de couleur
- De la colle universelle
- Un pinceau
- Des feutres scintillants
- De la peinture scintillante

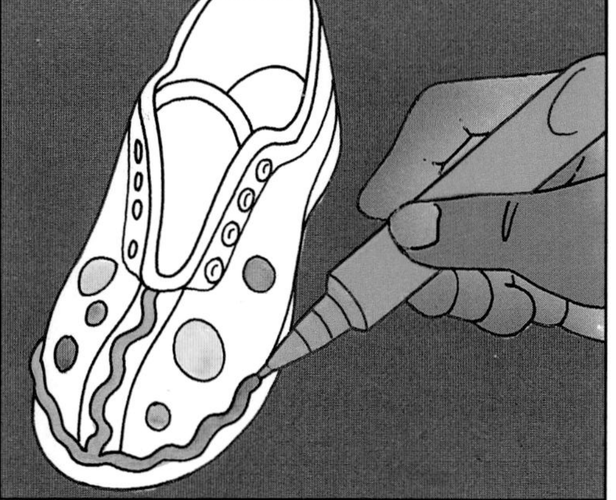

2 Décore les tennis avec des feutres scintillants. Dessine des vagues le long des semelles, puis laisse sécher.

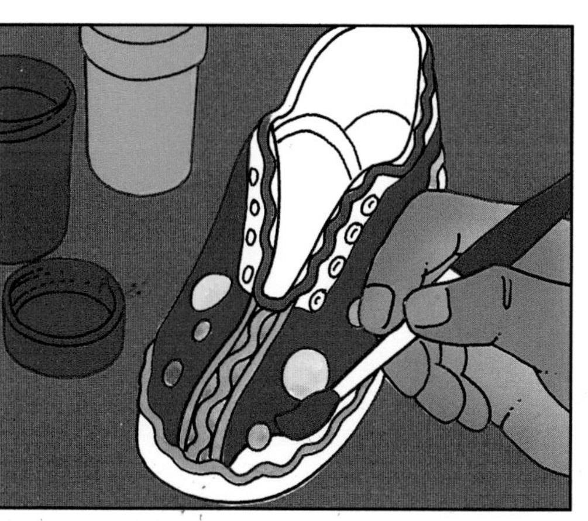

3 Avec beaucoup de soin, peins le reste de la toile des tennis avec de la peinture scintillante. Laisse sécher, et remets une seconde couche là où la peinture n'a pas bien pris.

4 Coupe deux longueurs de ruban pour faire des lacets. Trace un trait en zig zag avec un feutre scintillant sur le ruban. Passe les lacets dans les trous quand le trait est bien sec.

LES TROIS OURS

Ces adorables petits ours ont des aimants dans le dos et peuvent tenir sur une surface métallique, comme un réfrigérateur.
Nous allons te montrer comment en faire un, mais pourquoi ne pas fabriquer toute une famille d'ours de différentes couleurs, en variant leurs vêtements et leurs accessoires ?

1 Reproduis avec un crayon et du papier-calque le patron d'ours de la page 90. Découpe-le et pose-le sur un morceau de feutrine jaune ou miel. Trace les contours et découpe la forme obtenue. Dessine les yeux, le nez et la bouche avec un crayon-feutre.

IL TE FAUT

- De la feutrine de différentes couleurs
- Un crayon-feutre noir
- Du ruban et des perles
- De la colle universelle
- Des petits aimants
- Du papier-calque et un crayon

2 Comme au stade précédent, recopie les patrons de gilet et de jupe de la page 90. Découpe-les dans de la feutrine de couleur vive et colle-les sur la silhouette de l'ours.

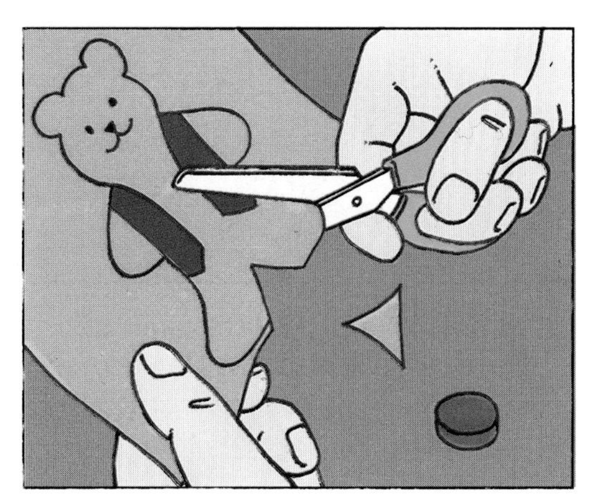

3 Colle l'ours sur un morceau de feutrine de même couleur et découpe-le soigneusement. Colle un petit aimant derrière la tête de l'ours.

4 Colle un rang de perles au cou de l'oursonne pour lui faire un collier. Fais un nœud dans un morceau de ruban, coupes-en les bouts et colle-le sur chaque ourson afin de lui faire un nœud papillon.

UN COLLAGE-CLOWN

Récupère des morceaux de tissu, de la laine, des boutons et des perles pour fabriquer ce joli collage en forme de clown. Colle une attache pour cadre dans son dos : tu pourras l'accrocher à la porte de ta chambre comme plaque portant ton prénom.

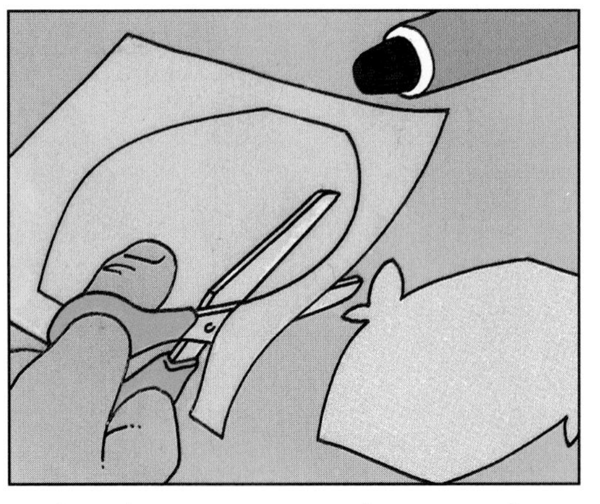

1 Avec un crayon et du papier-calque, reproduis le patron de clown de la page 91. Reporte-le sur le carton rose en appuyant fortement sur le tracé avec le crayon. Tu obtiens ainsi la forme du clown ; découpe-la. Pose cette forme sur le tissu et trace un trait autour en évitant les mains. Découpe le corps en tissu, et colle-le sur la forme en carton.

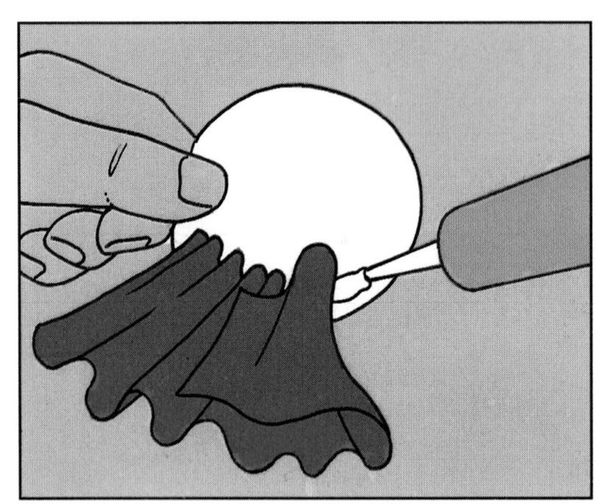

2 Découpe un disque de carton blanc de 8 cm de diamètre. Découpe une bande de papier crépon et colle-la derrière la tête, d'un seul côté, en la plissant autour du cou.

IL TE FAUT

Du carton mince blanc et rose
Du tissu imprimé, de la feutrine rouge, de la laine, du papier crépon et un crayon-feutre rouge, deux boutons, une perle et deux pompons
Une attache pour cadre
De la colle universelle et des ciseaux
Du papier-calque et un crayon

3 Colle une perle pour faire le nez et deux boutons pour les yeux. Dessine une bouche avec le crayon-feutre. Colle des boucles de laine sur la tête pour les cheveux.

4 Colle la tête sur le corps. Reproduis le patron de soulier de la page 91 et découpe-le. Reporte-le sur la feutrine rouge et découpes-en deux exemplaires. Colle-les sur le corps du clown et colle ensuite un pompon à chaque soulier.

5 Replie les mains en carton. Écris ton prénom sur une bande de papier plus longue que la largeur du corps du clown de 2,5 cm. Colle les bouts de la bande à l'intérieur des mains. Ton nom se détachera du corps du clown.

LES MARIONNETTES À DOIGTS

Fabrique cette série de marionnettes et tu en auras plein les mains. Prends pour modèles tes animaux favoris ou des personnages de contes de fées. Ce sera un cadeau idéal pour un petit frère ou une petite sœur.

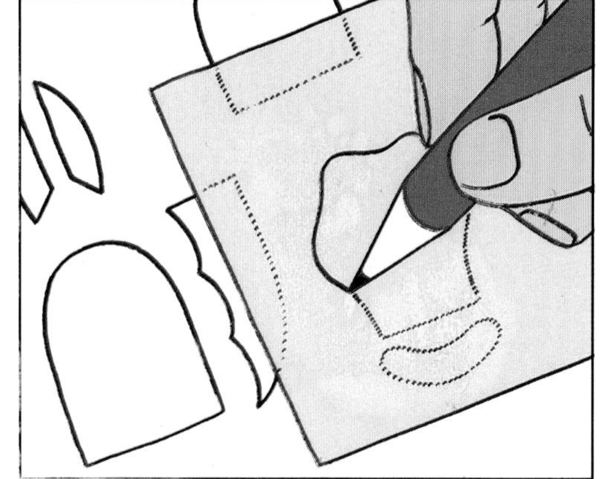

1 Décalque les patrons de marionnettes de la page 92. Pose les patrons sur la feutrine et maintiens-les avec des épingles ou du ruban adhésif. Découpe les formes.

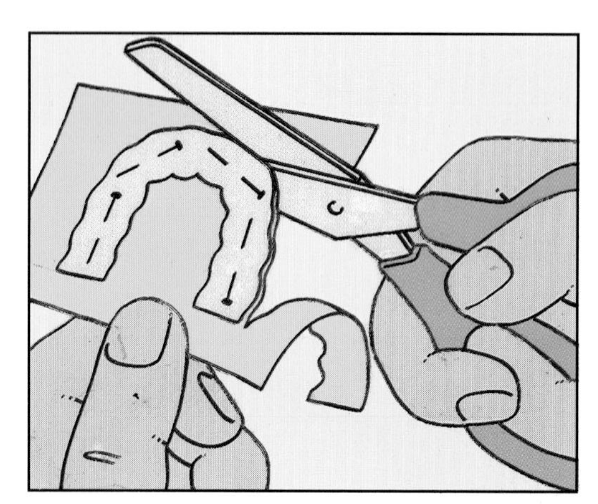

2 Suis les recommandations du 1 et reproduis les patrons de la page 92 pour les cheveux, les collerettes ou les ailes des personnages. Découpe le nez et les moustaches directement dans les chutes de feutrine.

3 Si tu as choisi de peindre tes personnages, utilise de la peinture spéciale pour tissu. Laisse-la bien sécher.

4 Colle les cheveux et les chapeaux. Couds les moustaches. Fixe ou colle les yeux de chat.

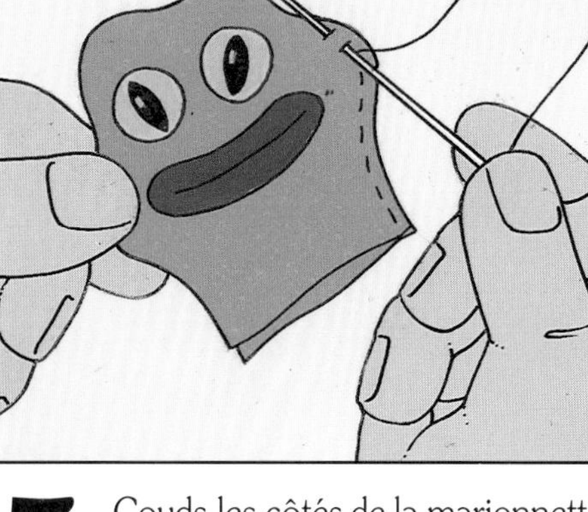

5 Couds les côtés de la marionnette, en prenant bien soin de ne pas fermer la base.

IL TE FAUT

Des chutes de feutrine de couleur
Une aiguille, du fil et des épingles
Des ciseaux et de la colle pour tissu
Du papier-calque et un crayon
Des yeux de chat en verre
De la peinture pour tissu
Du ruban adhésif

DES BOLS EN PAPIER MÂCHÉ

Transforme les vieux journaux en jolis bols faits avec du papier mâché. Peins-les de couleurs vives qui iront avec la décoration de ta chambre. Ils seront aussi de parfaits cadeaux de Noël ou d'anniversaire. Mais, attention, ils ne sont pas faits pour être remplis d'eau !

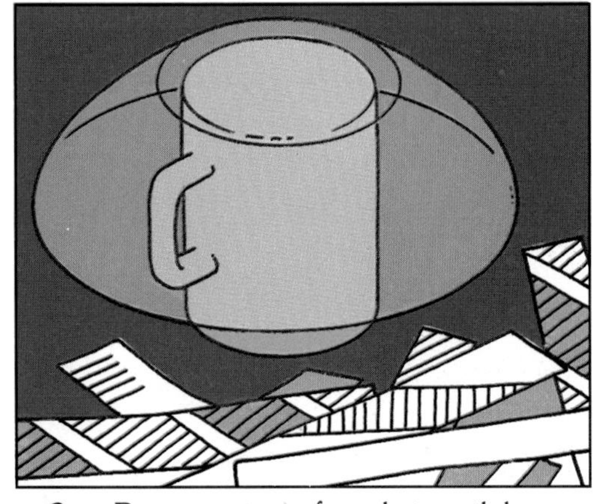

1 Recouvre ta surface de travail de vieux journaux. Retourne la chope et pose le bol dessus. Déchire ou découpe des morceaux de papier journal en bandes.

IL TE FAUT
Des vieux journaux
De la colle d'amidon
Un vieux bol en verre ou en plastique
Une chope et une vieille assiette
De la vaseline
Un vieux pinceau et des ciseaux
De la gouache et des pinceaux

2 Recouvre le bol d'une couche épaisse de vaseline, pour empêcher le papier mâché de coller par la suite. Verse de la colle dans la vieille assiette et dilue-la avec de l'eau.

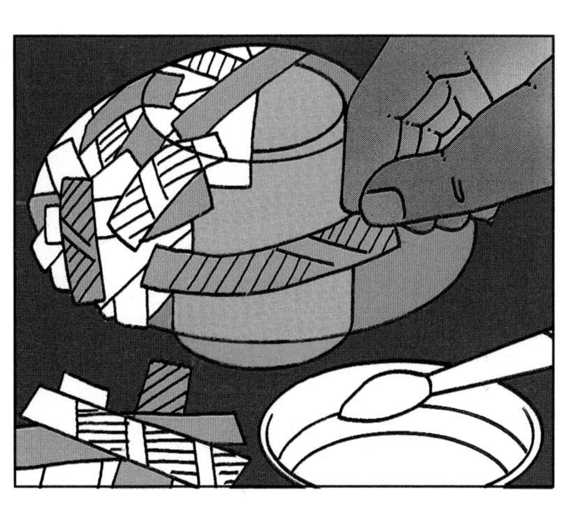

3 Avec le vieux pinceau, pose une couche de colle sur les bandes de papier et applique-les sur le bol, une par une. Quand le bol est recouvert de papier, enduis-le de colle avec le pinceau.

4 Recommence l'opération du 3 au moins huit fois de suite, et assure-toi que les bandes de papier se chevauchent bien à chaque fois. Laisse le bol sécher dans un endroit chaud pendant quelques jours.

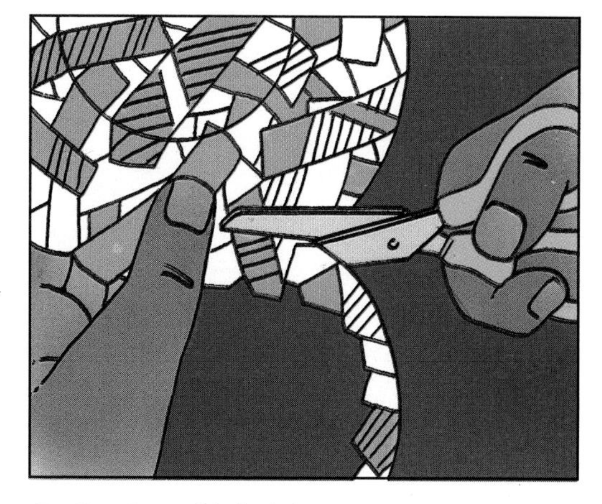

5 Quand le bol de papier est sec, enlève avec précaution le bol en verre et coupe avec des ciseaux les morceaux de papier qui dépassent. Peins le bol de couleurs vives avec de jolis motifs.

DES BIJOUX EN PAPIER

Fais-toi belle avec ces bijoux originaux. On les fabrique avec des papiers roulés et des perles de bois de couleur, enfilés sur de la laine. Tu pourras faire aussi des boucles d'oreilles, des broches et des bracelets avec la même méthode.

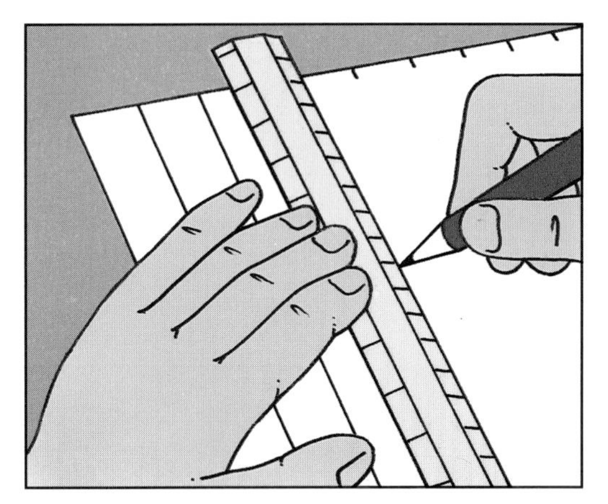

1 Pour fabriquer les perles longues, trace sur l'envers du papier, avec la règle et le crayon, des bandes de 20 cm de long et de 2,5 cm de large. Découpe les bandes.

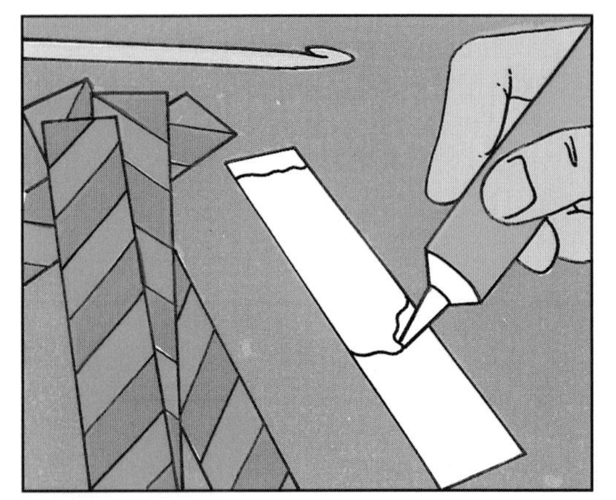

2 Dépose de la colle à l'envers d'une bande de papier en laissant 6 mm sans colle à chaque extrémité. Pose le crochet sur une des parties sans colle de la bande de papier. Enroule soigneusement la bande de papier autour du crochet ou de l'aiguille à tricoter pour former la perle.

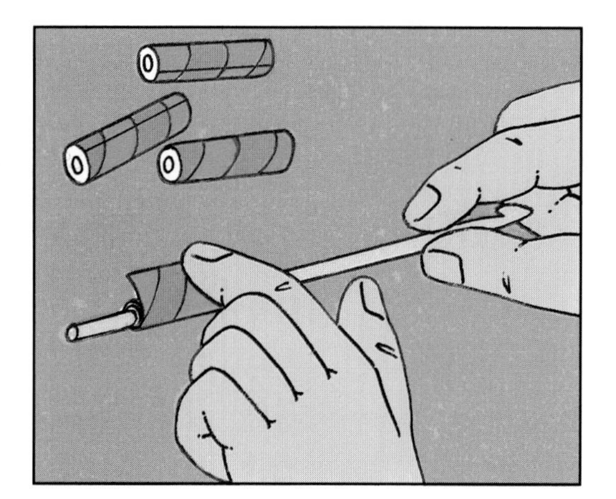

3 Assure-toi que l'extrémité de la bande est solidement collée. Fais glisser la perle du crochet ou de l'aiguille. Répète l'opération autant de fois que tu auras besoin de perles pour ton bracelet ou ton collier.

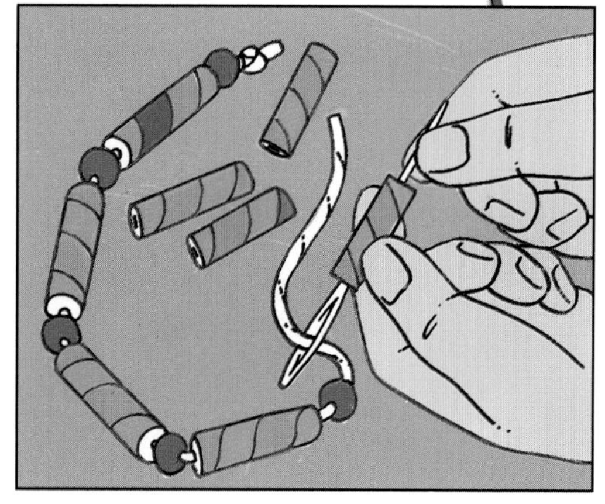

4 Pour faire un collier, enfile un long brin de laine dans une aiguille et fais un nœud au bout. Enfile les perles sur la laine. Quand tu as atteint la longueur nécessaire pour ton collier ou ton bracelet, noue ensemble les deux bouts du brin de laine.

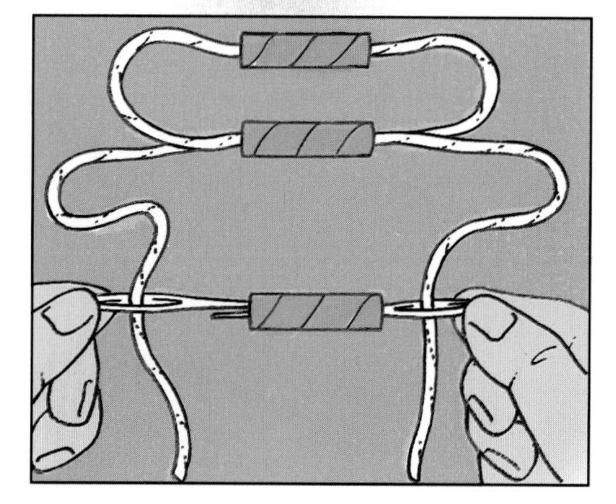

5 Pour obtenir un rang vertical de perles, comme pour le bracelet montré sur le dessin, enfile une aiguille à chaque extrémité du morceau de laine. Enfile la première perle au centre du brin de laine. Pousse l'une des aiguilles dans la perle suivante. Pousse alors la seconde aiguille dans la même perle, mais dans le trou opposé. Répète l'opération avec chaque perle.

IL TE FAUT

Des magazines ou du papier cadeau
De la colle universelle
De la laine
Des perles de bois colorées
Une règle et un crayon, des ciseaux
Un crochet ou une aiguille à tricoter
Deux grosses aiguilles à laine

DES SACS TISSÉS

Le tissage est la technique utilisée pour faire du tissu. Tu peux employer presque tout ce qui te tombe sous la main, de la laine ou des bandes de tissu par exemple. Ruban et laine se combinent très bien. Ils donnent des résultats rapides et font beaucoup d'effet.

1 Sur du carton épais, dessine un rectangle du double de la taille du sac que tu veux faire. Découpe-le. Trace des lignes de 6 mm le long des côtés les plus courts. Fais une entaille sur chaque marque.

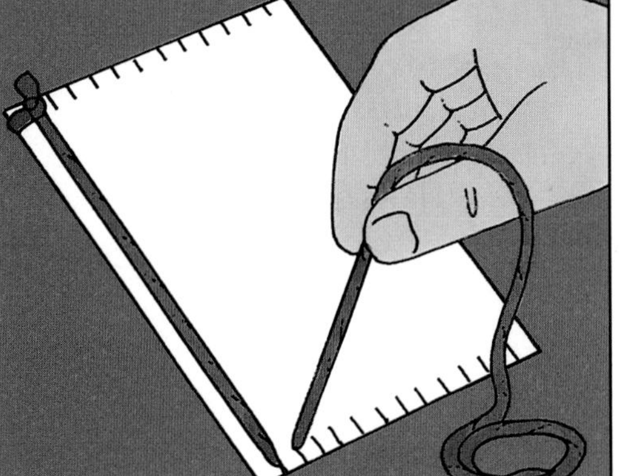

2 Glisse la laine dans la première encoche et attache-la. Tire la laine vers le côté opposé du carton et glisse-la dans l'encoche correspondante, puis fais-la passer dans l'encoche suivante.

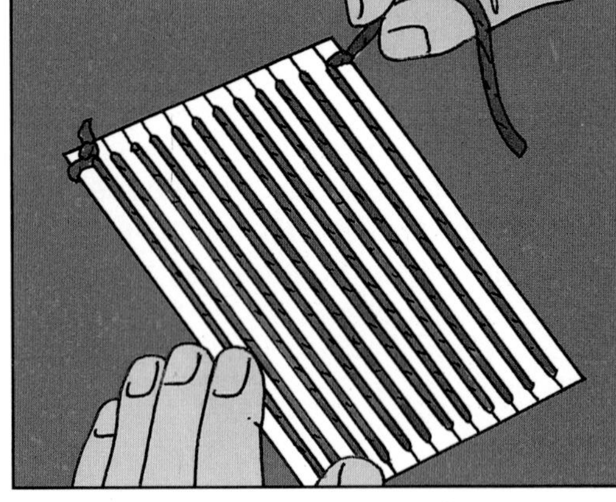

3 Tire la laine à l'opposé du carton et répète l'opération 2, et ainsi de suite jusqu'à ce que le carton soit couvert de laine. Tu obtiens ainsi ce qu'on appelle la chaîne.

ATTENTION : *Ne te sers pas du fer à repasser sans l'aide d'un adulte.*

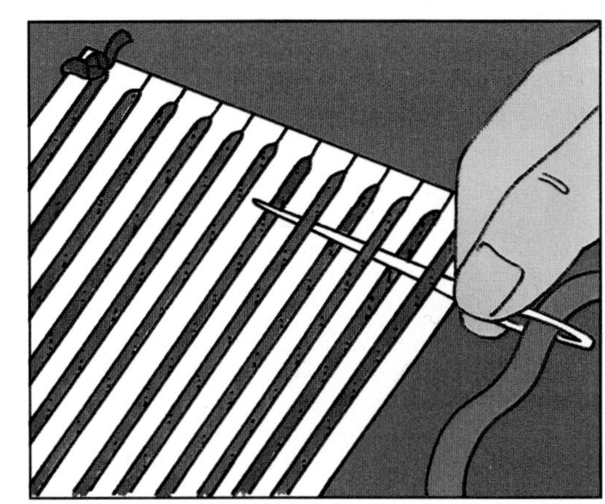

4 Coupe des morceaux de ruban de la largeur du carton plus 5 cm. Enfile le premier ruban dans l'aiguille et glisse-le entre les brins de laine, une fois dessus, une fois dessous, jusqu'au bout de la chaîne.

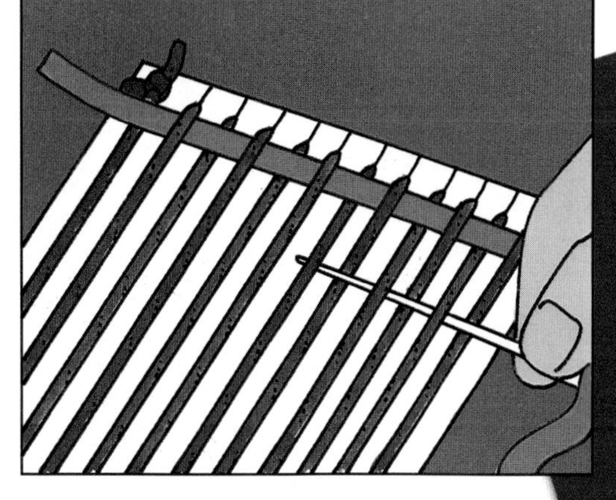

5 Prends le ruban suivant. Fais la même chose qu'avec le premier ruban, mais en commençant cette fois par le glisser au-dessous du premier brin de laine et non au-dessus. Répète les opérations 4 et 5 jusqu'à ce que le tissage soit terminé.

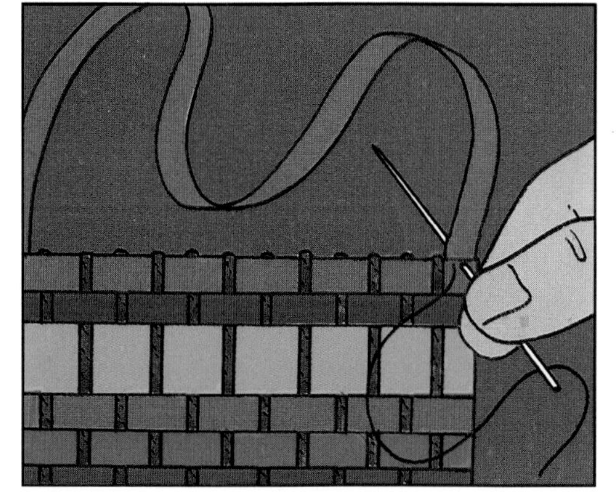

6 Pour réaliser le sac, ôte le tissage du support de carton. Découpe un morceau de feutrine de la même taille que le carton. Demande à un adulte de t'aider à coller la feutrine au fer à repasser sur l'envers du tissage. Plie le tissage en deux et couds les côtés. Ajoute un ruban pour l'anse, et, si tu veux, un bouton et une boutonnière.

IL TE FAUT

- Un grand morceau de carton épais
- Des ciseaux, une règle et un crayon
- De la laine
- Du ruban de différentes couleurs
- De la feutrine qui se colle au fer
- Une aiguille plate à grand chas et du fil
- Un bouton (facultatif)

LES PLANEURS

Tu vas bien t'amuser en fabriquant ces planeurs, mais tu t'amuseras encore plus à les faire voler pendant des heures. Ils sont en carton, et alourdis pour qu'ils volent bien. Fais-en toute une escadrille !

IL TE FAUT
Du papier-calque et un crayon
Du carton mince
Un couteau à lame coulissante et une planche à découper
Des ciseaux et une règle
De la gouache et un pinceau fin
De la pâte à modeler ou un clou de tapissier
Des autocollants décoratifs

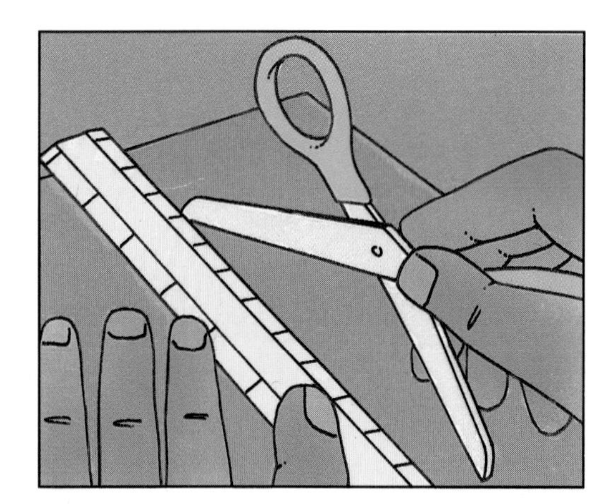

1 Avec la règle et la pointe des ciseaux ou un couteau à lame coulissante, fais une légère entaille le long du milieu du carton mince. Plie le carton en deux.

ATTENTION : *Ne te sers pas du couteau à lame coulissante sans l'aide d'un adulte.*

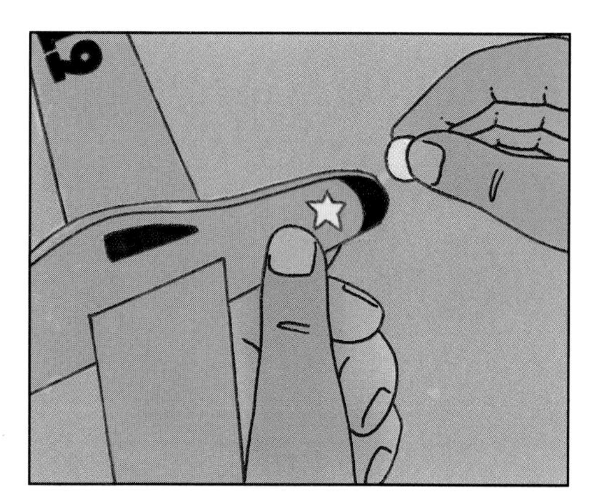

4 Place les ailes dans les fentes prévues pour cela. Replie la queue du planeur comme sur la photo ci-contre. Alourdis son nez avec une petite boule de pâte à modeler ou un clou de tapissier.

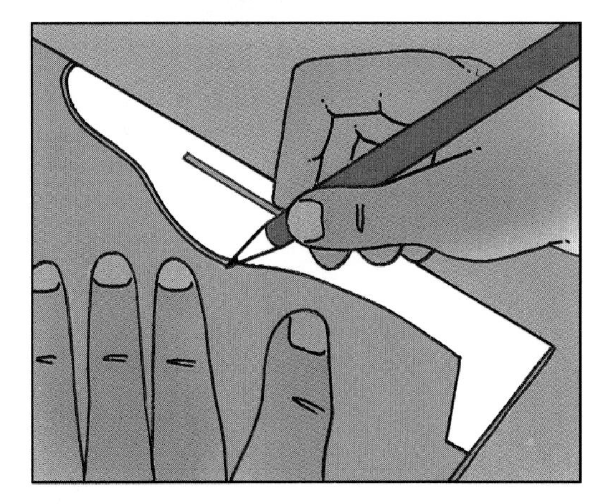

2 Avec un crayon et du papier-calque, recopie le patron du corps de l'avion de la page 93. Retourne le calque et applique-le contre la pliure du carton comme sur le dessin. Appuie avec le crayon sur le pourtour du patron pour qu'il apparaisse sur le carton. Découpe la forme. Coupe aussi les fentes pour les ailes avec le couteau à lame coulissante sur la planche à découper.

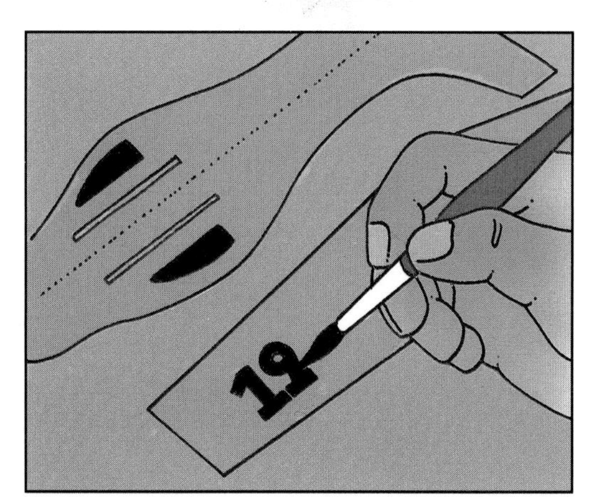

3 Décalque le patron des ailes comme on te l'a expliqué en 2. Découpe les ailes en utilisant un seul morceau de carton. Peins le planeur à ton goût. Ajoute les autocollants quand la peinture est sèche.

DES BADGES EN CARTON

Épingle ces badges sur ta veste ou ton pull pour les personnaliser. Recopie ces animaux bizarres ou crée toi-même des formes originales. Les badges peuvent avoir n'importe quelle forme, ou presque, et être décorés comme tu le voudras.

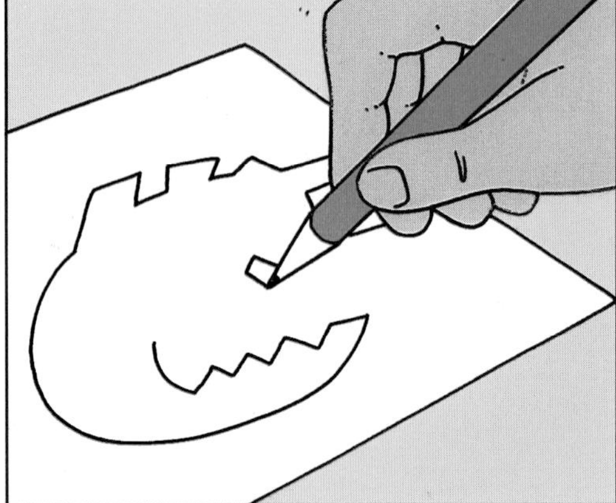

1 Avec un crayon, décalque un des patrons de la page 92, ou essaie de dessiner l'animal que tu veux sur un morceau de papier.

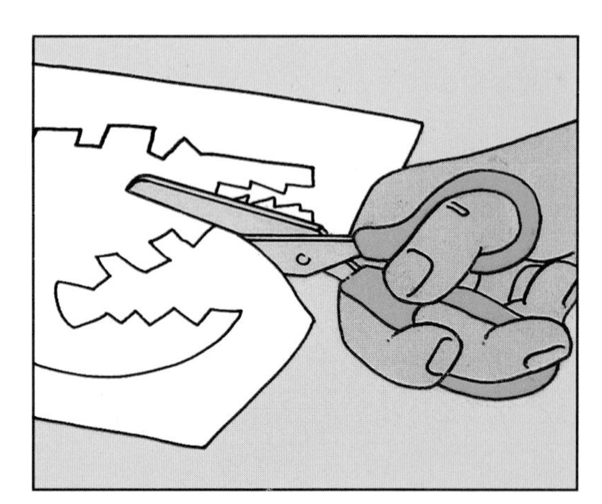

2 Retourne le calque et pose-le sur le carton. Appuie fortement sur le tracé avec un crayon : le dessin apparaîtra sur le carton. Découpe-le avec les ciseaux.

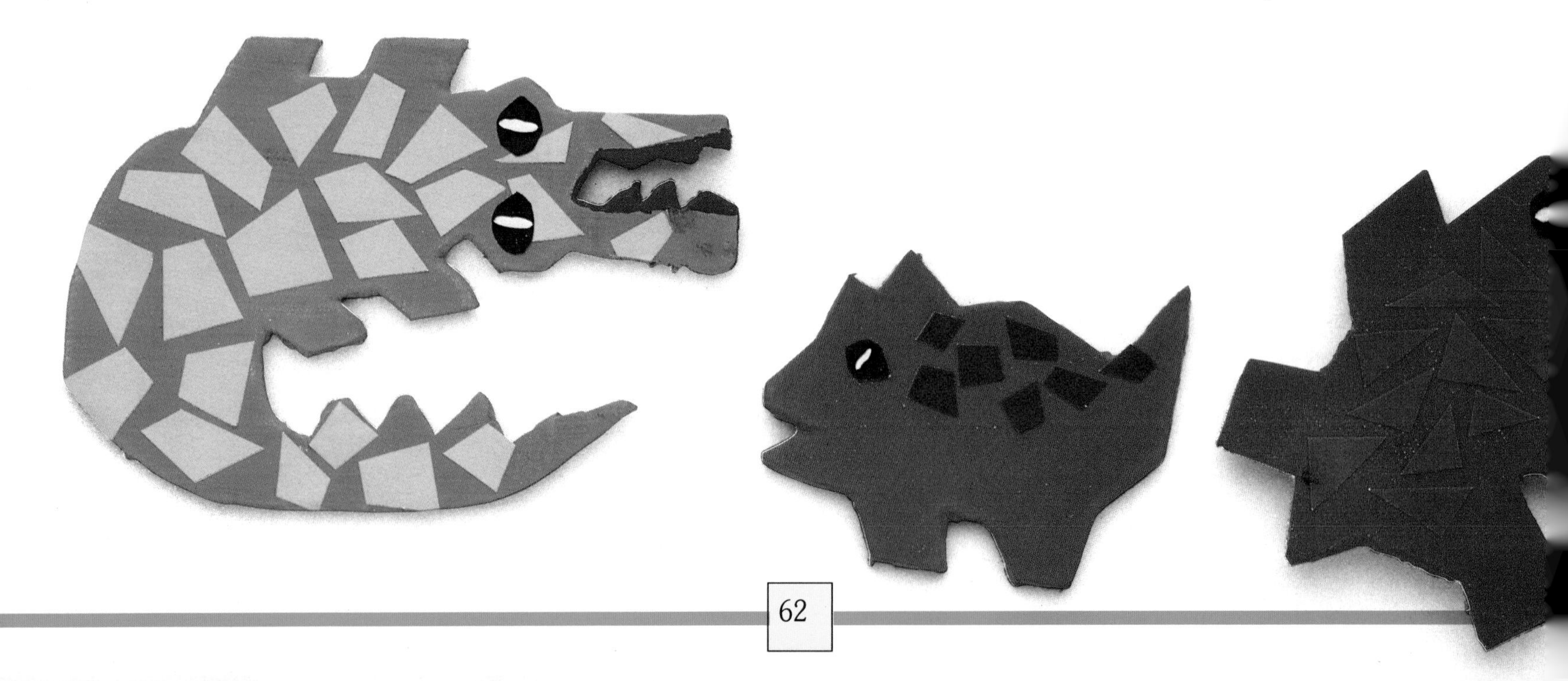

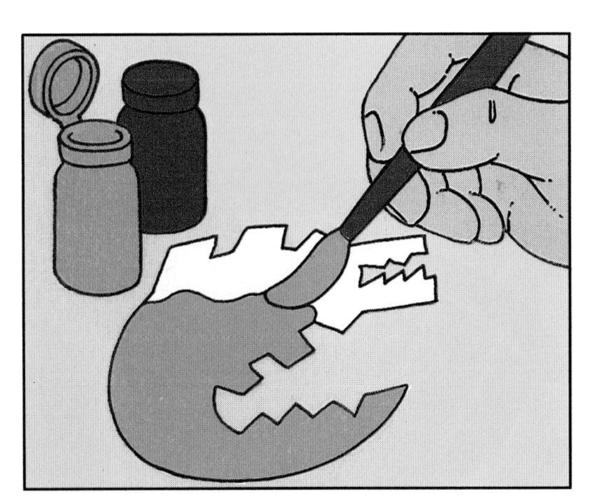

3 Peins ton badge d'une couleur vive avec le gros pinceau. Pour que la couleur ressorte encore mieux, laisse sécher la première couche et passe une seconde couche. Laisse sécher à nouveau.

4 Décore le badge avec des autocollants de couleur. Utilise les autocollants tels quels ou découpe-les en leur donnant des formes variées. Sers-toi du pinceau fin pour les détails comme les yeux.

5 Quand le badge est fini, retourne-le et fixe l'épingle de sûreté avec du ruban adhésif. Épingle-le sur ton vêtement préféré.

LA CASQUETTE DÉCORÉE

IL TE FAUT
Une casquette unie à décorer
Du papier blanc
Des paillettes et des pierres de couleur
De la colle universelle
Des feutres scintillants ou fluorescents indélébiles, ou de la peinture pour tissu

Utilise des feutres scintillants ou fluorescents, des paillettes et des pierres de couleur pour transformer vêtements et accessoires en objets de fête. Tu pourras décorer comme cette magnifique casquette toutes sortes de choses : tes chaussettes, tes T-shirts ou tes tennis.

1 Prépare un motif sur une feuille de papier blanc en déplaçant les paillettes et les pierres de couleur dans tous les sens, jusqu'à ce que tu sois content de ton modèle.

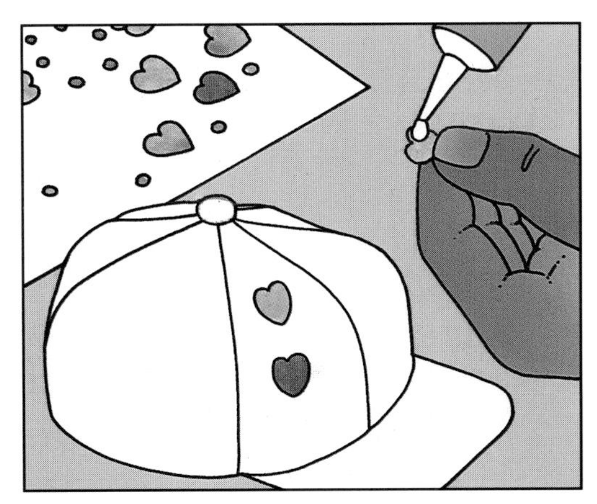

2 Dépose une goutte de colle sur l'envers d'une paillette ou d'une pierre et colle-la sur la casquette. Recommence jusqu'à ce que toutes les pierres soient en place.

3 Essaie la peinture pour tissu ou les feutres scintillants sur un morceau de papier. Presse doucement sur le tube de peinture pour dessiner une ligne. Si tu appuies trop, la peinture va sortir en faisant des pâtés.

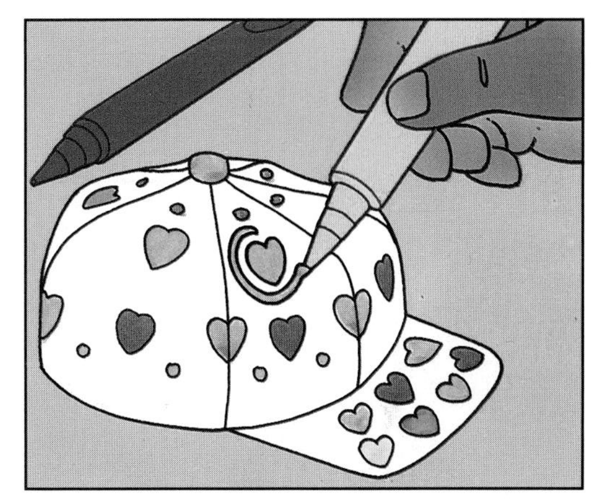

4 Quand la technique de peinture sera au point, exécute des dessins sur la casquette. Fais très attention, car les marques sont indélébiles. Suis bien les instructions du fabricant pour que la peinture ou les feutres ne déteignent pas. Demande l'aide d'un adulte si tu n'es pas très sûr de ce qu'il faut faire.

LE SERPENT QUI RAMPE

Fais croire que c'est un vrai serpent ! Il avancera en se tortillant si tu le tires sur une surface lisse, comme une table ou le sol. Tu le fabriqueras avec le polystyrène que l'on trouve dans les cartons d'emballage pour protéger certains objets fragiles.

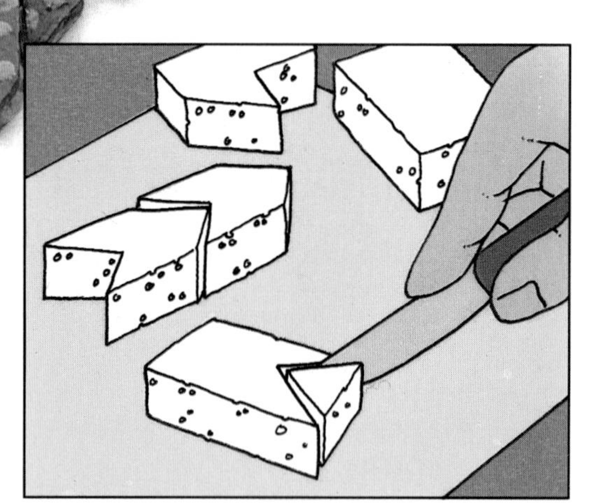

2 Avec le couteau aiguisé, taille un bout des rectangles en pointe et l'autre bout en V. Assure-toi que les morceaux s'emboîtent bien : la partie pointue des rectangles doit s'insérer dans la partie découpée en V pour que le serpent bouge d'un côté sur l'autre. Coupe un V à la base de la tête. Peins les morceaux et laisse-les sécher.

1 Coupe le polystyrène en rectangles de 2 sur 5 cm avec le couteau aiguisé. Découpe un rectangle plus large pour la tête et un rectangle plus étroit pour la queue.

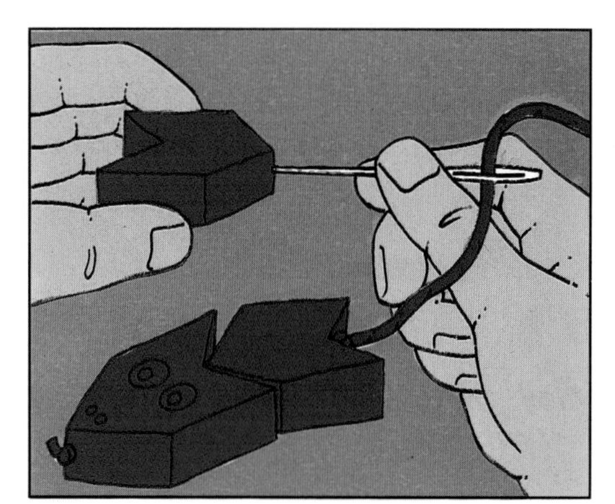

3 Enfile la laine dans une aiguille et fais un nœud au bout. Pousse l'aiguille à travers la tête comme sur le dessin. Fais un nœud et enfile le morceau suivant. Recommence jusqu'à ce que tous les morceaux soient enfilés en faisant un nœud entre chaque morceau.

ATTENTION : *N'utilise pas le couteau aiguisé sans l'aide d'un adulte.*

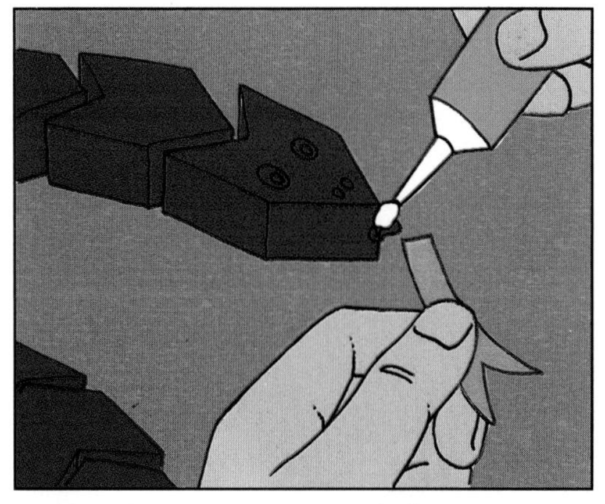

4 Coupe un morceau de feutrine en forme de langue et colle-le sur le nœud de la bouche. Pour faire une laisse, passe un autre brin de laine à travers la tête et noue-le solidement. Attache le bout de laine au petit bâton ou à la brochette de bois. Le serpent est prêt à ramper.

IL TE FAUT
Des morceaux de polystyrène expansé
Une aiguille plate à grand chas
De la gouache et des pinceaux
Des chutes de feutrine et de la laine
De la colle universelle
Des ciseaux et un couteau aiguisé
Une brochette de bois ou un petit bâton

DES PORTE-CLÉS ... À CROQUER

Étonne tes amis avec ces drôles de porte-clés si appétissants. Tu peux en faire autant que tu veux en imaginant toutes sortes de mélanges. Pour les réaliser, utilise de la pâte à modeler que tu feras cuire au four et que tu verniras. Attends que le vernis soit sec pour poser l'anneau.

IL TE FAUT
De la pâte à modeler à cuire au four
Du vernis pour terre cuite
Des anneaux pour les clés
Un rouleau à pâtisserie ou un gobelet en plastique
Un couteau plat
Une tôle à pâtisserie

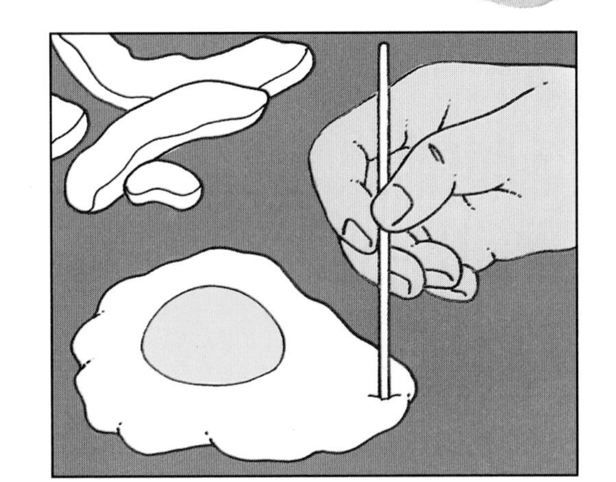

1 Pour réaliser l'œuf au plat, aplatis une boule de pâte à modeler blanche jusqu'à ce qu'elle ait 6 mm d'épaisseur. Donne-lui la forme du blanc de l'œuf. Roule un petit morceau de pâte jaune et fais-en une petite boule plate. Presse-la au milieu du blanc. Fais un trou pour l'anneau.

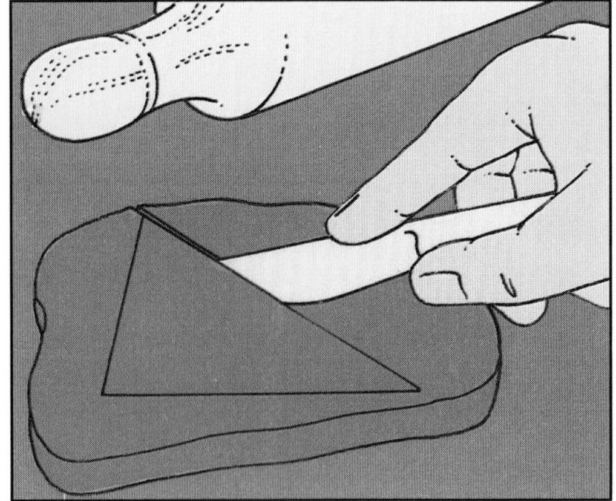

2 Pour la tartine aux cacahuètes, aplatis un morceau de pâte brune pour en faire une plaque de 6 mm d'épaisseur et taille dedans un triangle. Pour la confiture, découpe des petites lanières de pâte rouge et pose-les sur le triangle brun.

3 Roule des petites boules de pâte brune et dépose-les en appuyant doucement sur les lanières rouges : les cacahuètes sont sur la confiture. Fais un trou au sommet du triangle pour l'anneau.

4 Pour la banane, roule un morceau de pâte à modeler jaune pâle en forme de grosse saucisse. Aplatis-en un des bouts en appuyant dessus. Courbe la saucisse pour qu'elle ressemble à une banane.

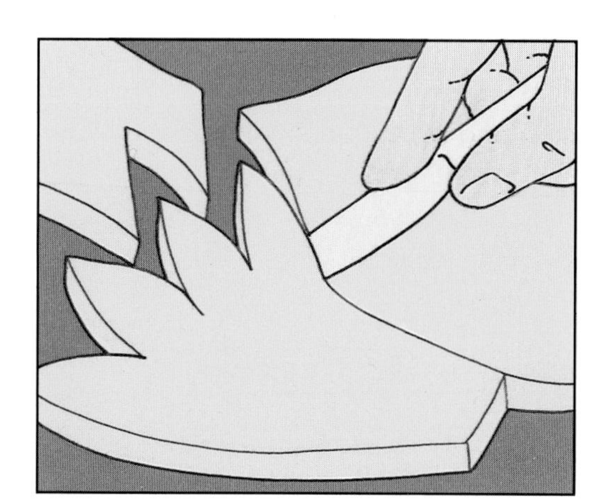

5 Aplatis une boule de pâte d'un jaune plus soutenu pour en faire une plaque de 6 mm d'épaisseur. Découpes-y la forme de la peau de la banane comme sur le dessin. Pose la peau sur la banane et rabats soigneusement les bouts. Prépare des petits morceaux de pâte brune que tu poseras sur la peau en pressant doucement. Fais un petit trou en haut de la banane. Cuis le tout en suivant les instructions données sûr le paquet de pâte à modeler.

ATTENTION : *N'utilise par le four sans l'aide d'un adulte.*

DES TAMPONS ASTUCIEUX

Les pommes de terre peuvent servir à faire de superbes tampons à imprimer avec lesquels tu décoreras enveloppes, cartes ou papier cadeau. Ils dureront très longtemps. Tu peux copier les modèles proposés ici ou dessiner tes propres motifs.

ATTENTION : *N'utilise pas le couteau sans l'aide d'un adulte.*

IL TE FAUT

Des enveloppes ou du papier
De grosses pommes de terre
Un crayon-feutre (ou plusieurs)
Un couteau aiguisé
Un pinceau et de la gouache
Du carton mince et des ciseaux
Du papier-calque et un crayon

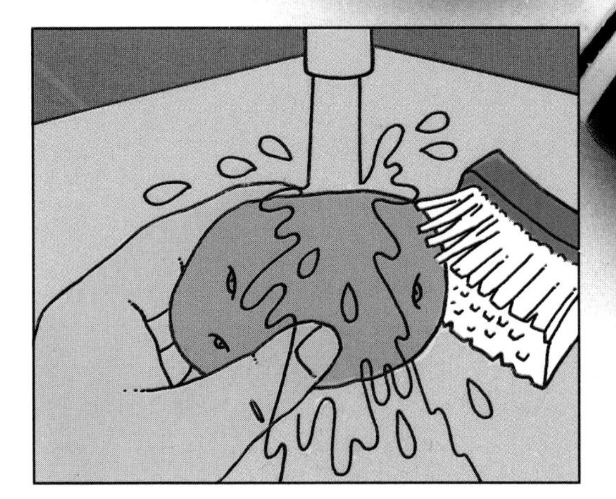

1 Lave les pommes de terre pour enlever les saletés de la peau et laisse-les sécher. Quand elles sont sèches, demande à un adulte de t'aider à les couper en deux.

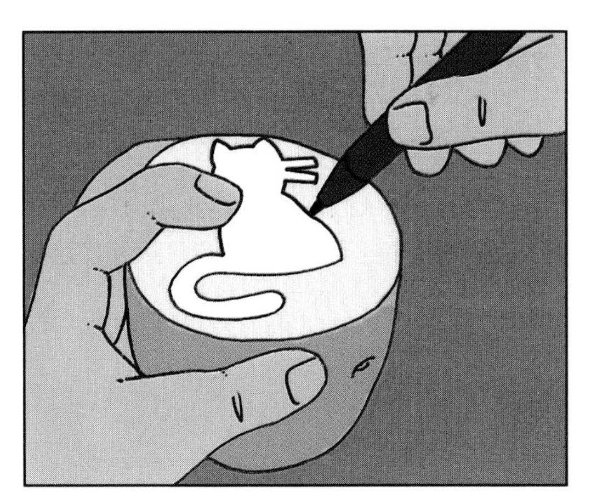

2 Avec un crayon et du papier-calque, reproduis l'un des patrons de la page 93, ou dessine un motif de ton invention. Reporte le dessin sur du carton mince en retournant le calque et en appuyant très fort sur le contour du dessin avec un crayon. Le modèle apparaît et tu n'as plus qu'à découper le carton. Place le patron sur une pomme de terre. Traces-en soigneusement le contour avec un crayon-feutre.

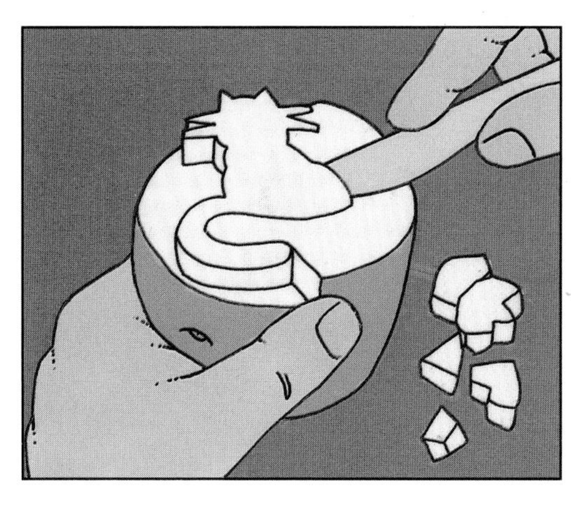

3 Avec un couteau aiguisé, enlève une mince couche de pomme de terre autour du dessin de sorte que celui-ci apparaisse en relief. Demande à un adulte de t'aider.

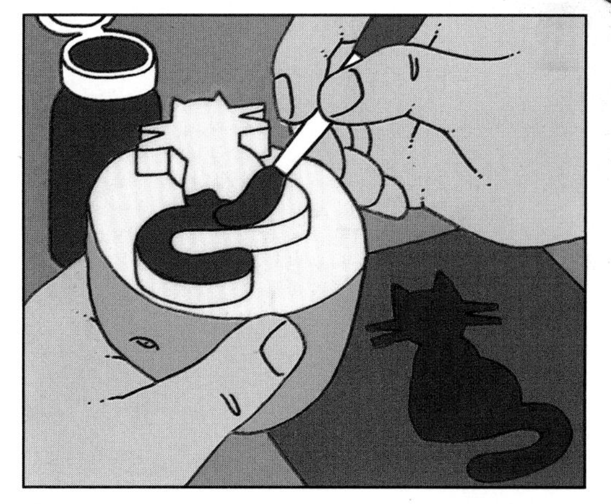

4 Recouvre cette forme de peinture et presse-la sur le papier ou les enveloppes que tu veux décorer. Recommence pour imprimer un autre motif. Pour te servir d'une autre couleur, utilise une autre moitié de pomme de terre ou nettoie bien la première couleur. Quand les impressions sont sèches, tu peux ajouter des détails, comme les yeux.

LES CEINTURES RÉTRO

Tes tenues seront plus chics avec ces drôles de ceintures écossaises ou à fleurs. Tu les ajusteras à ta taille en ajoutant ou en ôtant un ou plusieurs éléments. Celles qui sont proposées ici ont été créées pour être portées sur les hanches, à la mode des années 60.

IL TE FAUT
Des carrés de feutrine
Du carton mince
Du ruban élastique
De la colle universelle
Une règle et un crayon
Des ciseaux

1 Pour faire le patron de la marguerite, dessine sa forme sur un morceau de carton mince et découpe-la. Pour le centre de la fleur, prends un objet de forme ronde d'environ 2,5 cm de diamètre. Dessine-le sur un autre morceau de carton mince, que tu découperas.

2 Enduis de colle une feuille de carton mince et applique dessus les carrés de feutrine. Retourne la feuille, de manière à avoir la face en carton devant toi. Dessine les contours de la marguerite dix fois, et le cercle dix fois aussi. Découpe les formes.

3 Colle les cercles au milieu des fleurs. Coupe des morceaux d'élastique de 2,5 cm de long et colle-les au dos des marguerites. Colle une boucle d'élastique sur la dernière fleur.

4 Découpe d'autres marguerites en feutrine et colle-les à l'envers de celles de la ceinture, de manière à cacher les morceaux d'élastique.

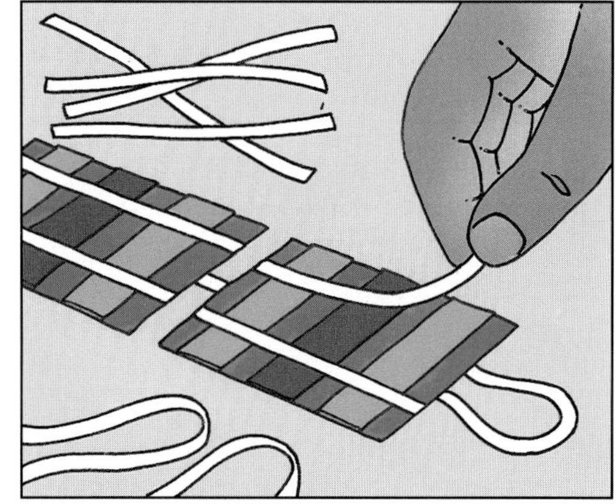

5 Utilise la même technique pour fabriquer la ceinture écossaise. Découpe des rectangles de feutrine et colle dessus des bandes de feutrine de couleurs différentes. Colle de longs morceaux d'élastique perpendiculairement aux bandes de feutrine. Termine la ceinture écossaise comme tu as terminé l'autre.

DES CHATS EN RIBAMBELLE

Confectionne cette guirlande de chats comme une carte de vœux personnalisée ou pour placer les invités à table. Ici, nous avons fait une carte pour un prénom de quatre lettres, mais il suffit, pour avoir plus de lettres, de faire plus de plis dans le carton. Tu pourras colorier les chats pour qu'ils ressemblent à un animal que tu connais.

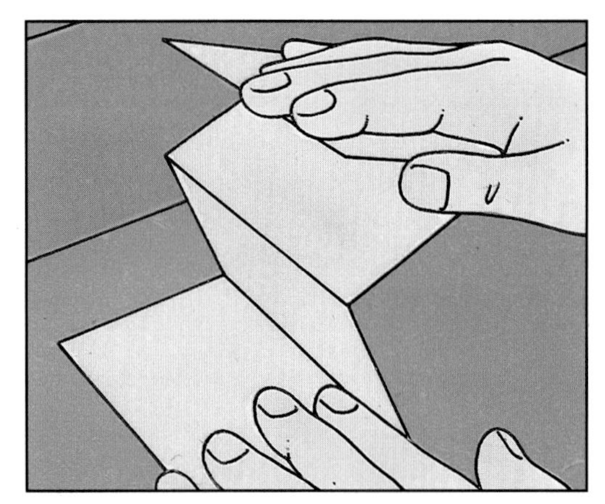

1 Pour un nom de quatre lettres, coupe une bande de carton mince de 32 sur 11,5 cm. Plie la bande en deux, puis en quatre.

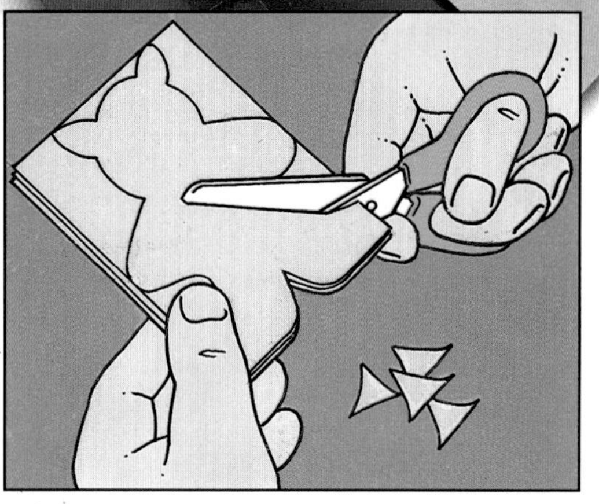

2 Avec un crayon et du papier-calque, reproduis le patron de la page 94. Retourne le calque et maintiens-le sur le carton. Appuie fortement sur le tracé avec le crayon. Le patron du chat apparaît. Découpe-le sur les quatre épaisseurs en prenant soin de ne pas couper le long des plis.

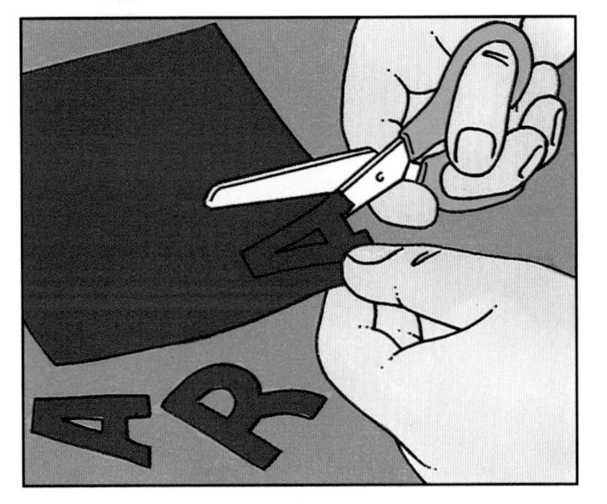

3 Découpe les lettres du prénom dans du papier gommé de couleur. Tu peux prendre des lettres de journal comme patron. Colle les lettres sur les chats.

4 Dessine les yeux, le nez et les moustaches des chats avec un crayon-feutre noir, puis trace des zébrures avec un feutre brun ou orangé pour la fourrure.

IL TE FAUT

Du papier épais ou du carton mince
Des crayons-feutres
Du papier gommé de couleur
Une règle
Des ciseaux
Du papier-calque et un crayon

CHAPEAUX DE FÊTE

Ces chapeaux sont parfaits pour célébrer un anniversaire par une belle journée ensoleillée, ou même pour fêter la nouvelle année quand chacun pense déjà aux vacances d'été. Tu peux demander à tes amis d'en fabriquer aussi et organiser un concours du plus beau chapeau.

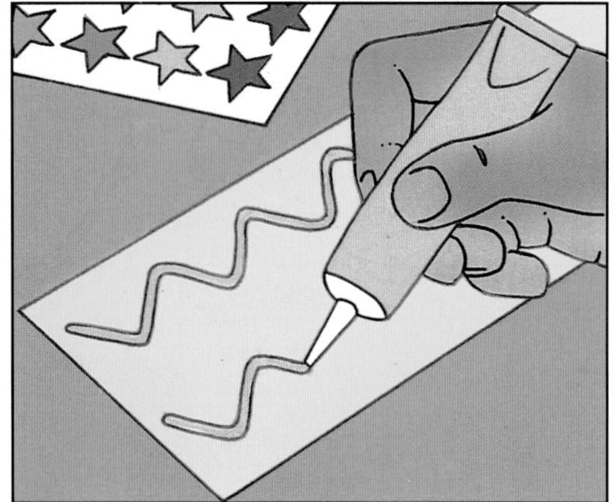

1 Découpe une bande de carton mince de 7,5 cm de large, assez longue pour faire le tour de ta tête. Décore-la avec la peinture brillante et les autocollants.

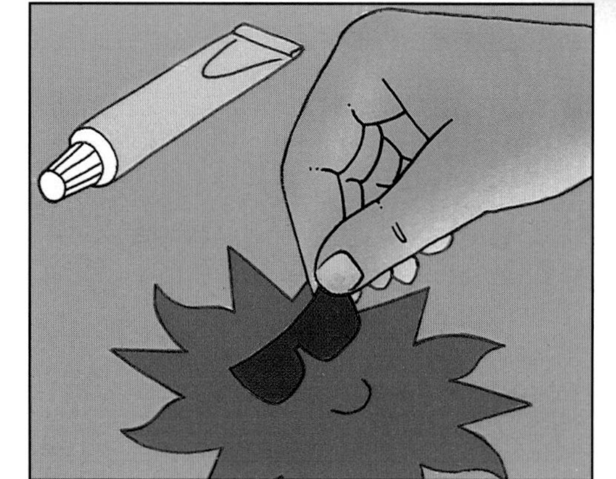

2 Avec un crayon et du papier-calque, reproduis le patron de soleil de la page 94. Retourne le calque sur le carton. Appuie très fort avec le crayon en suivant le tracé pour faire apparaître le patron du soleil. Découpe-le. Dessine une grande bouche souriante avec un crayon-feutre et colle des lunettes de soleil que tu auras découpées dans du carton mince noir.

3 Décore les rayons de soleil avec de la peinture brillante, puis colle quelques plumes dans le haut du soleil, sur l'envers.

IL TE FAUT
Du carton mince noir et de couleur
De la peinture brillante
Des autocollants et des plumes
De la colle et des ciseaux
De l'adhésif double face
Du papier-calque et un crayon
Un crayon-feutre noir

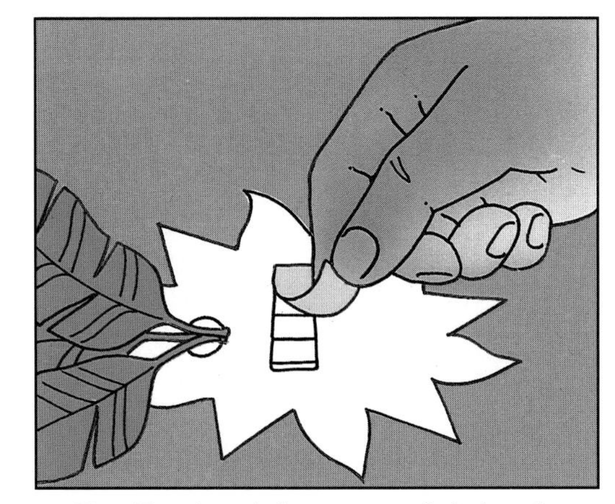

4 Fixe le soleil au centre de la bande avec de l'adhésif double face. Colle ensemble les deux extrémités du chapeau.

DES BOÎTES À TRÉSORS

Ces boîtes-joyaux scintillantes sont incrustées de pierres de couleur montées sur des papiers de bonbons brillants. Décore ces magnifiques coffrets à trésors comme il te plaira. Tu en fabriqueras un pour ranger tes bijoux, ou pour faire un cadeau à quelqu'un que tu aimes.

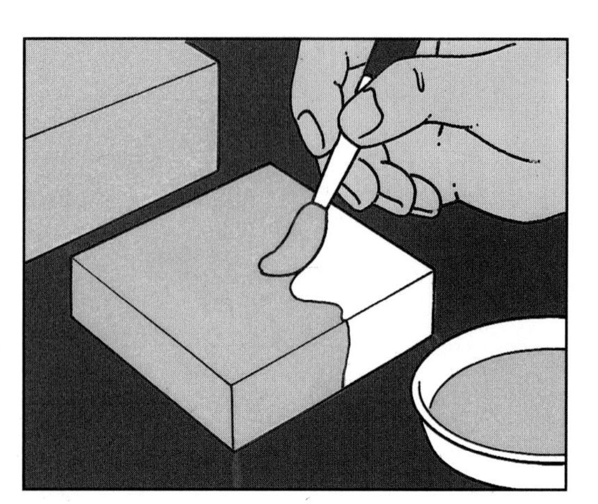

1 Peins les deux parties de la boîte avec de la peinture dorée. Il faudra peut-être que tu appliques deux couches pour obtenir une belle couleur. Laisse sécher.

IL TE FAUT
- Des boîtes en carton
- De la peinture acrylique dorée
- Du vernis à l'eau
- Des papiers de bonbons
- Des ciseaux
- De la colle universelle
- Des pierres de couleur en verre ou en plastique

2 Lisse doucement les papiers de bonbons avec les doigts. Coupe-les en carrés et en bandes. Fais bien attention car ces papiers se déchirent facilement.

3 Prépare un modèle en plaçant quelques pierres sur des carrés de papier. Quand tu seras satisfait du résultat, colle les pierres et les papiers sur le couvercle de la boîte.

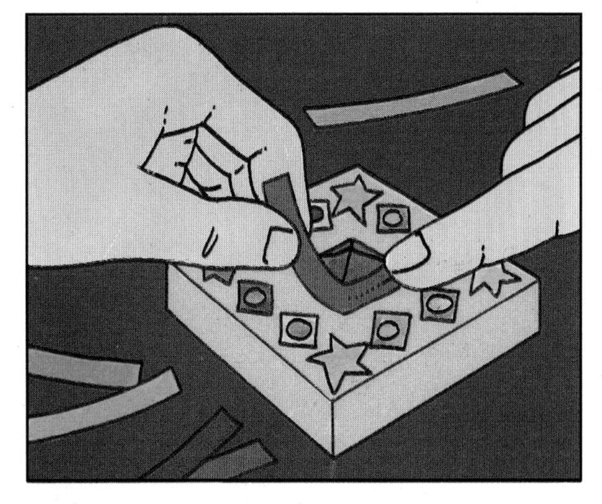

4 Recouvre de colle l'envers des bandes de papier et entoure avec ces bandes quelques-unes des plus grosses pierres. Quand la colle est sèche, passe une couche de vernis sur le couvercle et sur les pierres. Il protégera la surface de ton coffret.

LES BAS DE NOËL

Voici des bas parfaits pour dissimuler de petits cadeaux. Si tu couds une boucle de ruban en haut, tu pourras les accrocher dans l'arbre de Noël.

IL TE FAUT
- De la feutrine de couleurs vives
- Des épingles et des ciseaux
- Un bouton-boule rouge
- Du ruban rouge
- Du papier-calque et un crayon
- De la colle pour tissu
- Du fil et une aiguille

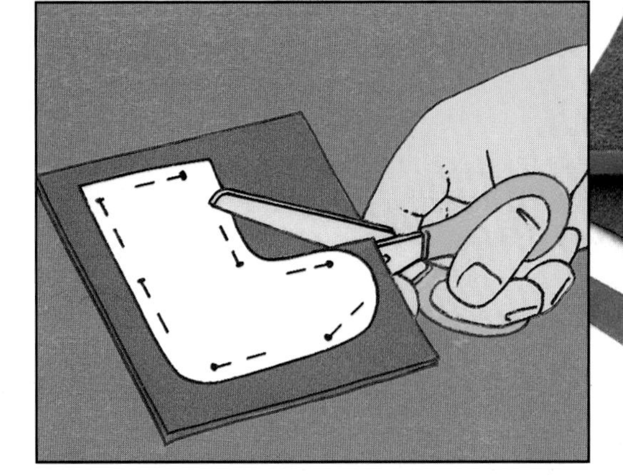

1 Décalque le patron de bas de la page 95. Découpe-le. Place le patron sur deux épaisseurs de feutrine rouge et maintiens-le en place avec des épingles. Découpe soigneusement le tissu autour du patron : tu obtiendras deux morceaux identiques.

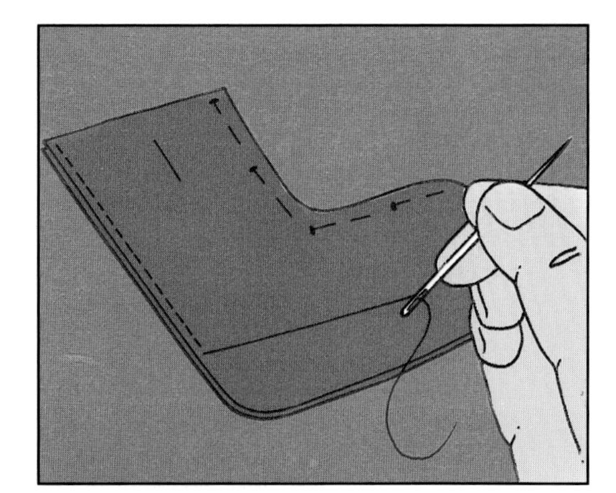

2 Fais une fente en haut de l'un des deux morceaux pour la boutonnière. Épingle les morceaux ensemble et couds le long des bords en laissant le haut ouvert.

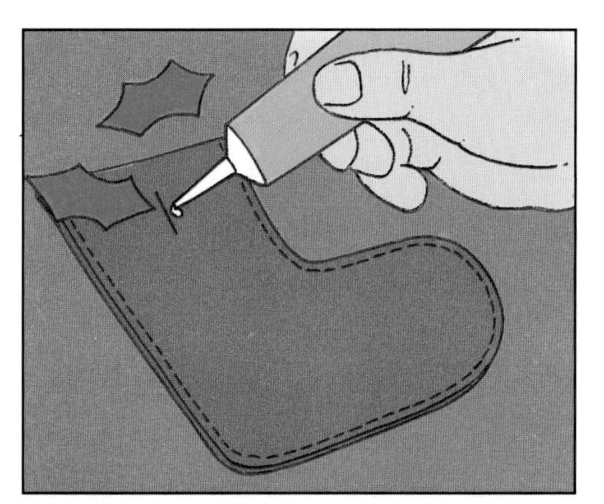

3 Découpe deux feuilles de houx dans la feutrine verte et colle-les de chaque côté de la boutonnière.

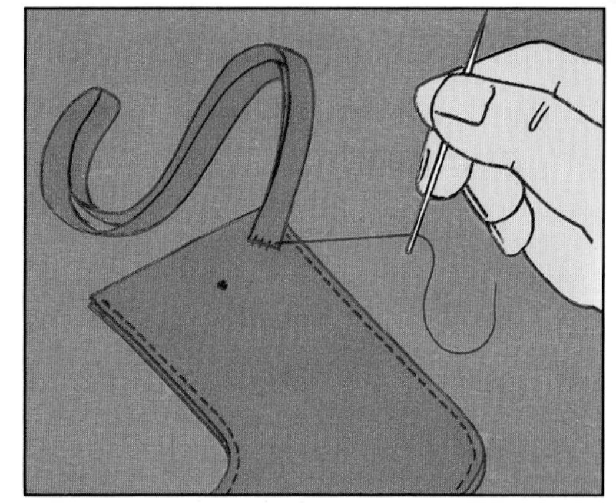

4 Couds le bouton en face de la boutonnière sur le morceau du dessous, de façon à pouvoir fermer le bas. Fais une boucle de ruban et couds-la derrière le bas comme indiqué sur le dessin.

UNE COURONNE EN PÂTE À SEL

IL TE FAUT
Deux tasses de farine ordinaire
Une tasse de sel et une tasse d'eau
Un bol et une cuillère en bois
Un couteau, un rouleau et une tôle à patisserie, des gants de cuisine
De la gouache et un pinceau
Du vernis à l'eau, des rubans
De la colle universelle

La pâte à sel est de la pâte à pain sans levain. Elle se fabrique avec des ingrédients qu'on trouve dans toutes les cuisines. Utilise cette pâte à sel pour toutes sortes de décorations et ornements, comme cette couronne de Noël. Mais rappelle-toi qu'elle est trop salée pour être mangée !

1 Mets la farine et le sel dans le bol et verse l'eau petit à petit. Mélange les ingrédients avec une cuiller en bois jusqu'à ce que tu obtiennes une boule de pâte. Demande à un adulte de faire chauffer le four à 160 °C.

ATTENTION : *N'utilise par le four sans l'aide d'un adulte.*

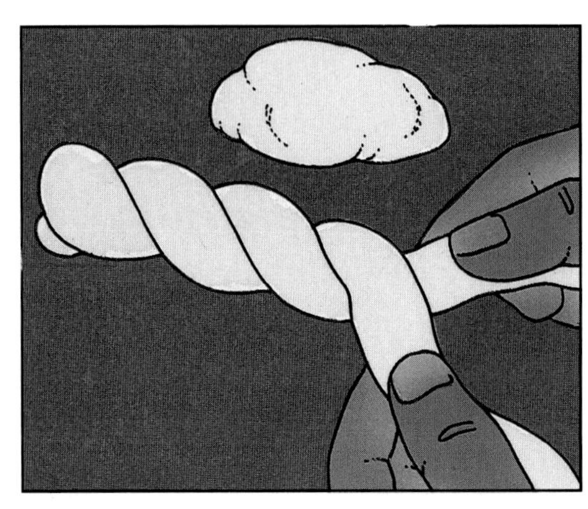

2 Saupoudre de farine le plan de travail. Divise la pâte en deux morceaux pour former deux longues saucisses. Enroule-les ensemble comme sur le dessin et façonne-les en cercle. Écrase les deux extrémités pour les réunir.

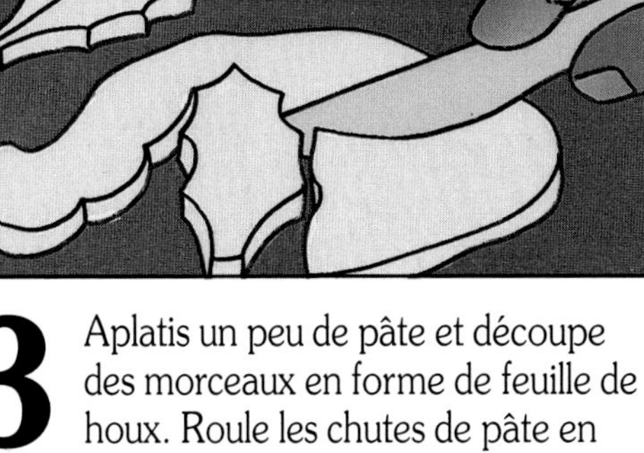

3 Aplatis un peu de pâte et découpe des morceaux en forme de feuille de houx. Roule les chutes de pâte en petites boules pour faire les baies. Dépose tous les morceaux sur une tôle à pâtisserie et cuis-les au four trente minutes, jusqu'à ce qu'ils soient durs.

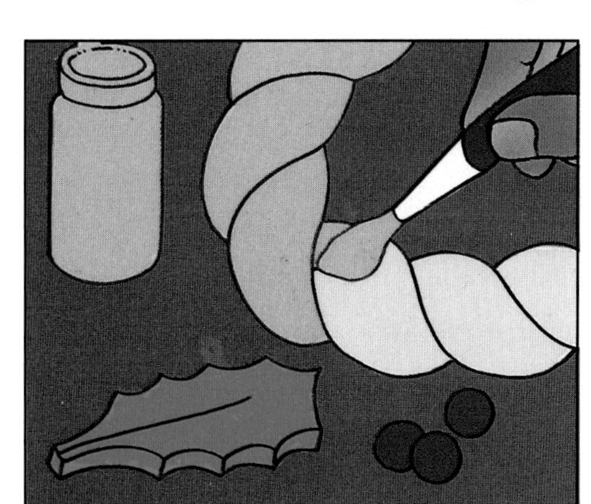

4 Mets des gants de cuisine et demande à un adulte de t'aider à sortir la pâte du four. Laisse-la refroidir. Puis peins les feuilles en vert, les baies en rouge, et la couronne d'une belle couleur dorée. Attends que la peinture soit complètement sèche et ajoute un peu de peinture dorée sur les feuilles de houx.

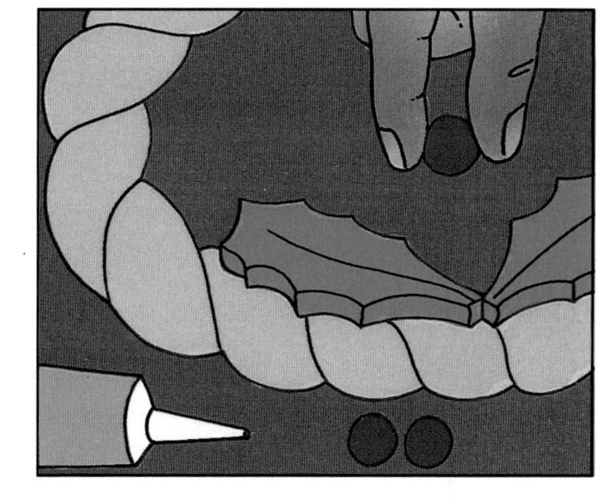

5 Colle les feuilles et les baies à la jointure de la couronne. Vernis la couronne et laisse-la sécher. Décore la couronne de rubans en les maintenant avec un point de colle. Fais une boucle de ruban et colle-la à l'envers de la couronne.

LA GUIRLANDE DE NOËL

As-tu déjà fait des ribambelles de poupées en papier ? Cette guirlande se fabrique selon le même principe, en pliant du papier en rectangles, puis en découpant toutes les épaisseurs en une seule fois. L'astuce consiste à s'assurer que la forme découpée est reliée au pli en deux ou trois points au moins.

1 Avec un crayon et du papier-calque, reproduis les patrons de cloche et de sapin des pages 94 et 95. Retourne le calque sur le morceau de carton. En appuyant fort sur le tracé avec le crayon, tu verras apparaître le patron sur le carton. Découpe la forme obtenue.

2 Découpe une bande de papier de couleur de 84 cm de long. Plie la bande en deux, de gauche à droite, trois fois de suite.

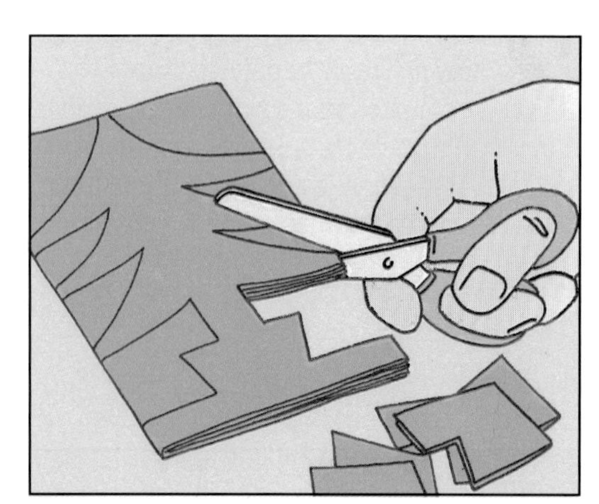

3 Pose ton patron sur le papier plié, et traces-en le contour. Découpe la forme sur toutes les épaisseurs simultanément, mais ne coupe pas les plis.

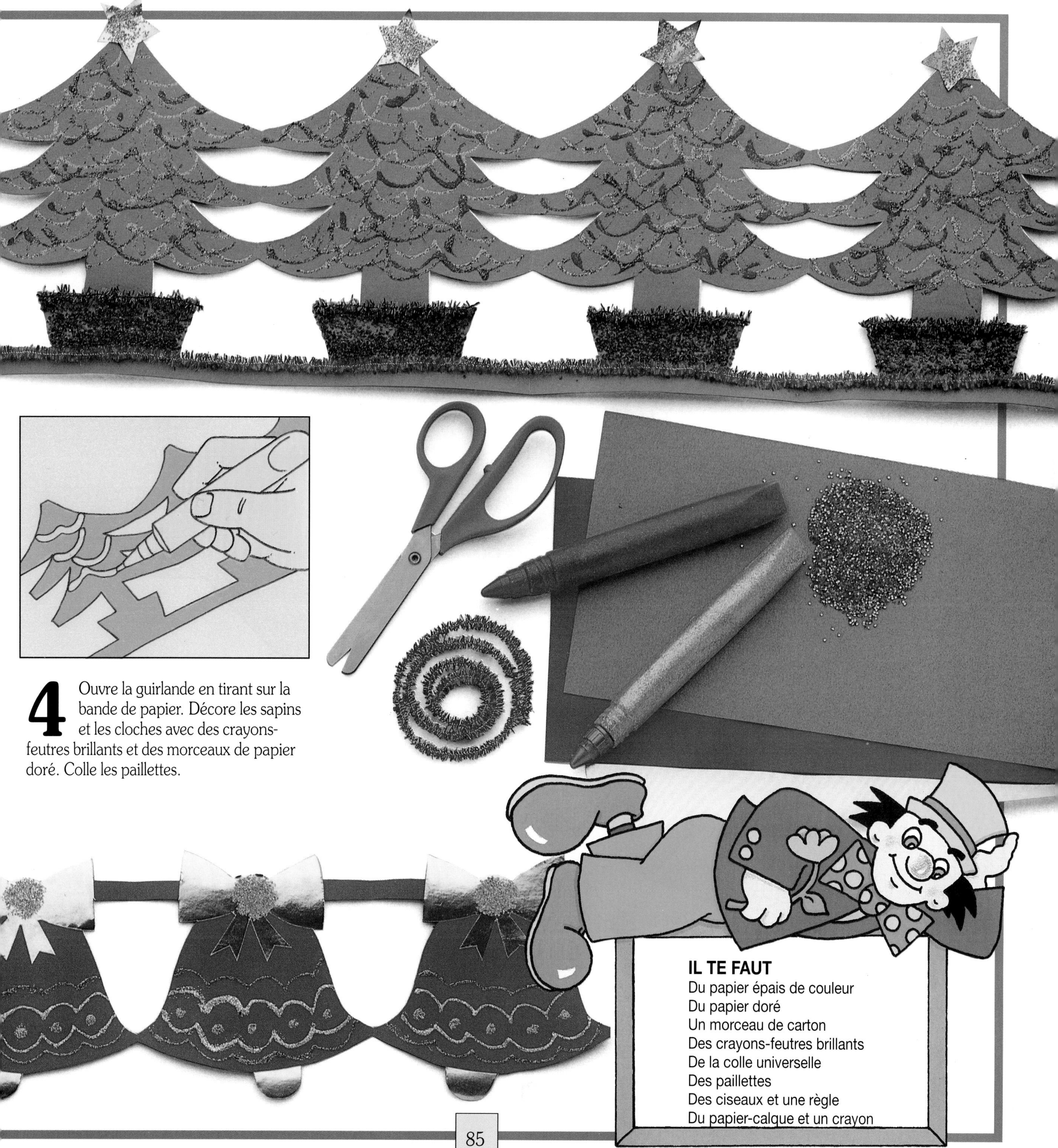

4 Ouvre la guirlande en tirant sur la bande de papier. Décore les sapins et les cloches avec des crayons-feutres brillants et des morceaux de papier doré. Colle les paillettes.

IL TE FAUT

Du papier épais de couleur
Du papier doré
Un morceau de carton
Des crayons-feutres brillants
De la colle universelle
Des paillettes
Des ciseaux et une règle
Du papier-calque et un crayon

PATRONS

Les pages qui suivent contiennent les patrons nécessaires à la fabrication de certains objets proposés dans ce livre.
Avant de reproduire l'un d'entre eux, lis attentivement les instructions données pour chaque création.
Si tu souhaites utiliser le même patron plusieurs fois, recopie le tracé avec un crayon et du papier-calque. Retourne le calque sur le carton sur lequel tu veux reproduire le patron.
Appuie fermement sur le pourtour avec un crayon. La forme apparaîtra sur le carton. Découpe-la. Si tu garde soigneusement le calque, tu pourras l'utiliser indéfiniment.

LIZZIE LE LÉZARD

Page 14

Corps

Pattes

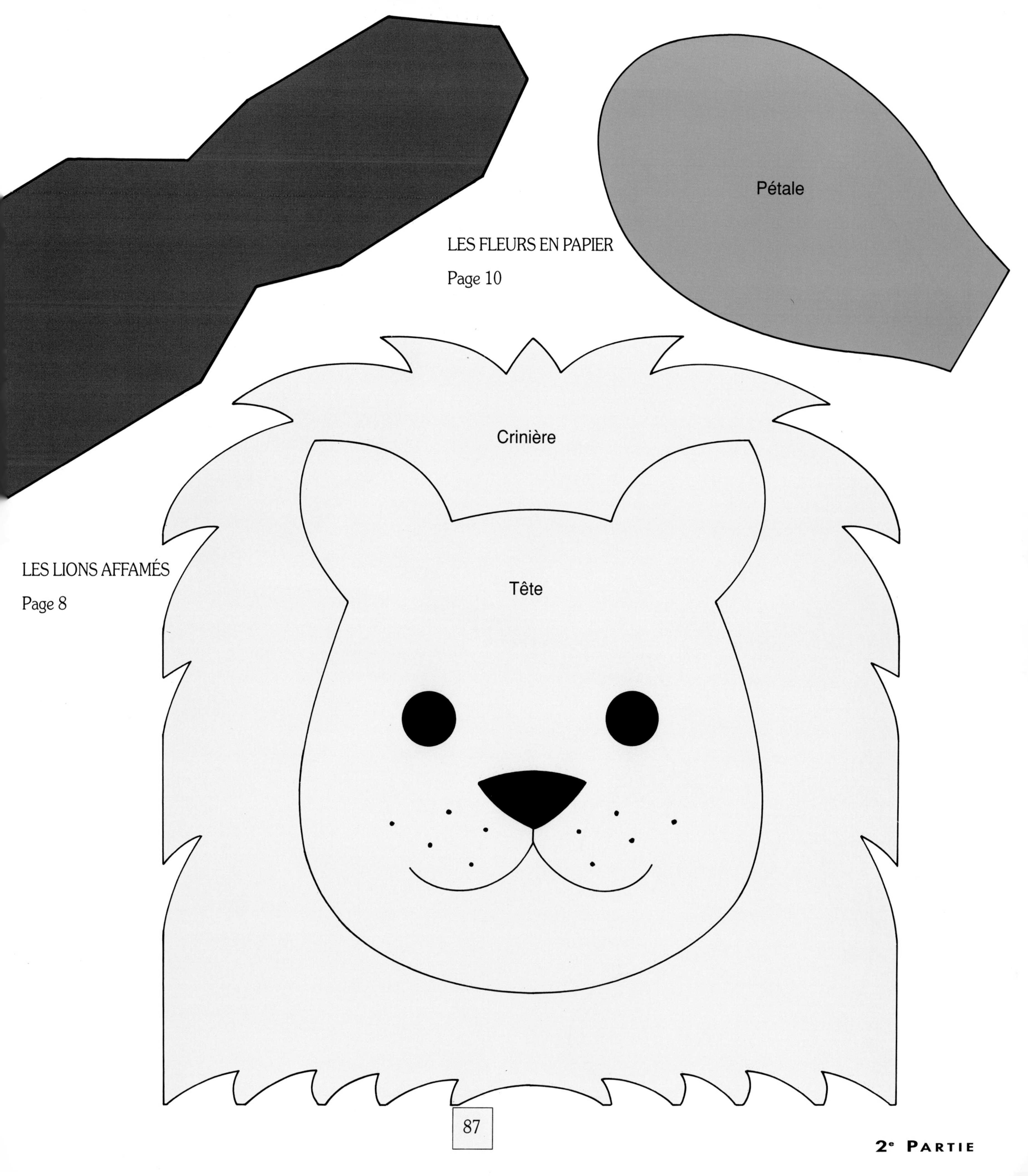
Pétale
LES FLEURS EN PAPIER
Page 10
Crinière
Tête
LES LIONS AFFAMÉS
Page 8

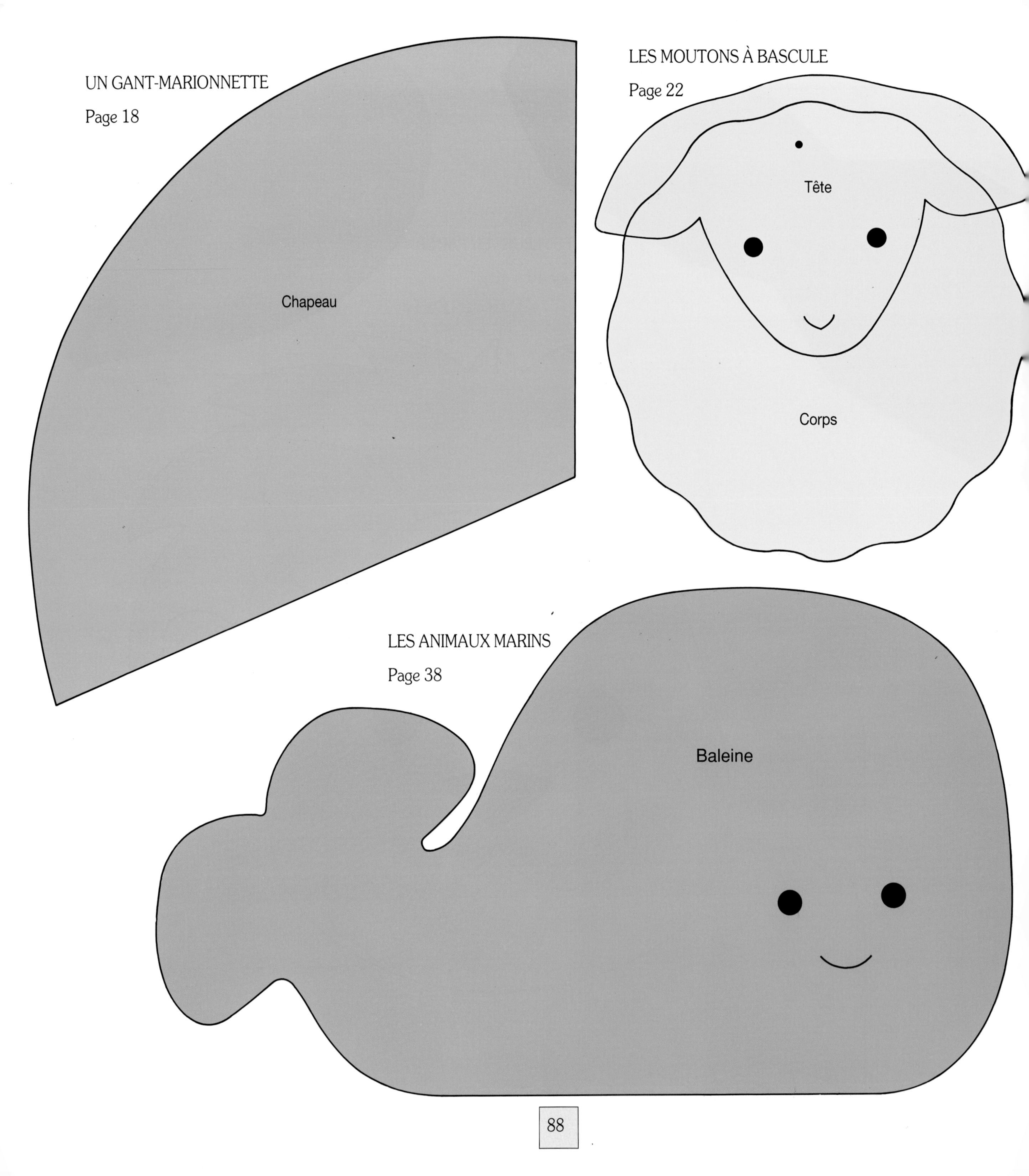
UN GANT-MARIONNETTE
Page 18
Chapeau
LES MOUTONS À BASCULE
Page 22
Tête
Corps
LES ANIMAUX MARINS
Page 38
Baleine

DES MASQUES POUR FAIRE PEUR

Page 36

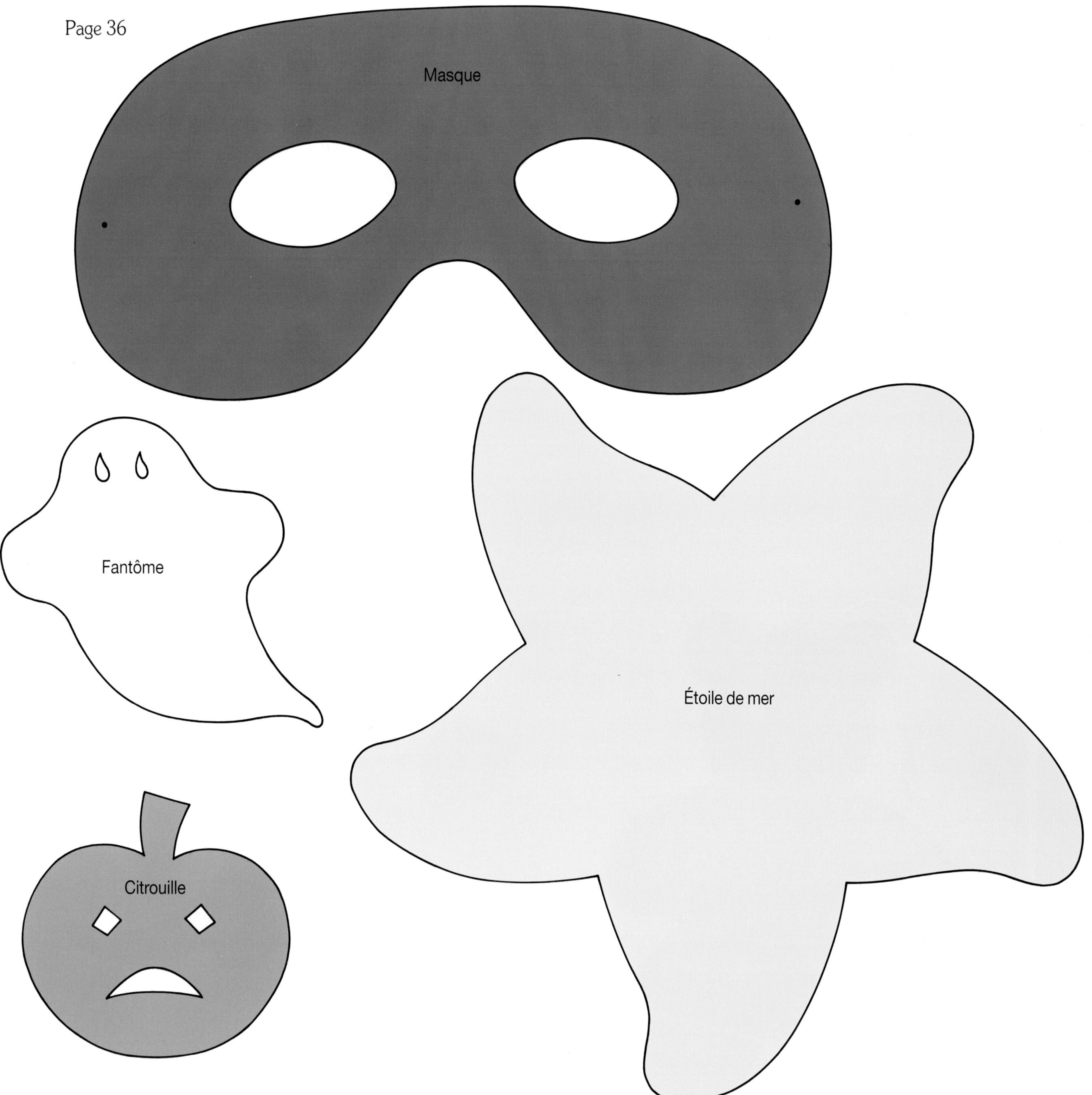

DES BADGES-DINOSAURES

Page 40

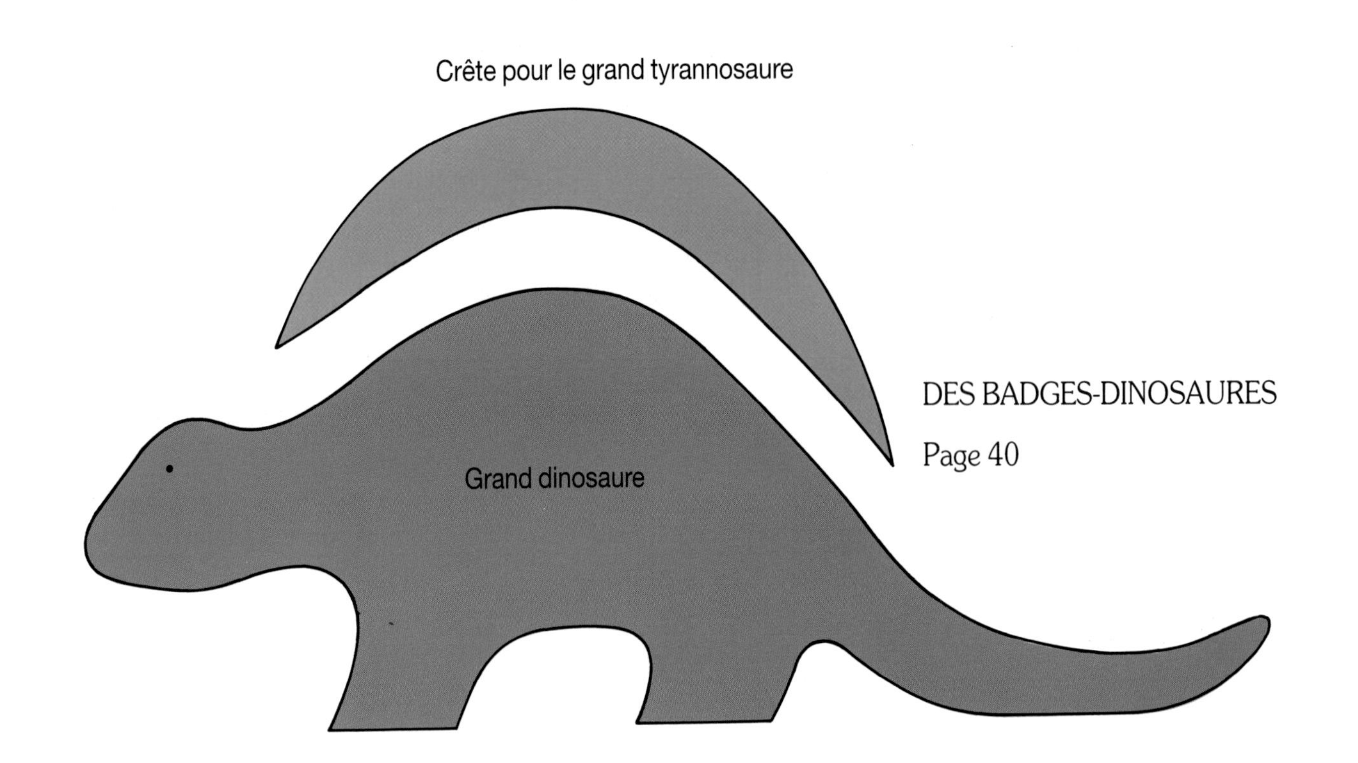

LES TROIS OURS

Page 48

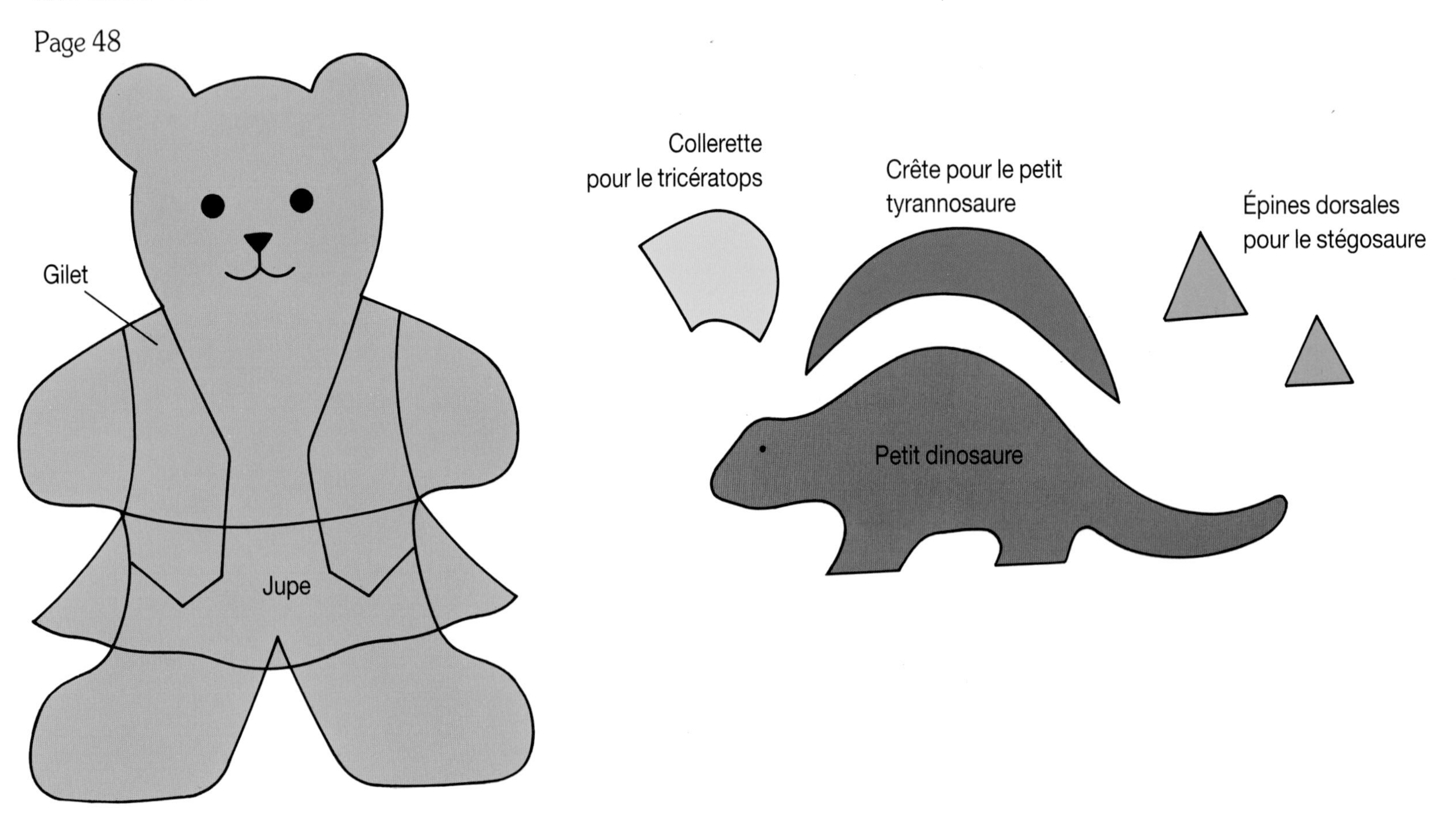

UN COLLAGE-CLOWN

Page 50

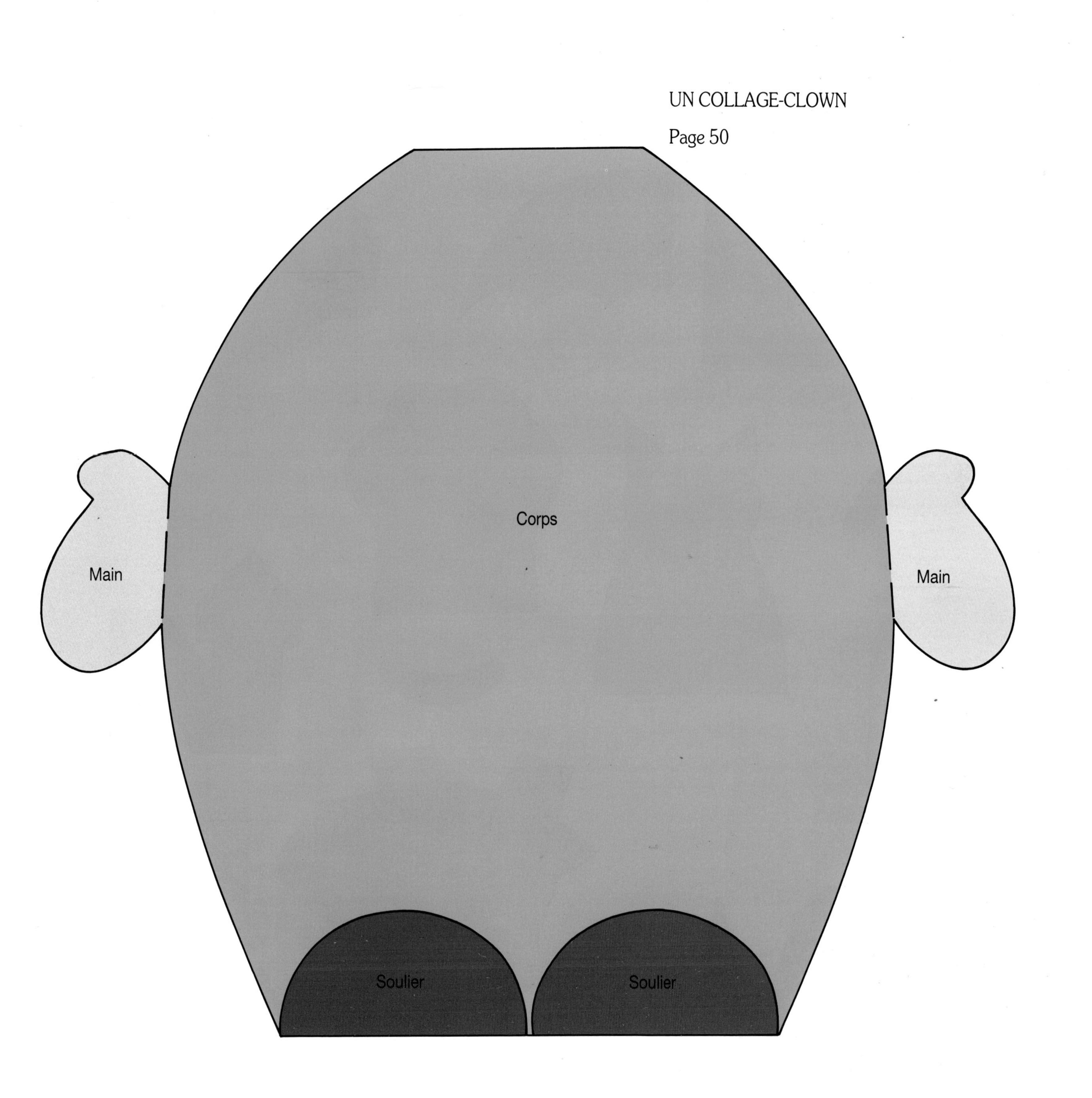

LES MARIONNETTES À DOIGTS

Page 52

DES BADGES EN CARTON

Page 62

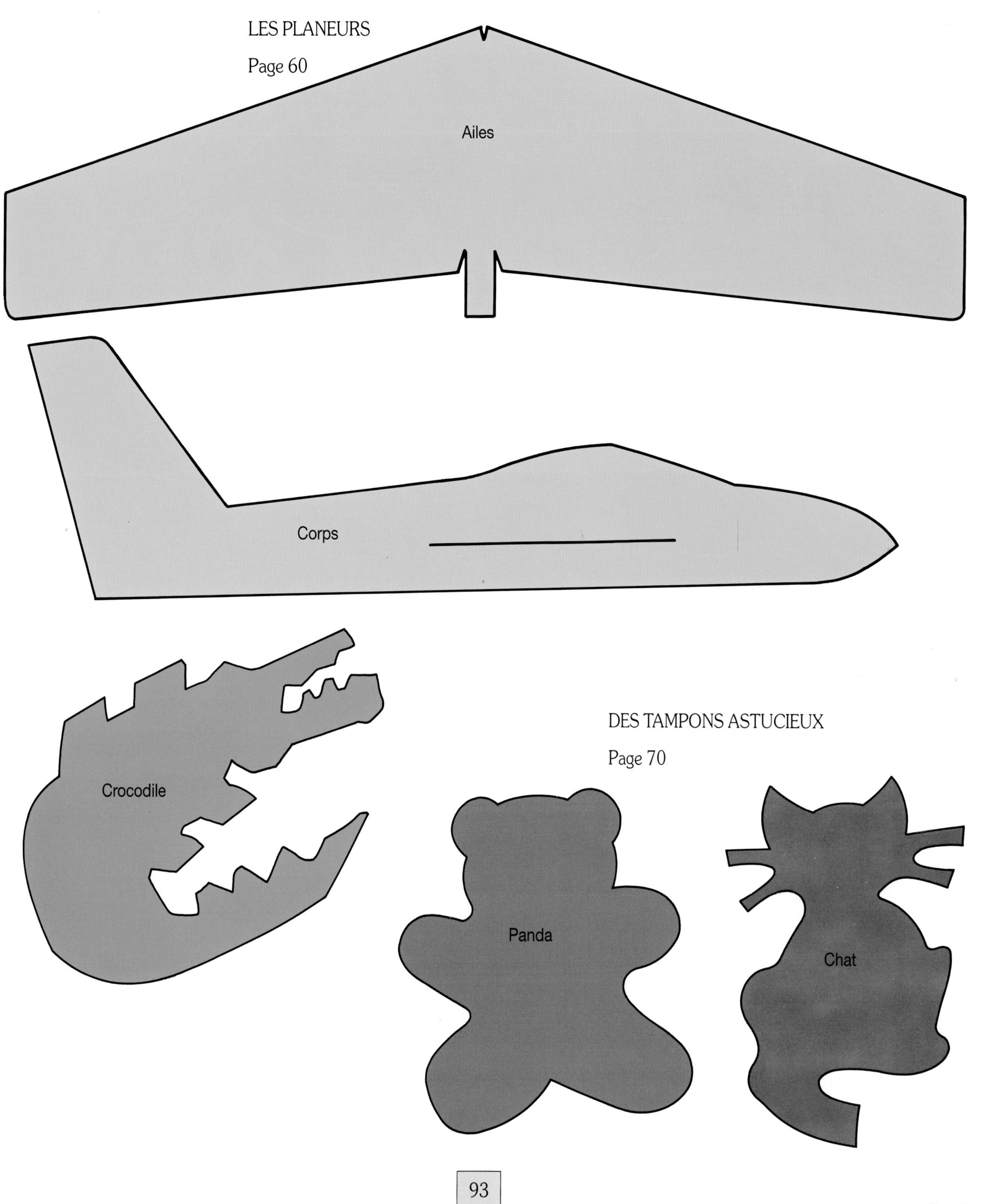
LES PLANEURS
Page 60
Ailes
Corps
Crocodile
DES TAMPONS ASTUCIEUX
Page 70
Panda
Chat

DES CHATS EN RIBAMBELLE

Page 74

DES CHAPEAUX DE FÊTE

Page 76

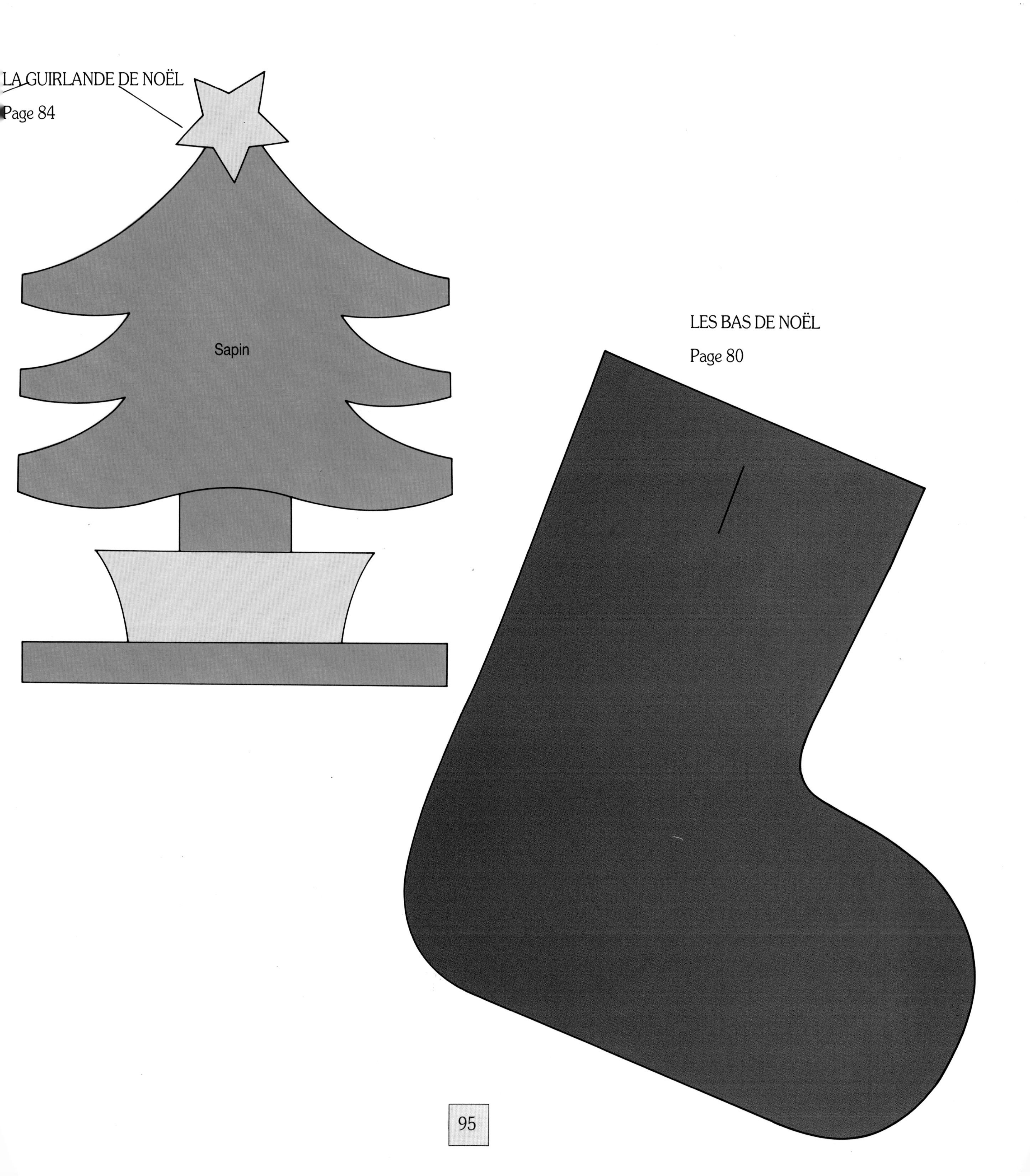
LA GUIRLANDE DE NOËL
Page 84
Sapin
LES BAS DE NOËL
Page 80

INDEX

TROISIÈME PARTIE

1, 2, 3, JE CRÉE...
MES TOURS DE MAGIE

DENNIS PATTEN

Dans cette partie pleine d'idées amusantes,
les enfants trouveront de quoi épater
leur famille et leurs copains : parmi une quarantaine
de tours de magie, ils vont pouvoir faire disparaître
des crayons et apparaître des écharpes,
déplacer à distance une bague ou un peigne,
accomplir de nombreux tours de cartes...
Ils apprendront aussi à réaliser une cape, un haut-de-forme
de magicien et une baguette magique pour pouvoir
créer leur propre spectacle.

Des instructions faciles à suivre, des dessins détaillés
étape par étape et des photographies en couleurs
expliquent tous les tours de magie et permettent
de devenir un vrai illusionniste.

TROISIÈME PARTIE

MES TOURS DE MAGIE

SOMMAIRE

INTRODUCTION

Si tu veux apprendre à devenir magicien, *1,2,3, je crée... mes tours de magie* est le livre qu'il te faut! Il est rempli de tours étonnants, de trucs pour réaliser ton propre spectacle de magie, et de conseils pour fabriquer un haut-de-forme ou une baguette magique. Tout est facile à réaliser, des simples tours de cartes à la disparition d'un comparse pour le grand final !

Fais très attention quand tu te sers de ciseaux pointus

AVANT DE COMMENCER

- Lis bien la description du tour avant de commencer : tu auras peut-être besoin de l'aide d'un adulte.
- Réunis tout ce dont tu as besoin.
- Recouvre la table sur laquelle tu vas travailler avec du papier ou un morceau de tissu usagé si tu dois utiliser de la peinture ou de la colle.

QUAND TU AS TERMINÉ

- Range tout ce que tu as sorti.
Mets les crayons, les tubes de peinture ou de colle dans de vieux pots en plastique ou des boîtes à biscuits.
- Trouve un endroit secret pour cacher le matériel qui te sert à réaliser tes tours de magie, pour que personne ne découvre comment tu fais.
Utilise une grande boîte sur laquelle tu indiqueras : « Ne pas toucher ! »

PRUDENCE !

Fais bien attention quand tu te sers d'objets pointus comme des ciseaux ou des aiguilles. Tu es capable de faire la plupart des tours tout seul, mais parfois il te faudra de l'aide. La mention ATTENTION t'indiquera les projets qui nécessitent l'aide d'un adulte.

Rappelle-toi ces règles de base :

- Ne laisse jamais traîner des ciseaux ouverts, ou, même fermés, près de plus petits que toi qui risquent de les attraper.
- Quand tu ne les utilises pas, prends bien soin de piquer les aiguilles et les épingles sur un coussinet spécial ou un petit morceau de tissu.

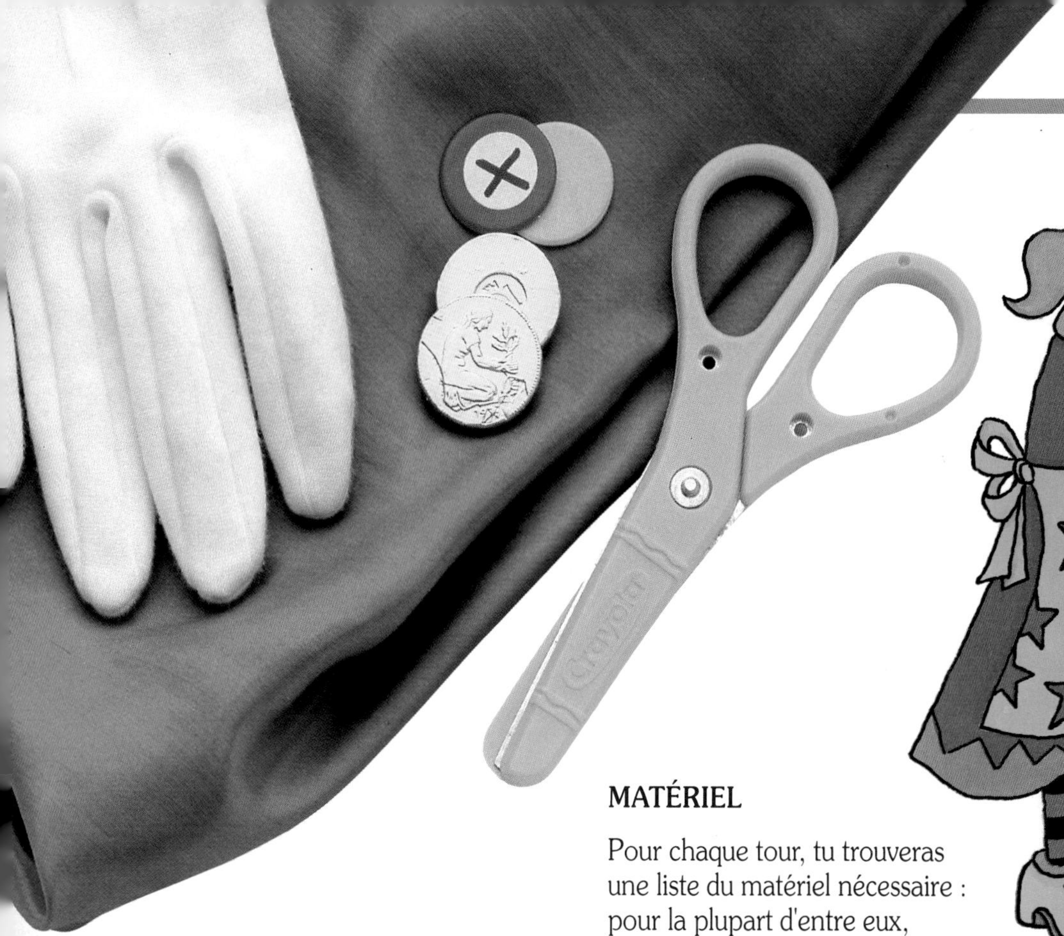

Rassemble tout
ce dont tu as besoin
avant de commencer,
et n'oublie pas de ranger
quand tu as terminé !

MATÉRIEL

Pour chaque tour, tu trouveras une liste du matériel nécessaire : pour la plupart d'entre eux, il te suffira de fouiner dans la maison pour rassembler tout ce dont tu as besoin. Pour certains tours, il te faudra un jeu de cartes ou un foulard, que tu devras peut-être acheter si tu n'en as pas. Tu trouveras tout ce qui te manque dans les boutiques spécialisées, les magasins de jouets ou les rayons spécialisés des grands magasins.

LES MOTS MAGIQUES

Quand tu exécuteras tes tours en public, il te faudra connaître des mots ou des formules magiques, ou même une incantation (une série de mots à répéter pendant que tu fais disparaître ou apparaître un objet). Pourquoi ne pas préparer pour chaque tour une incantation que tu répéteras à plusieurs reprises avant de commencer ? Le choix des mots t'appartient. Essaie de répéter des phrases quotidiennes ou des mots courants : dits d'une certaine manière, ils peuvent sembler magiques.

Exerce-toi
devant un miroir
jusqu'à ce que
tu arrives
à exécuter
tous les tours
avec aisance
et facilité.

POUR PRÉPARER LE SPECTACLE

Avant d'exécuter tes tours, il te faudra les répéter pour les réaliser avec aisance et facilité. Exerce-toi devant un miroir et, quand tu te sentiras prêt, essaie-les d'abord sur un de tes amis. Ton aspect et ton costume sont aussi très importants. À la fin du livre, tu trouveras toutes les explications pour te confectionner un haut-de-forme ou un chapeau pointu, une baguette magique et une cape de magicien. Avant de commencer ton spectacle, présente-toi à ton public et explique-lui ce que tu vas faire – sans révéler tes secrets, évidemment ! Alors il ne te restera plus qu'à faire tes tours de magie et à attendre les applaudissements.

RÉSERVÉ AUX ADULTES

Les tours proposés dans *1,2,3, je crée… mes tours de magie* ne demandent qu'un minimum de surveillance par un adulte. Toutefois, ils nécessitent parfois l'utilisation d'objets dangereux, comme des ciseaux pointus. Votre aide dépendra de la maturité de votre enfant.

LE LIVRE DES FORMULES MAGIQUES

Aucun spectacle de magie ne serait complet sans la baguette et les incantations. Ton public sera au comble de l'étonnement quand tu feras surgir ta baguette de ton livre de formules magiques. Tu seras le seul à savoir que ta baguette était dans ta manche pendant tout ce temps ! Exerce-toi devant une glace pour que tes gestes soient parfaitement au point.

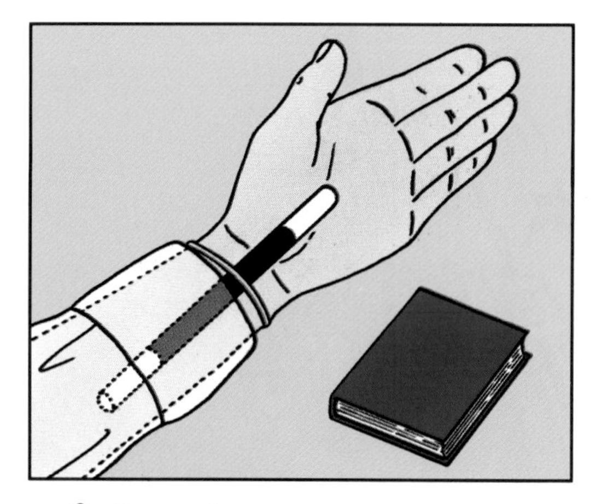

1 Pour préparer ton tour, commence par glisser ta baguette dans ta manche gauche en la maintenant à ton poignet avec un élastique. Assure-toi que l'élastique maintient la baguette fermement le long de ton bras mais que tu pourras tout de même la faire glisser facilement.

2 Pour présenter ce tour, tiens le livre dans ta main droite et pointe le pouce et l'index dans sa direction. Explique à ton public que tu as besoin de trouver une formule très spéciale dans ton livre pour faire ce tour.

3 D'une pichenette de la main droite, ouvre ton livre et fais-le passer dans ta main gauche. Regarde ton livre et déclare que tu as besoin d'une baguette magique pour dire ton incantation.

4 Glisse ta main droite dans le livre. Attrape le bout de la baguette et tire-la de ta manche jusqu'à ce qu'elle soit visible. Une grande baguette magique a surgi soudain de ce tout petit livre!

IL TE FAUT

1 baguette magique (voir page 90)
1 élastique rond
1 petit livre

BAGUE ET BAGUETTE MAGIQUES

Nous allons te montrer comment exécuter deux tours de magie à la fois. Ton public n'en reviendra pas quand il verra la bague monter et descendre toute seule le long de la baguette magique. Toi seul sauras qu'un fil très fin relie la baguette à tes vêtements. En tirant sur le fil, tu feras monter la bague. Tu peux aussi, par le même système, faire monter la baguette.

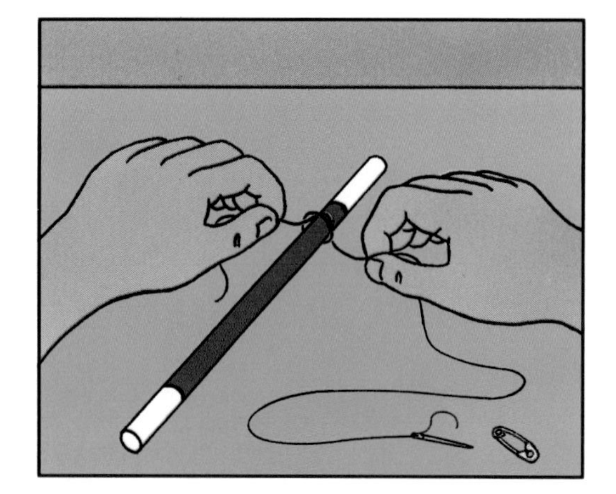

1 Pour préparer ce tour, coupe un morceau de fil de la longueur de ton bras. Attache une des extrémités du fil à l'un des bouts de la baguette, et l'autre extrémité du fil à une épingle de sûreté.

2 Accroche l'épingle de sûreté à ta taille, sur le côté gauche de ton corps. Assure-toi que l'épingle est dissimulée par ta ceinture ou un pli de tes vêtements. Serre la baguette sous ton bras droit.

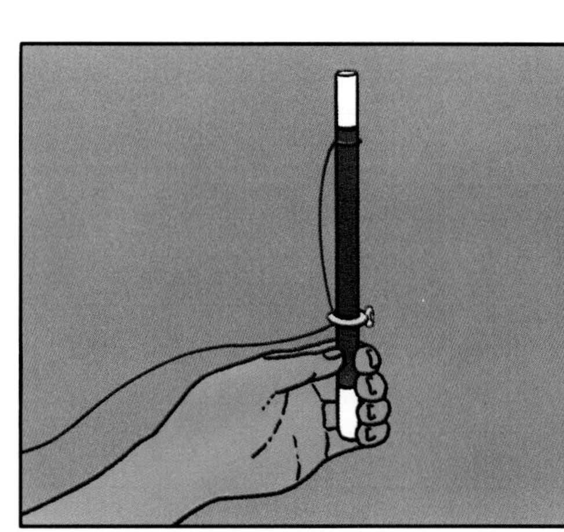

3 Pour exécuter le tour, emprunte une bague à une personne de l'assistance. Tiens-toi face au public, de manière à ce qu'on ne voie pas le fil attaché à ta taille.
Prends la baguette dans la main gauche, en maintenant le fil attaché en haut. Glisse la bague sur la baguette. La bague descendra le long de la baguette en entraînant le fil avec elle.

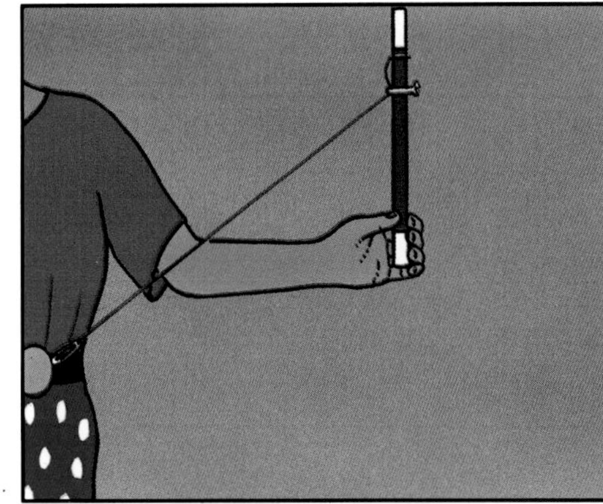

4 Éloigne la baguette de toi de manière à ce que le fil soit tendu, et la bague remontera le long de la baguette de manière très mystérieuse.

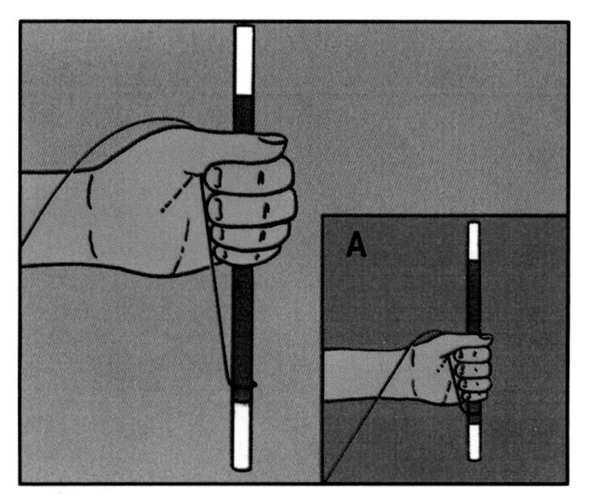

5 Tu peux, par le même système, faire monter la baguette magique. Pour cela, glisse l'extrémité de la baguette à laquelle le fil est attaché dans ton poing. Ne tiens pas la baguette trop fort par le haut et éloigne-la de ton corps (comme sur le dessin A). En faisant cela, tu verras la baguette sortir de ta main.

LA BOÎTE MAGIQUE

La boîte magique est un élément essentiel de ton matériel de magicien, et tu l'utiliseras pour de nombreux tours : pour faire disparaître ou apparaître un foulard, ou changer un élément contre un autre. Nous t'expliquons ici comment fabriquer ta propre boîte magique, et, dans les pages suivantes, l'utilisation que tu pourras en faire.

1 Pour faire les côtés de la boîte, découpe soigneusement quatre morceaux de carton de 10 sur 18 cm.

2 Découpe un autre morceau de carton de 9,5 sur 18 cm pour faire le panneau intérieur de la boîte. Puis coupe encore un carré de carton de 11 cm de côté. Ce sera le fond de la boîte. Recoupe-le s'il le faut quand tu assembleras ta boîte avec du ruban adhésif.

IL TE FAUT

Du carton fort
Des ciseaux
1 règle
De la gouache
et un pinceau
De la colle universelle
Du papier cadeau
Du ruban adhésif

4 Avec du ruban adhésif, colle ensemble les quatre côtés sur leur partie la plus longue, pour monter la boîte comme sur le dessin, avec les faces peintes en noir à l'intérieur. Colle ensuite le plus petit côté du panneau intérieur au centre de la base pour qu'il puisse bouger d'arrière en avant comme un volet.

5 Enduis de colle la base de la boîte. Place le panneau à l'intérieur et colle le fond de la boîte.

6 Quand la colle est bien sèche, égalise le fond de manière à ce qu'il s'ajuste exactement à la boîte. Recouvre la boîte de papier cadeau.

3 Peins en noir les deux faces du panneau intérieur (en laissant sécher une face avant de peindre l'autre), les quatre faces internes de la boîte, et la face interne du fond. Laisse bien sécher le tout à l'abri.

LE FOULARD MAGIQUE

Utilise ta boîte magique pour faire ce tour. Montre la boîte à l'assistance afin que tout le monde voie bien qu'elle est vide. Prononce quelques paroles magiques et fais sortir plusieurs foulards de soie de couleurs différentes de ta boîte... vide.

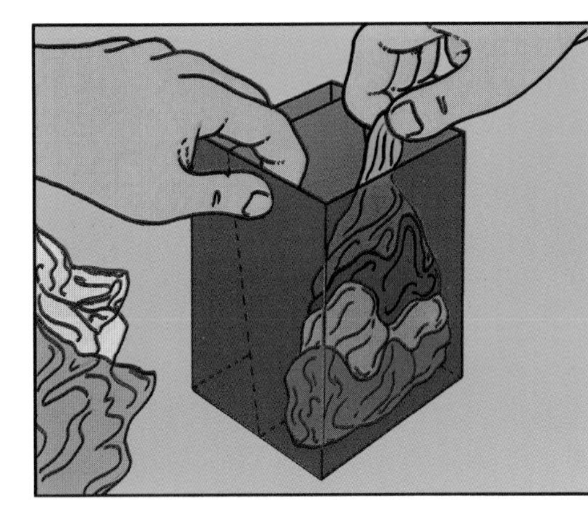

1 Pour préparer ce tour, noue ensemble les trois foulards de soie. Puis place les foulards dans la boîte, sous le panneau, comme sur le dessin.

2 Pour commencer le tour, tiens le panneau appuyé vers le bas avec les doigts de ta main droite. Montre alors l'intérieur de la boîte aux spectateurs.

3 Montre le fond et les côtés de la boîte pour que tout le monde constate bien qu'elle est vide.

IL TE FAUT
1 boîte magique
(voir page 12)
3 foulards de soie

4 Prends la boîte dans ta main gauche. Tire le panneau intérieur vers toi en t'assurant que personne ne peut voir ce que tu fais. Prononce alors une formule magique et sors les foulards de la boîte d'un grand geste élégant.

LES DOIGTS QUI VOIENT

Pour être un bon magicien, il faut aussi parfois être un bon acteur. Si tu arrives à créer une atmosphère de mystère, tout le monde croira que tu possèdes toutes sortes de pouvoirs secrets. Ce tour convaincra ton public que tu peux même voir avec les yeux bandés. Toi, tu sauras que tu « vois » avec tes doigts, mais ne le dis à personne!

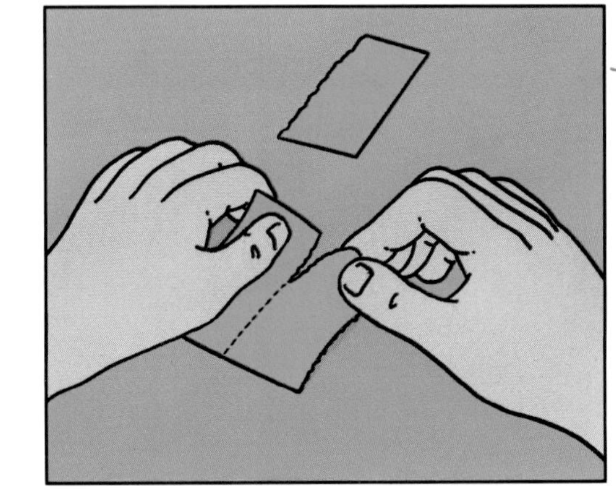

1 Plie la carte postale en trois. Déplie-la et tire le long des plis pour en faire trois morceaux. Fais-le devant ton public, en expliquant que c'est le début de ton tour.

IL TE FAUT
1 carte postale
3 crayons
1 foulard
1 chapeau haut de forme
(voir page 88)

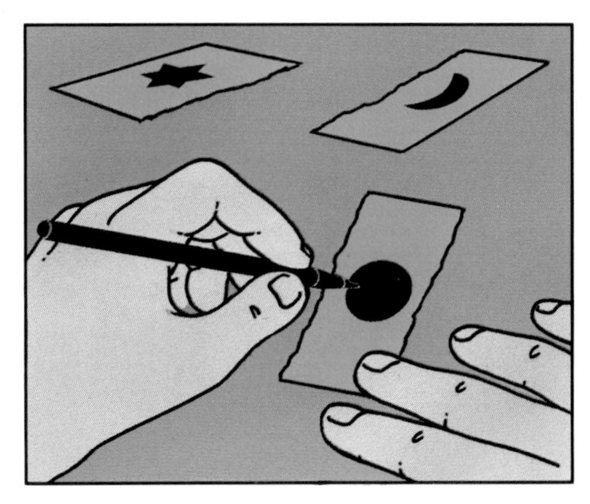

2 Donne le milieu de la carte et un crayon à une personne de l'assistance, et demande-lui de dessiner une pleine lune.
Donne les autres bouts à deux autres personnes et demande à l'une de dessiner une étoile, à l'autre un croissant de lune.

4 Mets la main dans le chapeau et, au toucher, retrouve le morceau qui a les deux bords déchirés.
Ce sera forcément celui où se trouve la pleine lune. (Les morceaux qui portent le croissant de lune ou l'étoile ont chacun un bord lisse et un bord déchiré.)
Concentre-toi un moment, tire la pleine lune du chapeau et salue le public.

3 Dis aux trois participants de jeter leur morceau de carte dans le chapeau. Demande à quelqu'un de te bander les yeux et de te donner le chapeau. Déclare alors à l'assistance que tu vas sortir le morceau de carte où est dessinée la pleine lune grâce à ton pouvoir magique.

LE PEIGNE SAUTEUR

Ce tour amusant est parfait pour commencer ton spectacle de magie. Montre au public un peigne tout à fait ordinaire dans son étui. Ce que tes spectateurs ignorent, c'est que ton peigne est retenu au fond de l'étui par un élastique. Demande aux spectateurs de compter avec toi : 10, 9, 8, 7, 6, 5, 4, 3, 2 ,1... Feu! Libère la pression que tu exerces sur l'étui et tu verras le peigne surgir comme une fusée !

1 Pour faire l'étui du peigne, plie le carton en deux. Place le peigne à l'intérieur du pli pour évaluer la taille que devra avoir l'étui. Coupe le carton de manière à ce qu'il soit plus large que le peigne de 2,5 cm et plus long de 3,5 cm.

2 Fais une entaille de 3, 5 cm à partir du haut du carton le long du pli. Replie le carton comme sur le dessin. Recouvre l'étui de plastique adhésif en scellant les côtés et la base. Ne recouvre pas le rabat formé en haut.

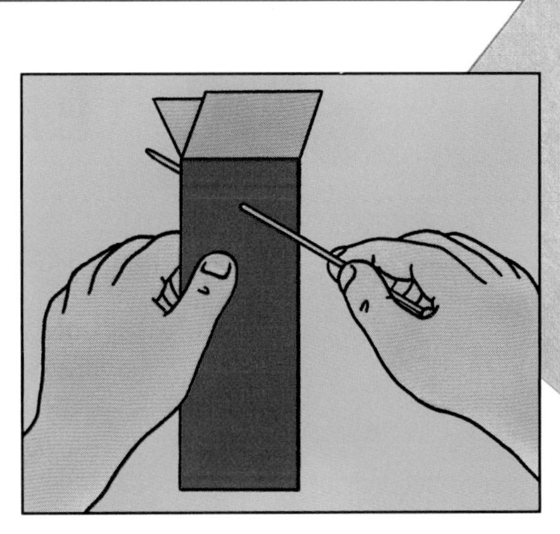

3 Fais un trou au travers de l'étui sous le rabat et à 2,5 cm du pli. Demande à un adulte de t'aider à faire le trou avec une aiguille à tricoter ou des ciseaux pointus.

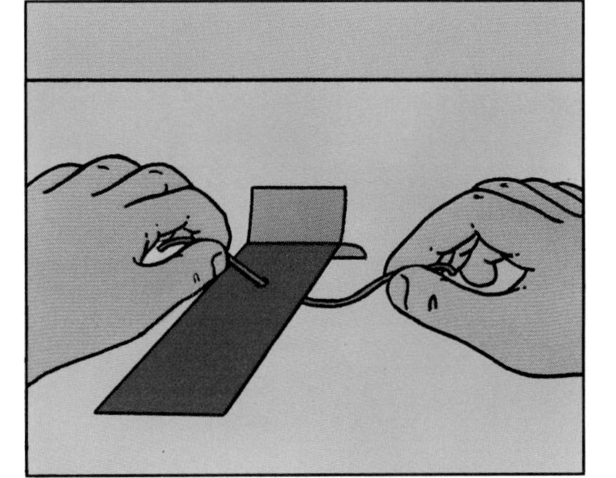

4 Coupe l' élastique. Passe l'une des extrémités dans le trou formé dans l'étui. Attache ses deux extrémités ensemble. Replie le rabat pour cacher le nœud et colle-le en place avec du ruban adhésif double face.

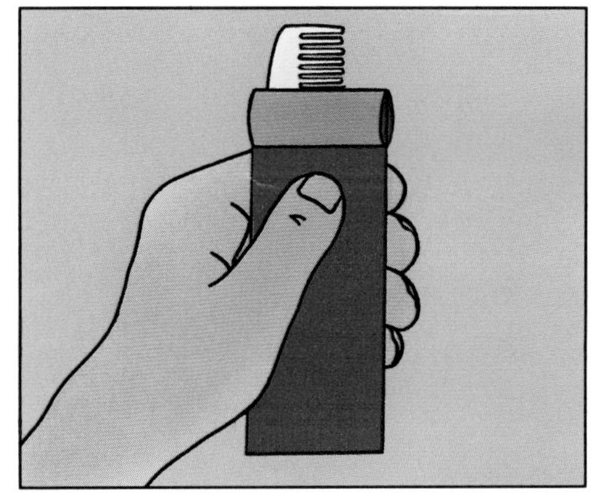

5 Pour exécuter le tour, pousse le peigne dans l'étui et sur l'élastique. Tiens l'étui et le peigne sous le rabat. Relâche ta pression, et le peigne surgira dans l'air.

ATTENTION : *Ne te sers pas de ciseaux pointus sans l'aide d'un adulte.*

LE NŒUD SAUTEUR

Voici un tour facile et très amusant à préparer et à exécuter. Un morceau de corde noué sort d'un tube en carton sans son nœud. Il te faut donc retrouver le nœud qui a sauté hors de la corde.

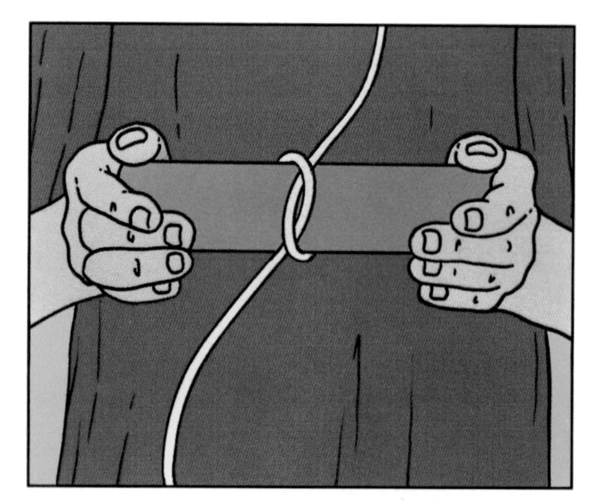

2 Pour exécuter le tour, tiens le tube comme sur le dessin. Demande à un volontaire de nouer le long morceau de corde autour du tube.

1 Recouvre le tube de papier de couleur et colle ensemble les côtés. Puis coupe une bande de carton mince de 2 cm de large sur 8,5 cm de long. Avec du ruban adhésif, colle une des extrémités de la bande à l'intérieur du tube. Fais un nœud dans un petit morceau de corde. Coupe les bouts qui dépassent. Coince ce nœud à l'intérieur de la bande de carton.

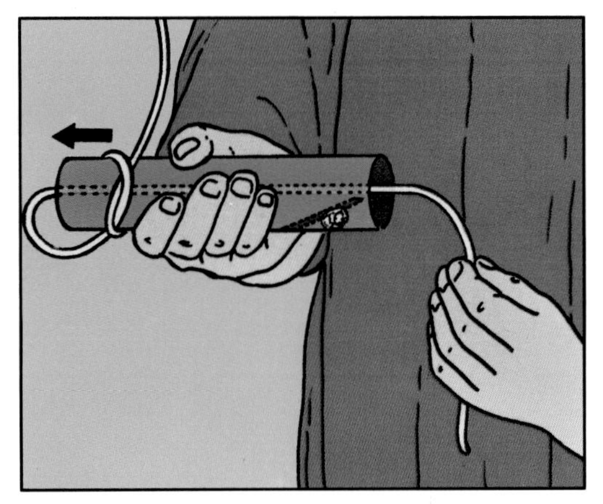

3 Fais glisser le nœud vers une des extrémités du tube et passe un bout de la corde dans le tube pour qu'elle le traverse. (Ne te trompe pas dans le choix de l'extrémité du tube, sinon ton tour risquerait de rater !)

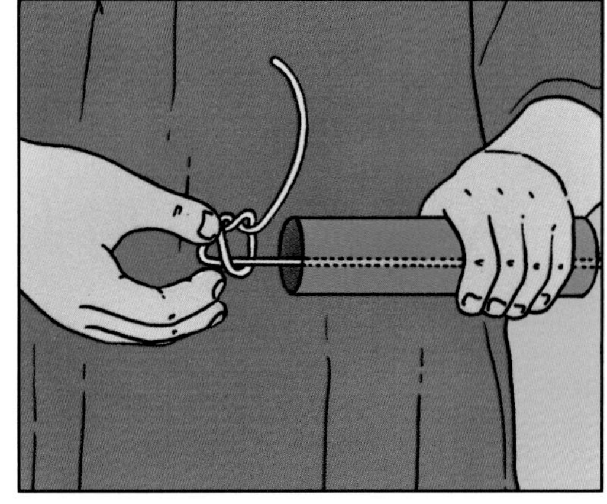

4 Saisis le nœud, fais-le glisser le long du tube et pousse-le à l'intérieur du tube.

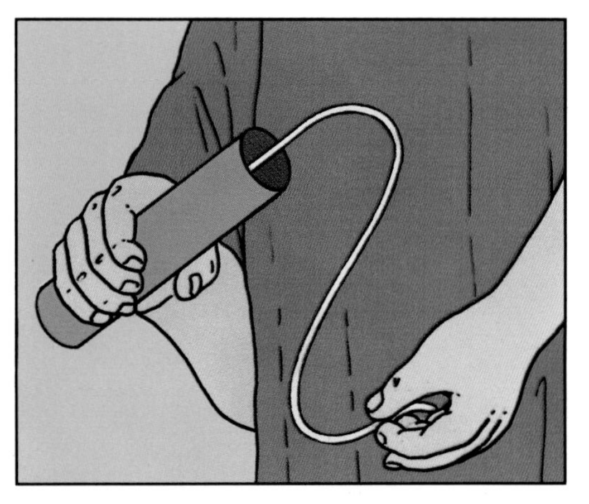

5 Sans déplacer le nœud caché à l'intérieur du tube, fais sortir la corde en tirant sur son autre extrémité. La corde va apparaître dénouée. Annonce à ton public que le nœud a disparu – mais a-t-il vraiment disparu?

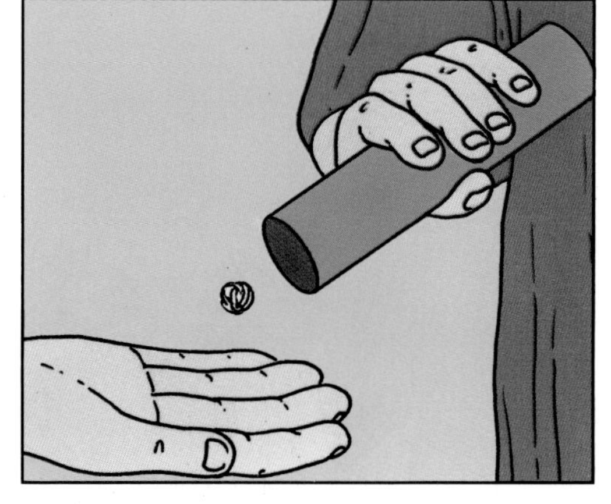

6 Secoue doucement le tube pour faire sortir le nœud caché. Et dis au public que tu as retrouvé le nœud, mais qu'il avait sauté de la corde!

LE MAGICIEN GLOUTON

Fais disparaître dans les airs toutes sortes d'objets plats, des pièces de monnaie, des boutons et même des timbres-poste grâce au Magicien glouton, qui avale tout. Le secret de ce tour consiste à utiliser de la feutrine de même couleur pour boucher l'ouverture du gobelet et pour faire le tapis sur lequel tu exécuteras ton tour. Lorsque le gobelet sera sur un objet plat posé sur le tapis, tout le monde croira que l'objet a disparu.

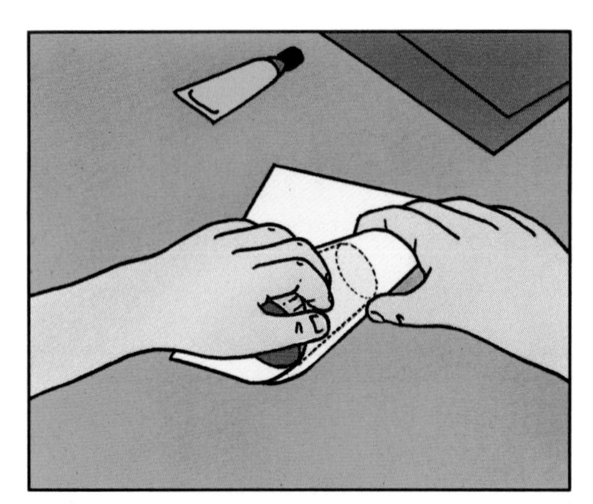

1 Pour préparer le tour, ferme l'ouverture du gobelet avec un morceau de feutrine orange. Puis entoure le gobelet de carton mince jaune pour former un cône. Maintiens le carton en place avec du ruban adhésif.

IL TE FAUT

1 tapis de feutrine orange de 46 sur 30 cm
1 gobelet de plastique transparent
1 rond de feutrine orange
Du carton mince jaune, une pièce et des ciseaux
Du ruban adhésif, de la colle universelle
Du carton de couleur

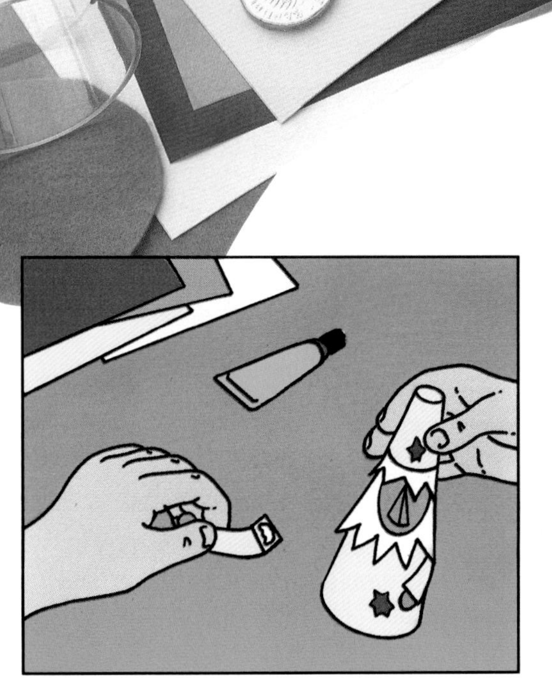

2 Découpe la base du cône pour qu'il puisse tenir droit. Puis décore le cône pour lui donner l'aspect d'un magicien. Découpe une barbe, un chapeau et des bras dans le carton de couleur, comme sur la photo, et colle-les sur le cône. Dessine les détails du visage, découpe des étoiles et colle-les sur le cône.

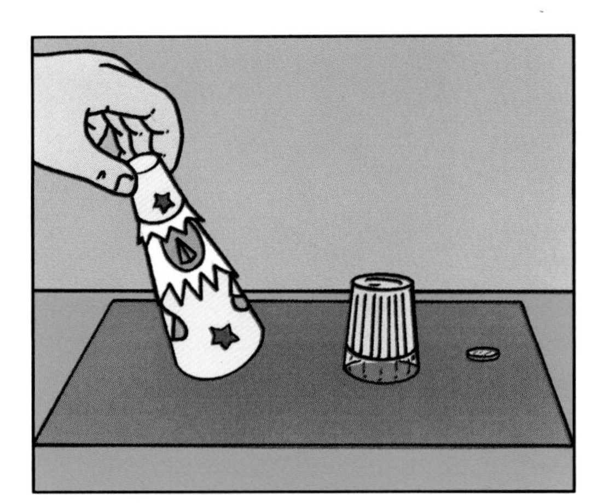

3 Pour exécuter le tour, pose le gobelet, en le renversant sur le tapis de feutrine, à côté du magicien et de la pièce de monnaie.

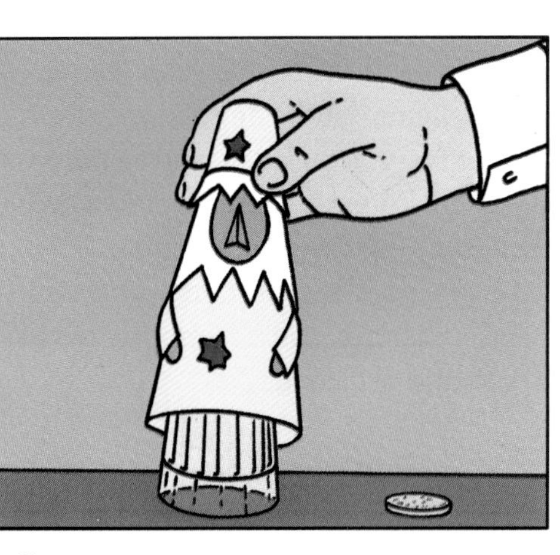

4 Glisse le magicien le long du gobelet puis pose-les tous les deux sur la pièce de monnaie. Souffle sur le tout et prononce une formule magique.

5 Soulève le magicien en laissant le gobelet sur le tapis. Le cercle de feutrine qui le ferme cachant la pièce, elle a l'air d'avoir été avalée. Pour faire réapparaître la pièce, exécute le tour en sens inverse.

LE CRAYON QUI DISPARAÎT

Si tu as deux morceaux de crayon dans ta trousse, ne les jette pas! Tu en auras besoin pour le tour du crayon qui disparaît. Inutile de garder ce tour uniquement pour tes spectacles, il peut se faire n'importe où. Tu peux le préparer à l'avance et l'utiliser pour distraire tes amis à l'école, pendant un voyage en train ou en autocar, ou à n'importe quelle autre occasion.

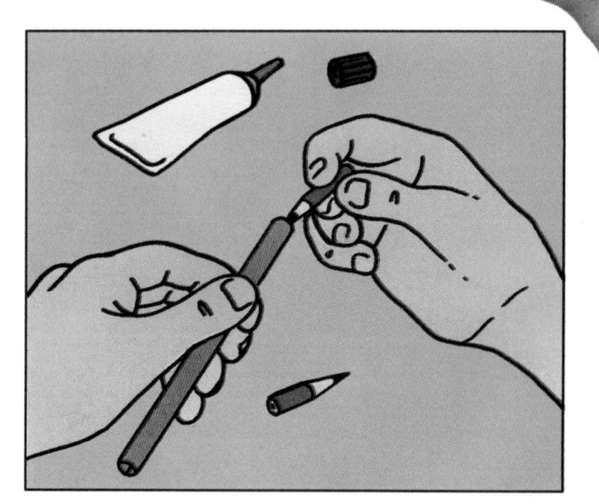

2 Prends les deux petits morceaux de crayon et colle-les à chaque bout du tube pour fabriquer un faux crayon. Cache le vrai crayon dans tes vêtements.

1 Pour préparer le tour, entoure un crayon de taille normale dans du papier brillant pour former un tube. Colle ensemble les bords qui se chevauchent. Fais glisser le crayon hors du tube. Répète la même opération pour faire un autre tube, mais cette fois colle le papier brillant sur le crayon.

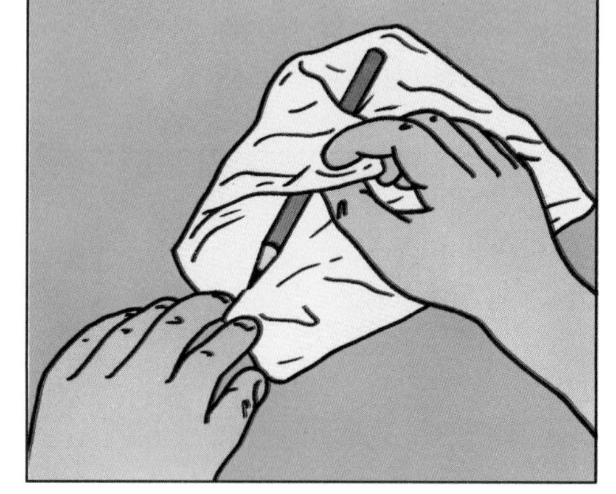

3 Pour exécuter ton tour, présente le faux crayon au public, et enveloppe-le dans une serviette en papier. Tape le bout du crayon sur une table pour montrer qu'il est solide.

IL TE FAUT
1 crayon neuf
2 tout petits bouts de crayon
Du papier brillant
De la colle universelle
1 serviette en papier
Des ciseaux

4 Annonce alors que tu vas faire disparaître le crayon. En prononçant bien fort une formule magique, fais une boule avec la serviette en papier et lance-la en l'air. Les petits morceaux de crayon et le tube de papier seront cachés dans la serviette. Fourre la serviette en papier dans ta poche.

5 Pendant que les spectateurs cherchent comment tu as bien pu faire disparaître le crayon, sors le vrai crayon de l'endroit où tu l'as caché.

LE FAISEUR D'ARGENT

Quand tu feras ce tour, ton public sera muet de stupeur. Tu vas faire semblant de faire apparaître des pièces de monnaie dans les airs. Même les magiciens professionnels mettent des années pour exécuter ce tour mais, avec cette méthode rapide, tu apprendras en quelques minutes.

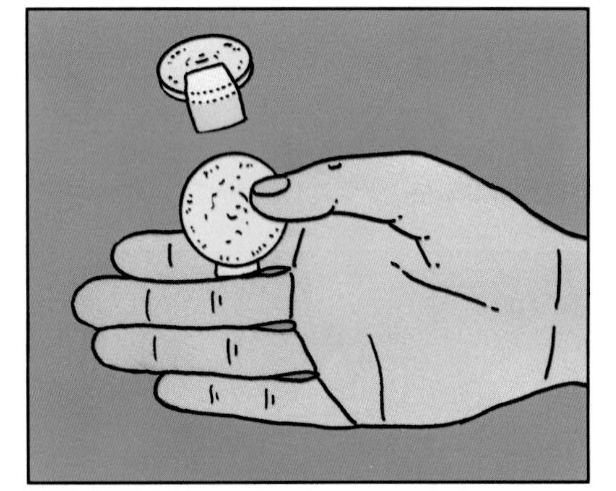

1 Pour préparer le tour, attache un petit morceau de ruban adhésif sur l'une des pièces de monnaie. Le morceau doit être assez long pour être tenu entre les doigts, comme sur le dessin, sans qu'on le voie apparaître de l'autre côté de ta main.

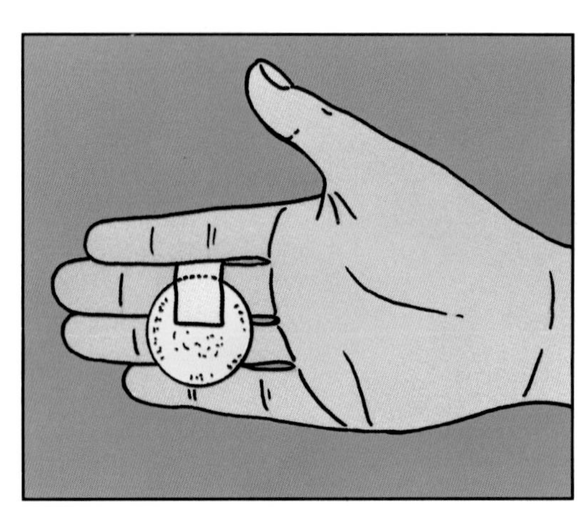

2 Mets le morceau de ruban adhésif en place entre l'index et le majeur de ta main droite. Laisse pendre la pièce. Le dos de ta main doit être tourné vers le public, pour que la pièce soit dissimulée.

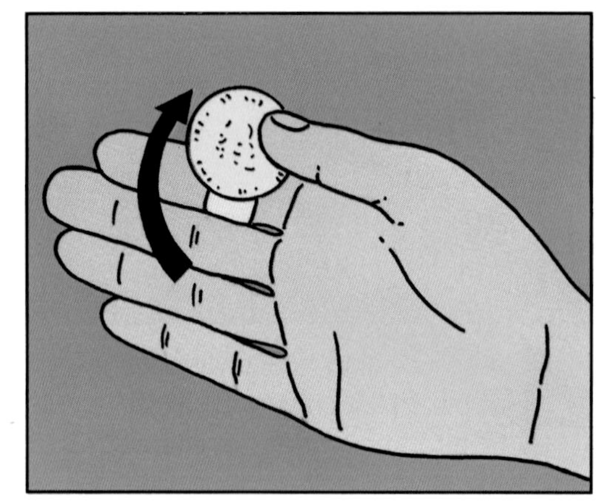

3 En plaçant ton pouce sous la pièce pour la mettre en position haute, elle aura l'air d'être tombée du ciel.

4 Quand tu te seras bien entraîné, tu seras prêt à présenter le tour. Avant de commencer, dissimule des pièces dans un chapeau haut de forme. Pour exécuter le tour, tiens ta main au-dessus du chapeau, la pièce en position basse. Remonte la pièce de manière à ce que l'on croie que tu l'as attrapée dans l'air. Enlève ton pouce pour que la pièce ait l'air de tomber dans le chapeau, en criant : « Et d'une ! » pour que ton public ne s'étonne pas de ne pas entendre la pièce tomber.

IL TE FAUT

12 grosses pièces de monnaie identiques
Du ruban adhésif transparent
1 chapeau haut de forme (voir page 88)
1 petit bol

5 Fais semblant d'attraper plein de pièces, que tu mettras à chaque fois dans ton chapeau en continuant à compter. Termine en renversant dans un bol toutes les pièces cachées dans le chapeau, pour bien prouver que tu en as attrapé plusieurs.

LES MENOTTES

Tu as des problèmes avec des gens qui font du bruit dans le public ? Menace-les, s'ils ne se tiennent pas tranquilles, de leur montrer un tour à ta manière qui les empêchera de bouger ! Il te faudra choisir deux prisonniers dans l'assistance. Et n'oublie pas : toi seul sauras les délivrer!

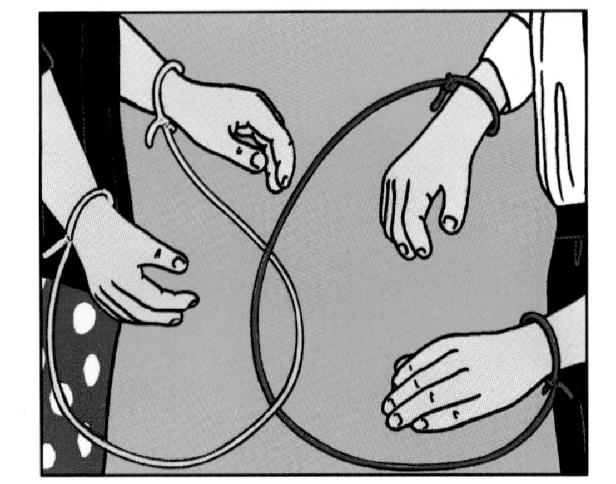

1 Pour réaliser ce tour, tu devras attacher chaque bout d'une corde aux poignets de la première victime. Fais la même chose avec l'autre corde sur la seconde victime, mais, cette fois, passe cette corde dans celle de la première victime avant d'attacher l'autre poignet de la seconde victime. Puis dis aux prisonniers de se libérer sans défaire les nœuds.

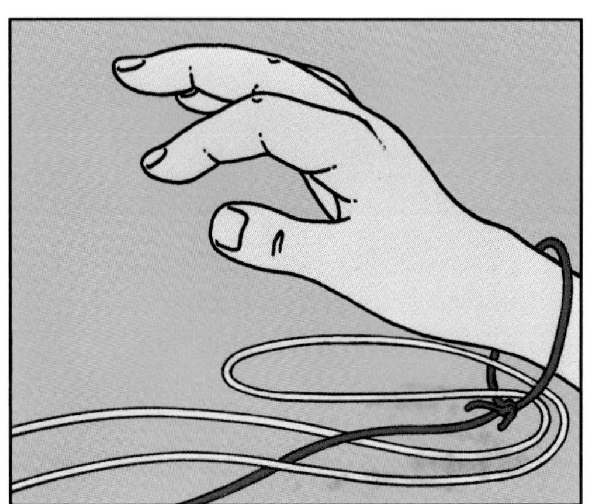

2 Quand ils auront bien essayé de se libérer, mais en vain, montre-leur comment faire. Prends la corde d'une des victimes par le milieu, et passe-la au travers de la corde attachée autour du poignet de l'autre victime, comme sur le dessin.

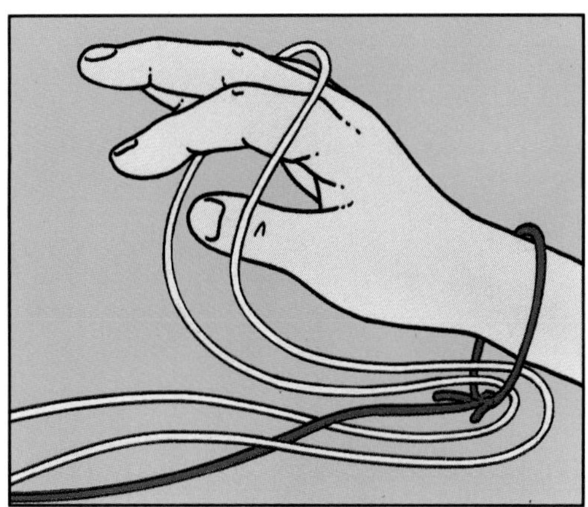

3 Tire la corde pour agrandir la boucle, comme sur le dessin, et passe-la sur la main.

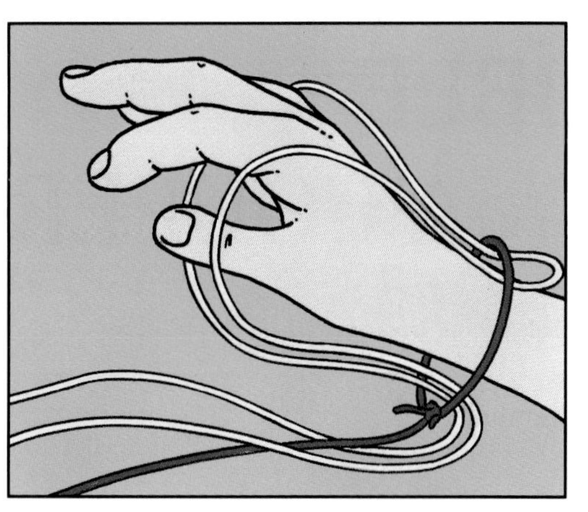

4 Puis tire la boucle vers le bas et glisse-la dans le nœud formé autour du poignet. Tire sur la corde en arrière pour la séparer de l'autre.

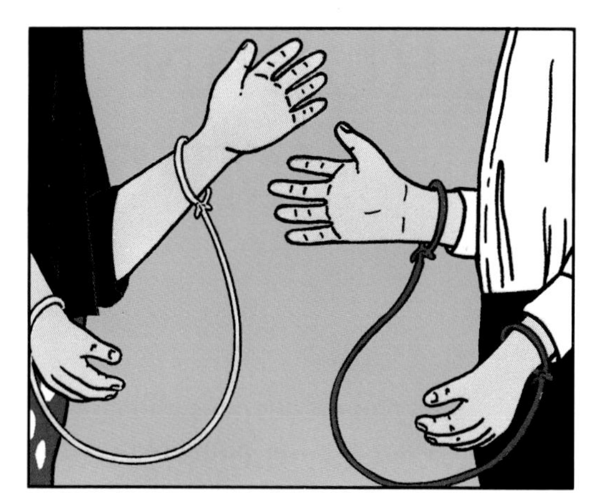

5 Si tu as bien suivi nos indications, les deux cordes ne seront plus reliées et tes victimes seront libres.

LE RUBAN IMPOSSIBLE À COUPER

La plupart des gens n'imaginent pas que des ciseaux assez aiguisés pour couper une carte à jouer ne puissent pas l'être suffisamment pour couper un ruban de tissu.
Il te faudra une vieille paire de ciseaux pour exécuter ce tour – et fais bien attention de ne pas te pincer les doigts dans les lames.

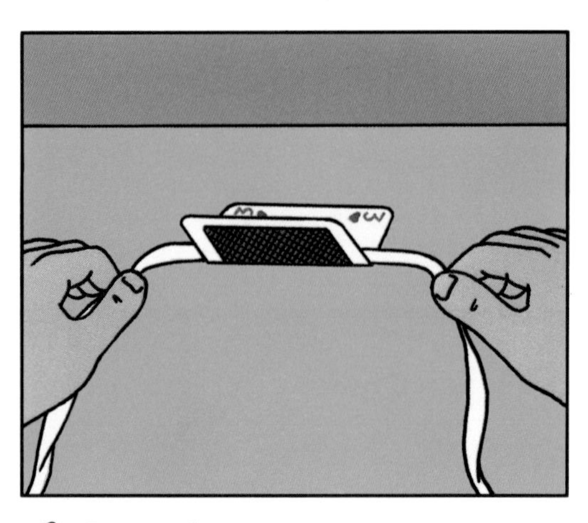

1 Pour réaliser ce tour, montre une carte à jouer au public et plie-la en deux dans le sens de la longueur. Tends le ruban plusieurs fois en lui donnant des coups secs et pose-le le long du pli de la carte.

IL TE FAUT
1 carte à jouer
1 m de ruban de tissu blanc
de 1,5 cm de large
1 paire de ciseaux usagés

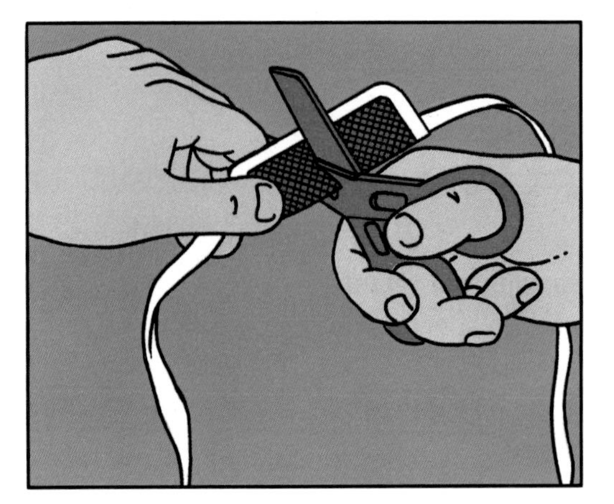

2 Attrape l'extrémité gauche de la carte avec ta main gauche. Tiens les ciseaux dans ta main droite et utilise-les pour attraper la carte en son centre. Commence à couper au travers de la carte.

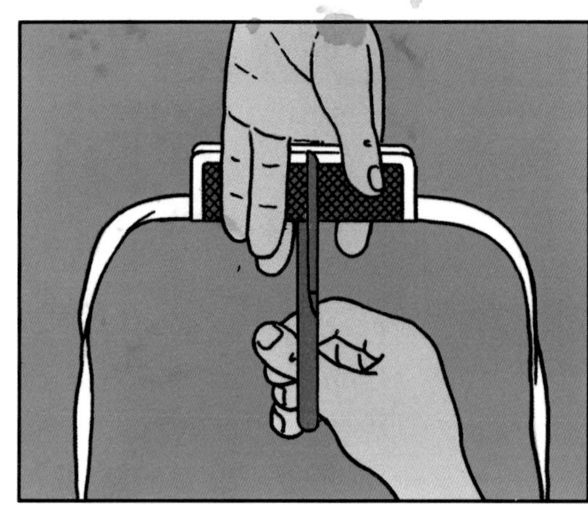

3 Place ta main gauche sur la carte de manière à avoir l'index et le majeur devant, et les autres doigts derrière. Finis de couper la carte.

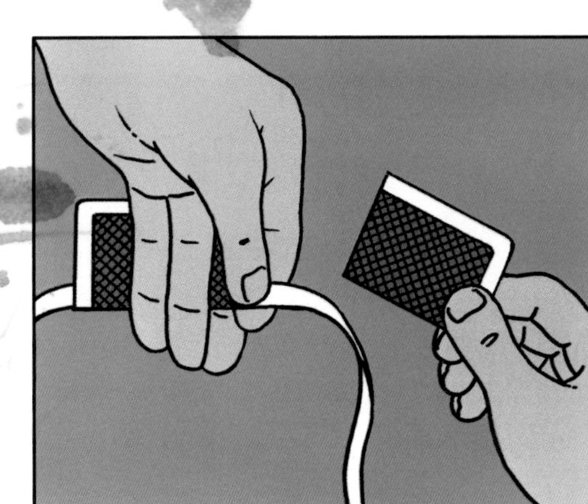

4 Le ruban est intact, mais tout le monde croira qu'il a été coupé en deux. Couvre le ruban avec les doigts de ta main gauche comme si tu tenais les deux morceaux ensemble.

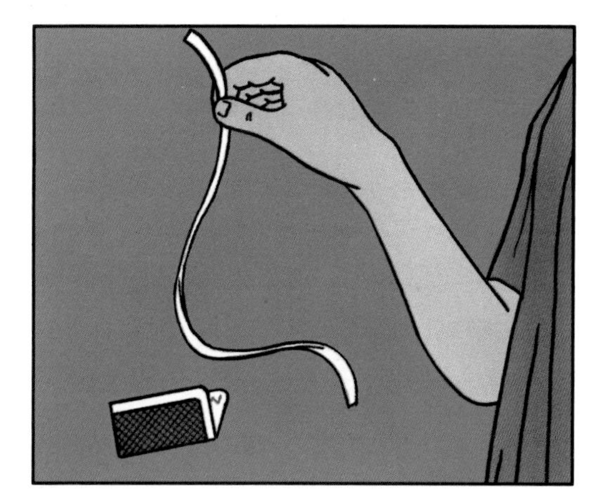

5 Prononce quelques formules magiques, fais quelques gestes de la main et montre que le ruban est de nouveau d'une seule pièce !

LES DOIGTS COLLANTS

Ce tour de cartes original sera parfait pour retenir l'attention de ton public au début d'un spectacle. Comme par magie, une rosace de cartes restera suspendue à tes doigts jusqu'à ce que tu leur commandes de tomber par terre.

1 Pour préparer ton tour, coupe un morceau de ruban adhésif et colle-le au dos d'une carte à jouer pour former une languette de 1 cm de long.

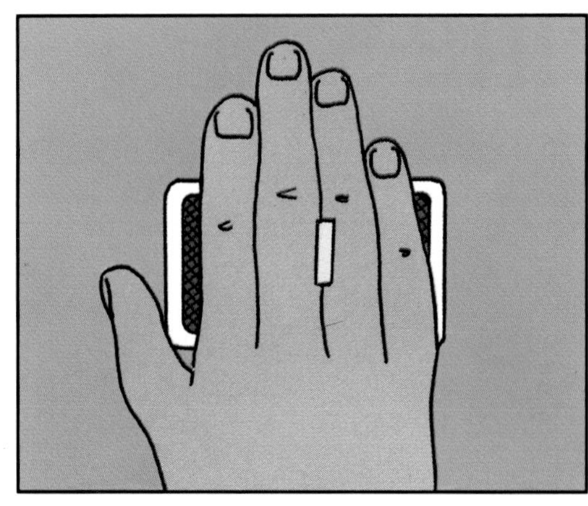

2 Quand tu exécuteras le tour, tiens la languette entre les jointures de ton majeur et de ton annulaire, tu auras ainsi une carte qui te servira à ancrer les autres.

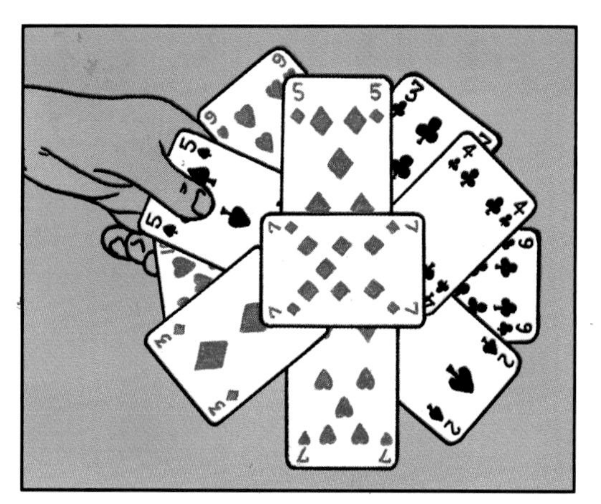

4 Utilise environ 12 cartes : tu pourras ainsi former une rosace. En maintenant fermement la languette entre tes deux doigts, fais tourner la rosace en faisant face au public.

5 Tiens les cartes en l'air, puis donne-leur l'ordre de tomber. Relâche la pression que tu exerçais sur la languette en écartant les doigts, et toutes les cartes tomberont par terre.

3 Pour exécuter le tour, place secrètement la carte avec la languette en bonne position. Place les autres cartes en les coinçant sous la première et tout autour d'elle ; c'est celle-ci qui les maintiendra.

CROIRE OU NŒUD PAS CROIRE !

Regarde les perles de bois tomber sur le plancher en laissant les cordes mystérieusement intactes. Le secret ? La manière dont les perles sont enfilées et nouées sur les cordes. Entraîne-toi bien avant d'exécuter ce tour devant tes amis.

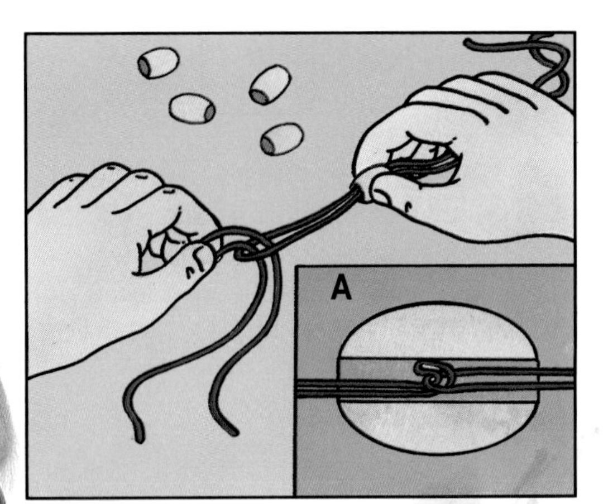

1 Plie chaque longueur de corde en deux. Pousse le milieu d'un des morceaux de corde par le trou d'une perle et ressors-le de l'autre côté. Prends le milieu de l'autre morceau de corde et passe-le à l'intérieur de la boucle sortie de la perle. Tire les boucles vers l'arrière comme sur le dessin A.

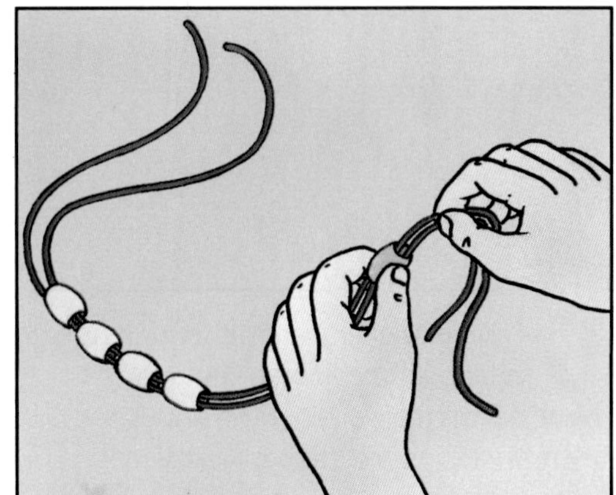

2 Enfile les quatre perles restantes sur la corde, deux de chaque côté de la perle du centre. Pour exécuter le tour, montre le collier de perles au public et demande un volontaire pour tenir les bouts de la corde.

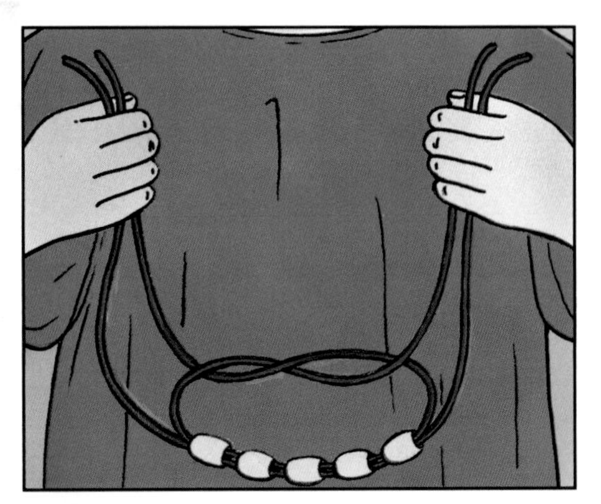

3 Dis bien que les perles sont très solidement enfilées sur la corde, mais, pour en être encore plus sûr, prends un bout de corde de chaque main du volontaire, et noue-les ensemble. Après avoir fait le nœud, assure-toi que le morceau de corde qui était dans la main droite se retrouve dans la main gauche et que celui qui était dans la main gauche est dans la main droite.

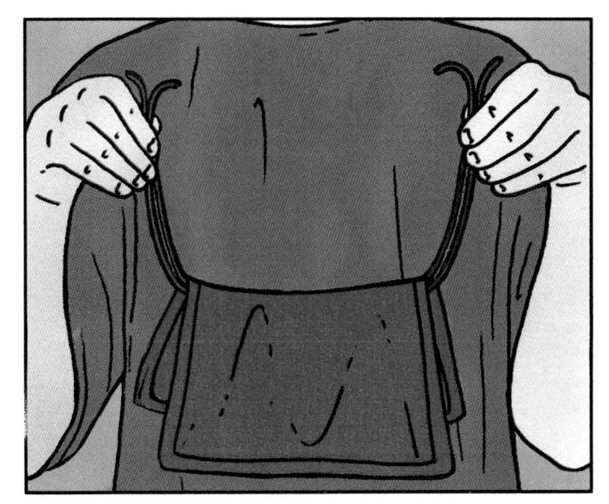

4 Ton volontaire tenant toujours les cordes, recouvre le collier de perles avec un mouchoir, comme sur le dessin. Explique que tu vas tenter de retirer les perles de la corde.

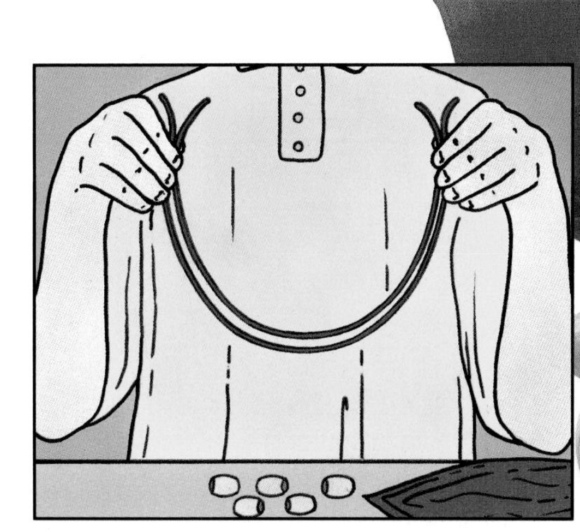

5 Trouve, sous le mouchoir, la perle du milieu et défais-la. Toutes les autres suivront. Enlève le mouchoir et tiens les cordes pour montrer au public qu'elles sont intactes.

IL TE FAUT
5 grosses perles de bois
2 morceaux de corde de 60 cm de long
1 grand mouchoir

LE GOBELET ENSORCELÉ

Avec ce tour très mystérieux, tu peux être sûr que tes spectateurs n'en reviendront pas – aussi, assure-toi que ton secret ne sera pas découvert. Le gobelet et le foulard de soie resteront suspendus à la cuiller grâce à un petit aimant bien caché.

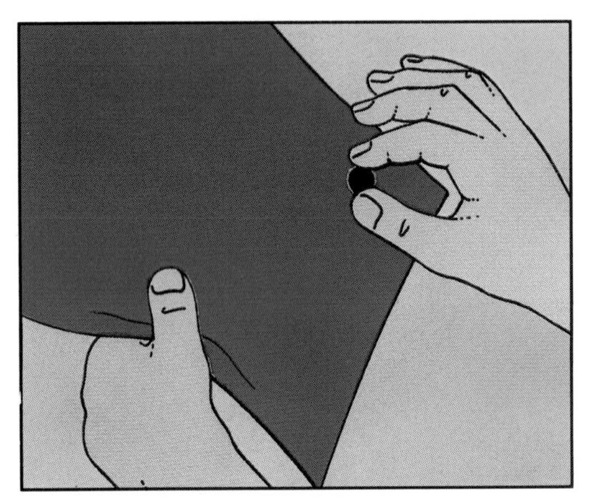

1 Pour préparer le tour, colle l'aimant à 3,5 cm d' un coin du foulard de soie avec du ruban adhésif double face.

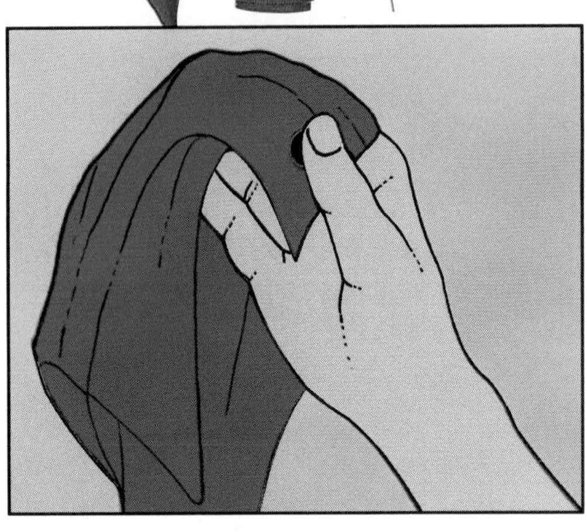

2 Tiens le foulard dans ta main droite en dissimulant l'aimant sous ton pouce, comme sur le dessin. Montre le gobelet de plastique vide aux spectateurs en le tenant dans ta main gauche.

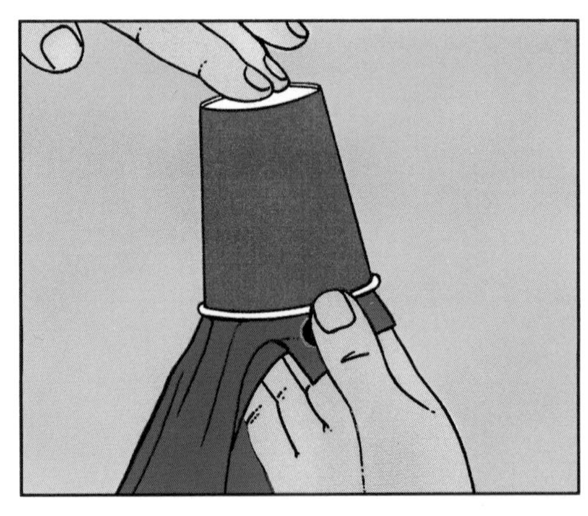

3 Place le gobelet sur ta main droite. Assure-toi que le coin du foulard où se trouve l'aimant est bien à l'extérieur du gobelet.

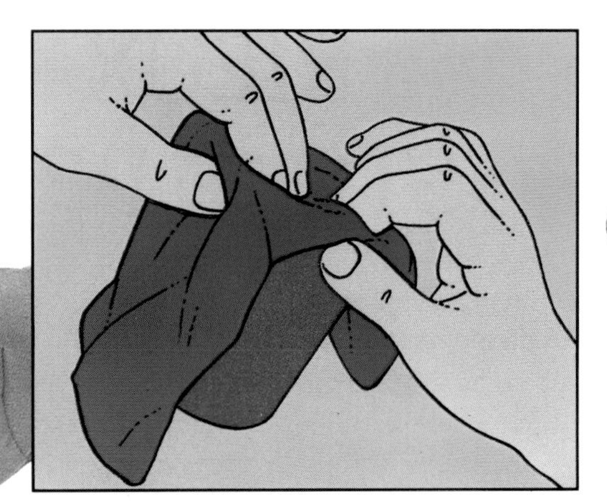

4 En tenant le bord du gobelet avec ta main droite, retourne le gobelet pour que le foulard se trouve sur le dessus. Fais entrer la soie dans le gobelet avec ta main gauche.

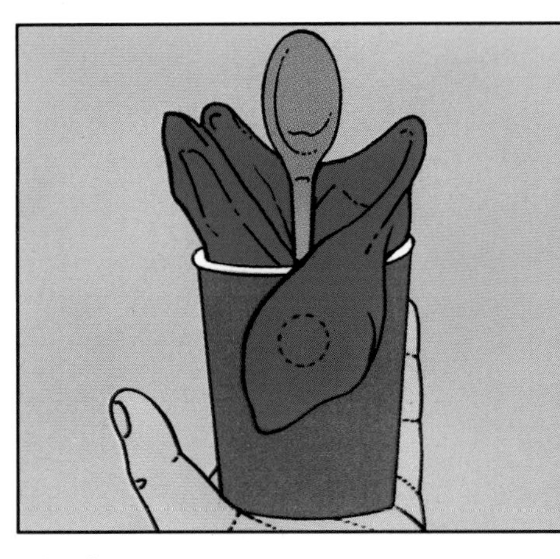

5 Pose le gobelet sur la paume de ta main gauche, en t'arrangeant pour que l'aimant pende à l'extérieur du gobelet. Assure-toi que l'aimant se trouve de ton côté et non pas face au public. Fais descendre le manche de la cuiller à l'intérieur du gobelet. Enlève ta main : le gobelet et le foulard resteront suspendus à la cuiller.

IL TE FAUT

1 foulard de soie légère
1 petit aimant
Du ruban adhésif double face
1 gobelet de plastique
1 grande cuiller en métal

LE MYSTÉRIEUX STYLO PERCEUR

Le tour du mystérieux stylo perceur est facile à réaliser à partir du moment où tu as un stylo et un mouchoir. Grâce à un pli spécial fait dans le mouchoir, tu pourras faire surgir le stylo comme s'il avait traversé le tissu.

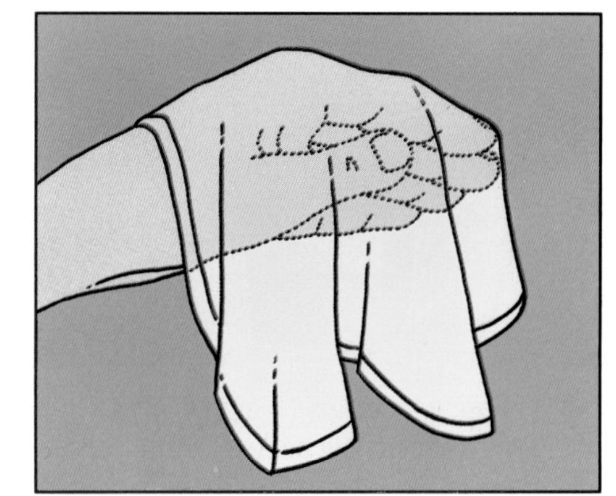

1 Drape le mouchoir sur ta main gauche, comme sur le dessin. Arrange-toi pour que la partie du mouchoir qui est face au public soit plus longue.

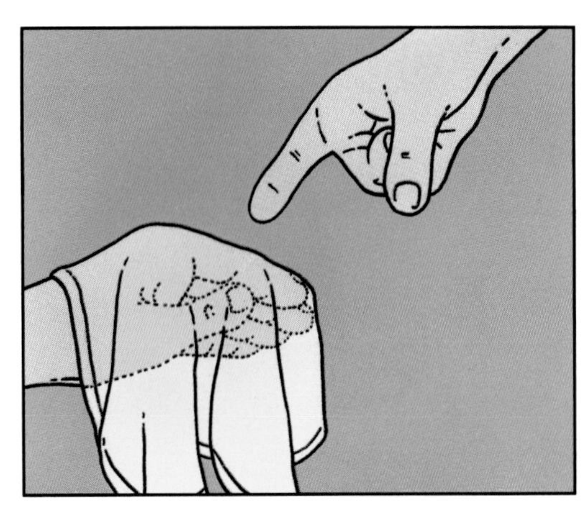

2 Pousse l'index de ta main droite à l'intérieur du mouchoir, entre le pouce et l'index de la main gauche, pour faire un puits.

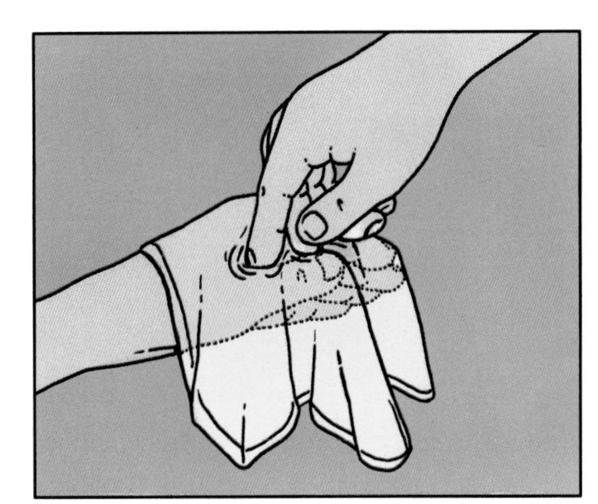

3 En même temps, fais un pli dans le mouchoir avec le majeur de ta main droite, comme sur le dessin, sans que les spectateurs le voient.

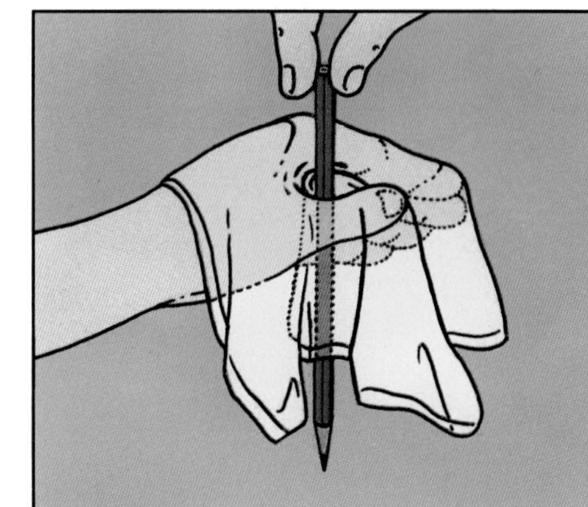

4 Pique le stylo, ou un crayon, et annonce qu'il va traverser le mouchoir. Pousse le crayon dans le pli secret. Le public va croire qu'il passe dans le puits, mais le crayon va tomber par terre après avoir traversé le mouchoir. Montre au public que le mouchoir est intact.

IL TE FAUT
1 stylo ou 1 crayon
1 grand mouchoir

LE COUP DE LA CHEMISE

Ce tour de force demande quelques préparatifs secrets à faire avec un copain en qui tu as confiance. Quand les spectateurs te verront enlever la chemise de ton ami, ils seront tellement épatés que tu ferais bien de garder ce tour pour le final de ton spectacle.

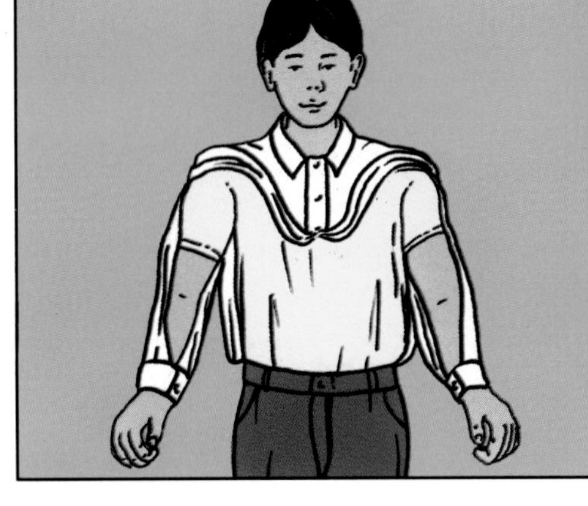

1 Pour préparer ce tour, demande à ton assistant d'enlever sa chemise avant le spectacle. Glisse la chemise sur ses épaules et attache deux ou trois boutons à partir du col. Boutonne les poignets, comme sur le dessin.

2 Dis à ton copain d'enfiler son pull et arrange la chemise de manière à ce que tout paraisse parfaitement normal.

3 Pour exécuter le tour, invite ton assistant à te rejoindre pour t'aider et fais-le asseoir sur une chaise. Demande-lui de déboutonner le col et les poignets de sa chemise.

IL TE FAUT
Un copain portant une chemise et un pull, qui sera dans le secret
Une chaise

4 Place-toi derrière lui, attrape sa chemise par le col et tire dessus.

5 À la grande surprise de ton public, la chemise viendra toute seule. Arrange-toi avec ton copain pour qu'il ait l'air très ennuyé, attrape la chemise et pars avec.

LE CHOIX DU JETON

Suis bien les instructions pour ce tour et tu seras capable de prévoir la couleur du jeton qu'un volontaire pris dans le public aura choisi. Crée une atmosphère mystérieuse en annonçant aux spectateurs que tu as le pouvoir de prédire le futur.

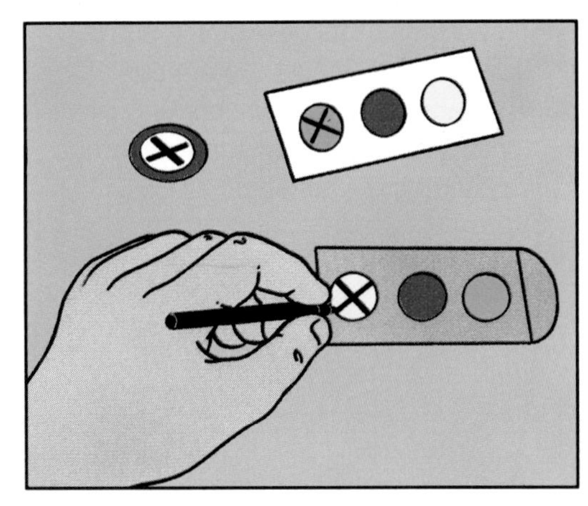

1 Pour préparer ce tour, colle une gommette sur le jeton rouge et marque-la d'une croix au feutre noir. Dessine trois ronds de couleurs différentes sur la carte et trace une croix sur le rond vert. Puis dessine trois ronds de couleurs différentes sur l'endroit d'une enveloppe et fais une croix sur le rond jaune. Mets la carte et les trois jetons dans l'enveloppe.

2 Pour exécuter le tour, tiens l'enveloppe de manière à ce que les ronds soient en dessous et fais sortir les trois jetons sur la table. Mets l'enveloppe de côté. Explique que tu vas demander à un volontaire de choisir un jeton, et que, comme tu as le pouvoir de lire dans l'avenir, tu vas prédire de quelle couleur sera le jeton sélectionné.

3 Demande ensuite à un volontaire de choisir un jeton. S'il dit rouge, prends le jeton et retourne-le pour montrer la croix sur la gommette et prouver que ta prédiction était bonne. Montre aussi que le jeton rouge est le seul à porter une marque au dos.

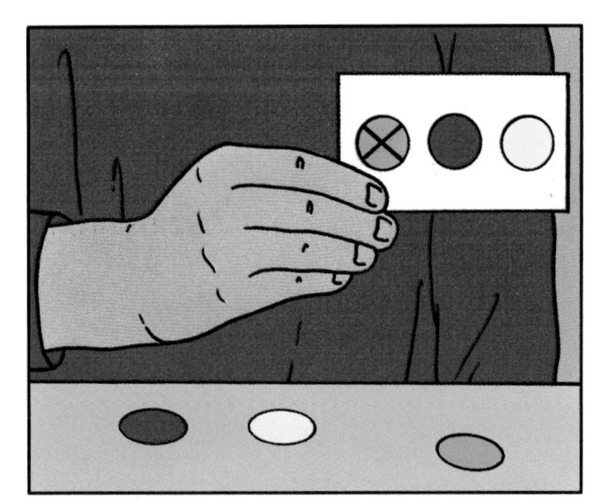

4 Si le jeton vert est choisi, sors la carte de l'enveloppe et montre que le rond vert porte une croix.

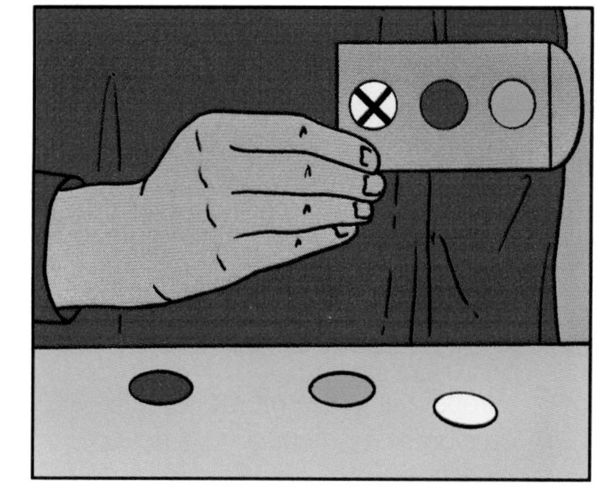

5 Si le jeton jaune est choisi, retourne l'enveloppe pour montrer que le rond jaune est marqué d'une croix. Quelle que soit la couleur choisie, tu pourras prouver que tu l'avais prédit. Évidemment, pas question de refaire le tour devant le même public !

IL TE FAUT

3 jetons (rouge, jaune et vert)
1 petite enveloppe et
1 carte de même format
1 gommette ronde
3 stylos (rouge, jaune et vert)
1 crayon-feutre noir

L'ANNEAU MAGIQUE

Tous les magiciens savent que les mains sont souvent plus rapides que les yeux. Ce qui veut dire que tu peux faire croire à ton public qu'il voit quelque chose d'impossible alors que toi, tu sais que ce n'est qu'un tour de main. Dans ce tour, tu dois convaincre les spectateurs qu'un gros anneau de plastique s'est enfilé tout seul sur une corde, alors que les deux bouts de la corde étaient tout le temps bien visibles.

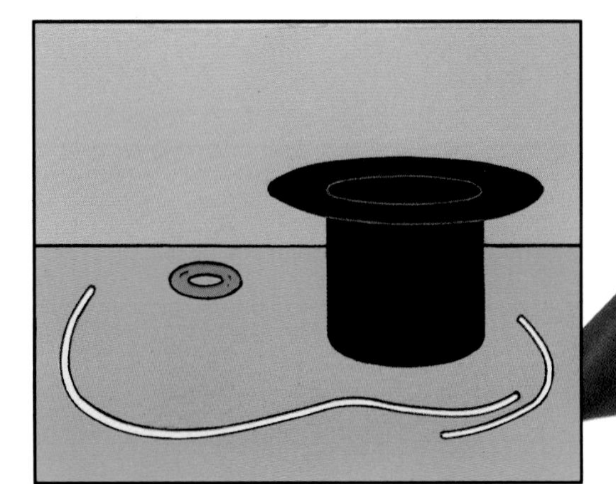

1 Prépare la table comme sur le dessin. Les bouts des deux cordes doivent être dissimulés au public par le chapeau, prêts à être attrapés et à avoir l'air de former un seul morceau de corde. Tiens-toi derrière la table avec le chapeau du côté de ta main droite.

2 Prends les deux morceaux de corde, en réunissant dans ta main droite les deux extrémités de la courte et de la longue comme sur le dessin, de manière à ce que les morceaux aient l'air d'une seule et même corde. Descends le milieu de la corde dans le chapeau.

3 Quand tes mains toucheront les bords du chapeau, laisse tomber discrètement dans le chapeau le bout de la longue corde que tu tiens dans la main droite. Laisse retomber le bout de chaque corde sur le bord du chapeau, comme sur le dessin.

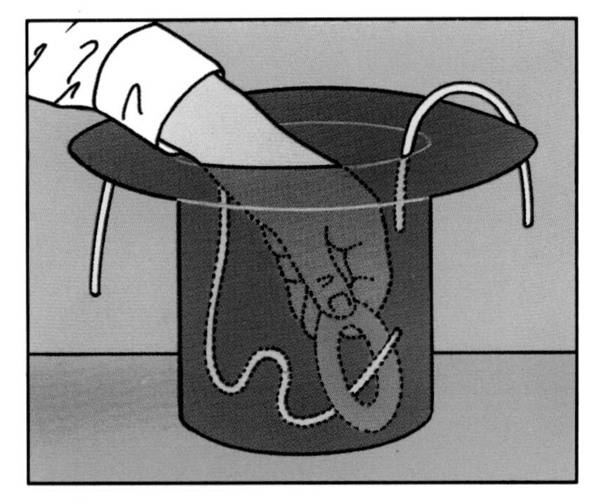

4 Demande à un spectateur de prendre l'anneau de plastique et de s'assurer qu'il est solide. Place l'anneau dans le chapeau en le faisant discrètement glisser sur le bout de la longue corde.

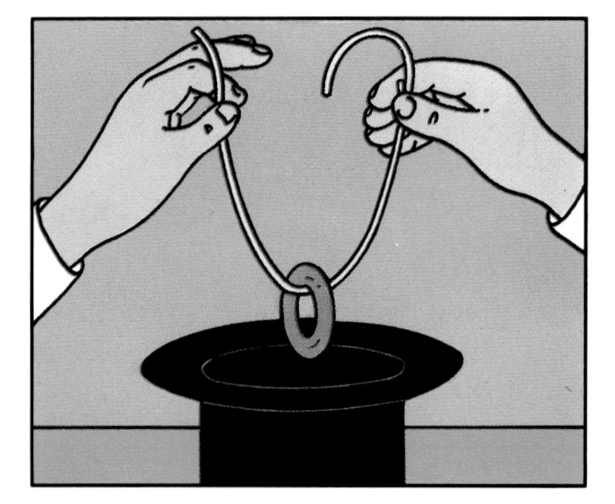

5 Prononce une formule magique et réunis les deux cordes dans ta main droite en tenant l'autre bout dans ta main gauche, comme tout à l'heure. Tire la corde du chapeau et montre que l'anneau est bien enfilé sur celle-ci.

IL TE FAUT
1 gros anneau de plastique ou 1 bracelet
1 chapeau haut de forme (voir page 88)
1 corde de 75 cm de long
1 corde de 25 cm de long

HAUT OU BAS ?

Ce tour de magie consiste à retourner un papier la tête en bas grâce à un système de pliage très simple. En lisant les instructions, tu ne voudras pas croire que ça marche. Tu peux prendre n'importe quel papier, une étiquette, ou même un billet de banque. Ou demande aux spectateurs de dessiner les formes qu'ils voudront, ce qui sera encore plus drôle quand les dessins seront retournés.

IL TE FAUT
1 rectangle de papier
Des crayons-feutres ou des stylos de couleur

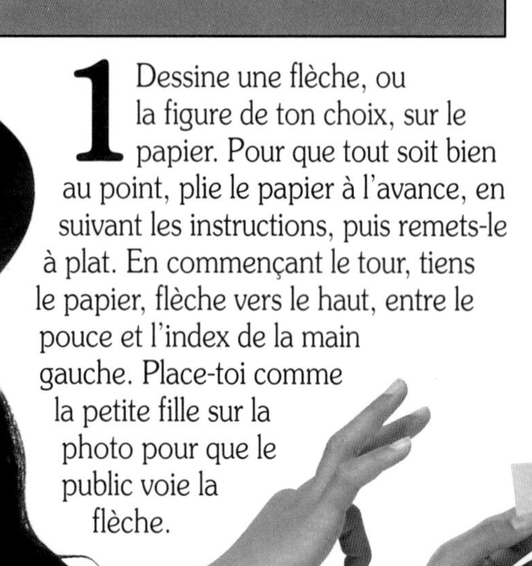

1 Dessine une flèche, ou la figure de ton choix, sur le papier. Pour que tout soit bien au point, plie le papier à l'avance, en suivant les instructions, puis remets-le à plat. En commençant le tour, tiens le papier, flèche vers le haut, entre le pouce et l'index de la main gauche. Place-toi comme la petite fille sur la photo pour que le public voie la flèche.

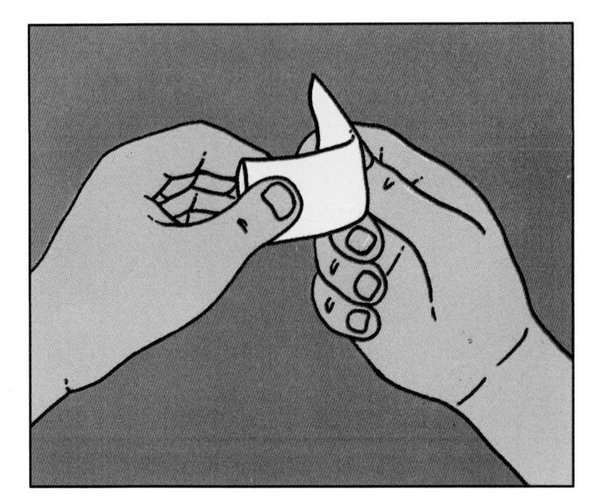

2 Replie le haut du papier en deux vers toi. Puis plie la moitié qui est dans ta main droite vers l'arrière, comme sur le dessin.

3 Saisis le pli qui est sur le côté droit avec ta main droite, et plie le papier en deux vers toi.

4 Puis tiens le papier dans la main gauche. Avec l'index droit, donne quelques pichenettes sur le papier et prononce une formule magique. Déplie le papier. La flèche apparaît la pointe en bas.

LA CHAÎNE ENCHANTÉE

Voici un tour très spectaculaire qui marche avec un énorme... boum! Les magiciens ont toujours beaucoup impressionné les spectateurs avec des objets qui s'enchaînent les uns aux autres comme par enchantement. Nous allons te montrer comment des anneaux séparés peuvent se réunir pour former une seule et longue chaîne.

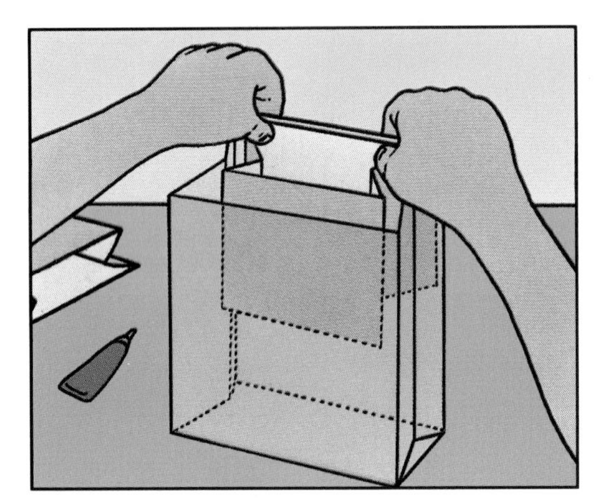

1 Pour préparer le tour, coupe l'un des sacs de papier en deux. Colle le bas de cette moitié de sac à l'intérieur du second sac, comme sur le dessin, pour former une poche intérieure.

2 Place la chaîne au fond du sac entier et les anneaux dans le gobelet de plastique.

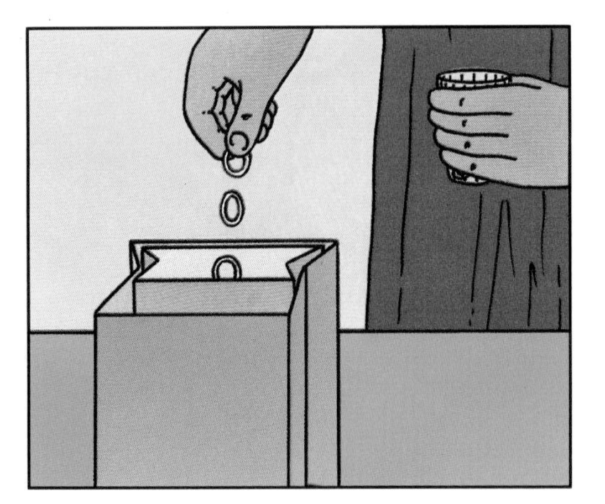

3 Pour exécuter le tour, verse les anneaux contenus dans le gobelet dans la poche intérieure. Fais tomber les anneaux un par un pour bien montrer qu'ils sont séparés.

IL TE FAUT
1 chaîne
Des anneaux de chaîne séparés
2 sacs en papier
De la colle universelle
1 gobelet en plastique
Des ciseaux

4 Ferme la poche intérieure et souffle dans le grand sac. Resserre les bords pour que l'air reste à l'intérieur.

5 Fais éclater le plus grand sac et tire la longue chaîne. Les anneaux resteront cachés dans la poche intérieure.

LE DÉ QUI DISPARAÎT

Dans le monde mystérieux de la magie, tout n'est qu'apparence. Pour ce tour, un dé est placé au milieu d'un dessous-de-bouteille et recouvert par des tubes en carton. On enlève lentement les tubes, l'un après l'autre, pour montrer que le dé a disparu.

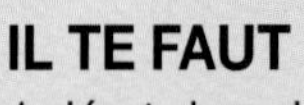

IL TE FAUT

- 1 dé et des ciseaux
- 1 tube en carton de 4 cm de haut et 3 cm de diamètre
- 1 tube en carton de 7 cm de haut et 4 cm de diamètre
- 2 dessous-de-bouteille
- Du ruban adhésif double face
- Du ruban adhésif
- Du papier cadeau

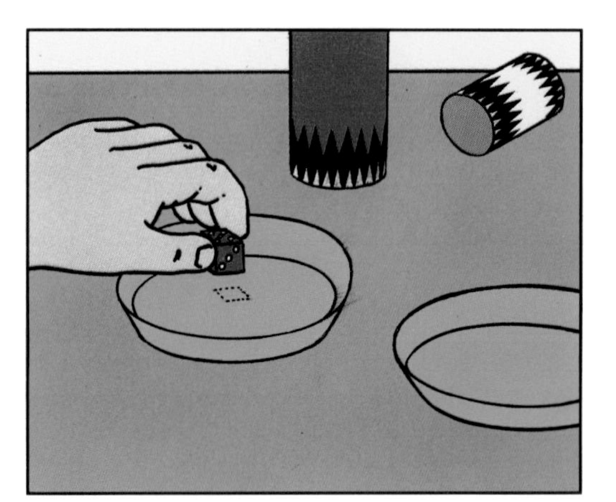

1 Avant de commencer, recouvre les tubes de carton avec du papier cadeau et fixe les bords avec du ruban adhésif. Colle le dé au centre d'un dessous-de-bouteille avec du ruban adhésif double face.

2 Pour exécuter ce tour, place le dessous-de-bouteille et le dé sur la paume de ta main gauche. Couvre le dé avec le petit tube, puis avec le grand tube. Pose le second dessous-de-bouteille à l'envers sur les tubes, comme sur le dessin.

3 Pose ta main droite sur le dessous-de-bouteille et retourne le tout. Le petit tube va tomber et se heurter au dessous-de-bouteille. Ton public croira que le bruit qu'il a entendu provient de la chute du dé au travers des tubes.

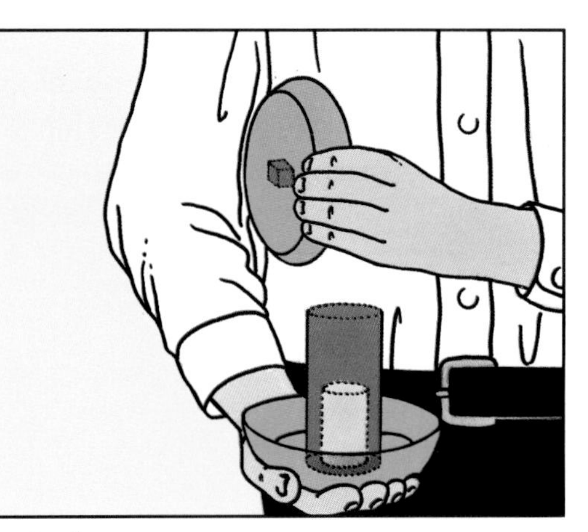

4 Ôte le dessous-de-bouteille du dessus avec ta main gauche et, pour que personne ne voie le dé collé dessus, mets-le sous ton bras droit.

5 Enlève le grand tube puis le petit, et montre aux spectateurs que le dé a disparu.

LES LUNETTES MAGIQUES

Avec ce tour, ton succès est assuré. Annonce aux spectateurs que tu as trouvé des lunettes magiques qui te donnent le pouvoir de voir au travers des objets. Ils riront bien quand ils verront que ce n'est qu'une paire de ciseaux de plastique... Mais rira bien qui rira le dernier!

1 Pour préparer le tour, mets un peu de colle sur un des côtés de la pièce. Pose le cheveu en travers et laisse-le sécher sans y toucher.

IL TE FAUT
3 bouchons de bouteille de couleur
Des ciseaux en plastique
1 pièce de monnaie
1 cheveu
De la colle universelle

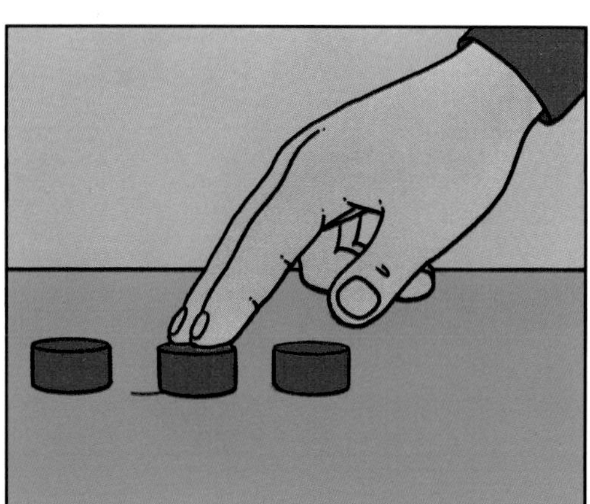

3 Montre les ciseaux au public et explique-lui que c'est en fait une paire de lunettes magiques qui te permet de voir au travers des objets. Puis tourne-toi et, dos au public, demande à un volontaire de recouvrir la pièce avec l'un des trois bouchons et de les mélanger.

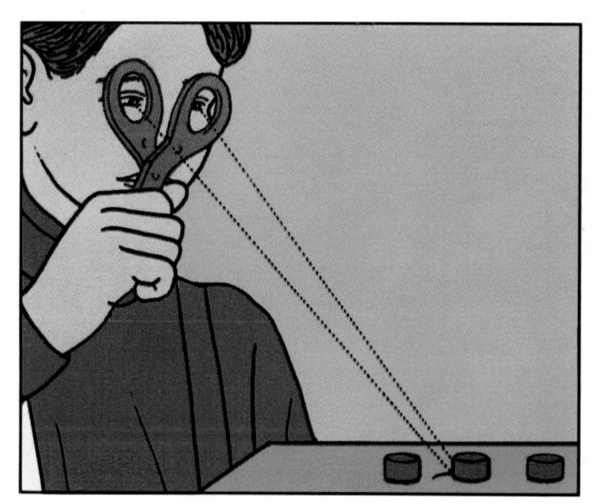

4 Retourne-toi et regarde à travers les ciseaux, comme si c'était une paire de lunettes. Cherche le petit bout de cheveu qui te révélera où est la pièce. Il te sera facile de la désigner au public.

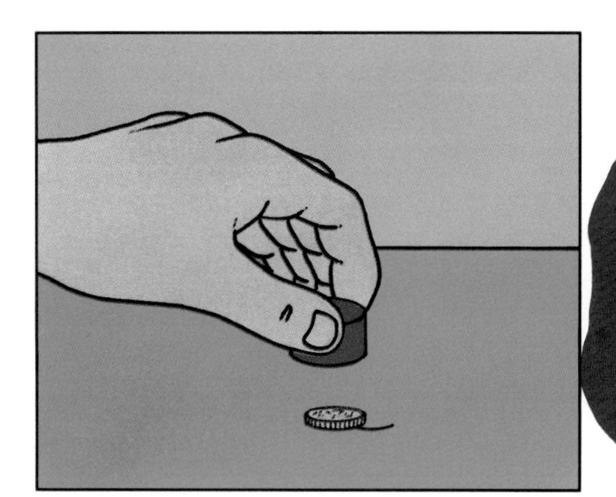

2 Puis recouvre la pièce d'un bouchon et coupe le cheveu pour qu'il ne dépasse que de 3 mm du bouchon. Pour exécuter le tour, pose la pièce sur la table, face normale vers le haut, à côtés de trois bouchons.

LE FOULARD ENSORCELÉ

Pour ce tour, il te faut seulement un foulard, du fil noir et une chaise. Avec quelques gestes habiles et un peu d'entraînement, tu pourras faire croire que le foulard passe au travers du dossier de la chaise. Assure-toi que les spectateurs sont assis face au devant de la chaise de sorte qu'ils ne puissent voir tes gestes.

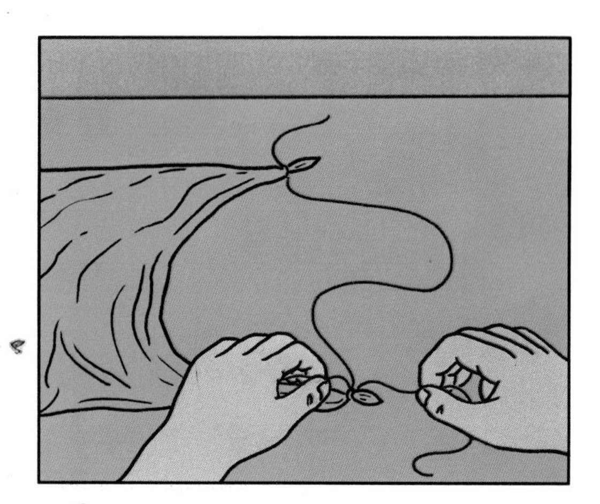

1 Pour préparer le tour, prends le foulard et attache une longueur de fil noir à deux coins diagonalement opposés du foulard, comme sur le dessin.

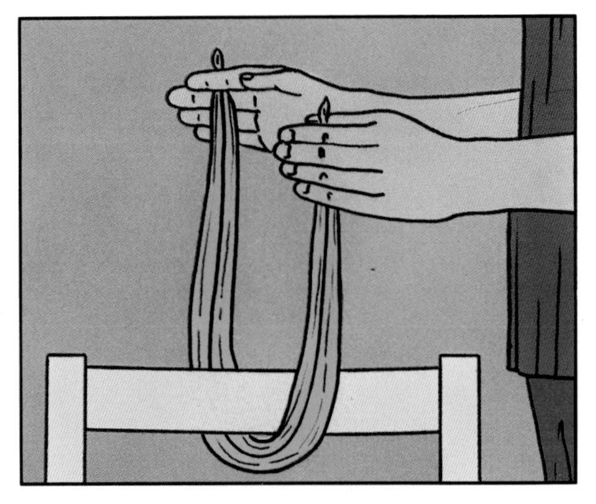

2 Pour exécuter le tour, passe le foulard sous le dossier de la chaise et tiens-le en l'air tout en maintenant les extrémités du fil avec l'index de chaque main.

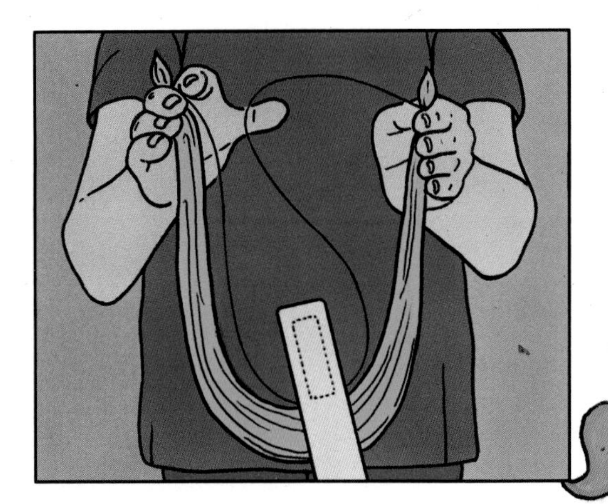

3 Baisse et lève le foulard plusieurs fois pour qu'il touche le dossier de la chaise. La dernière fois que tu baisseras le foulard, fais glisser ton pouce droit sous l'extrémité du fil qui se trouve dans ta main gauche, comme sur le dessin.

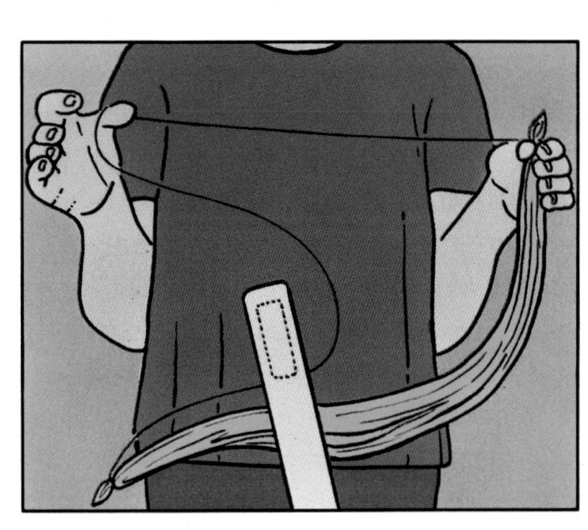

4 Lâche le coin du foulard qui est dans ta main droite et, en même temps, tire tes mains vers le haut et vers l'extérieur. L'extrémité du foulard que tu as lâchée sera tirée par le fil autour de la chaise et vers les doigts de ta main droite.

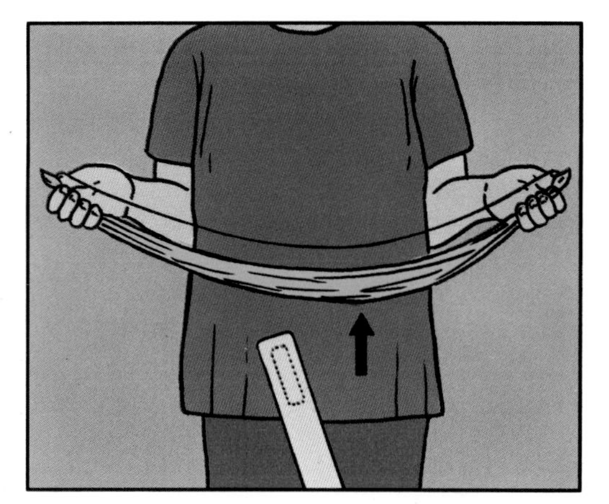

5 Les spectateurs ne verront pas que tu lâches le foulard de la main droite, car ce mouvement sera caché par le devant du foulard et par ta main gauche. Tout ce qu'ils verront, c'est que le foulard semble être passé au travers du dossier de la chaise.

IL TE FAUT

1 foulard de couleur foncée
Une longueur de fil noir fin mais solide
Une chaise à dossier découpé

LES MATHS MAGIQUES

Les problèmes de maths difficiles sont parfois résolus rapidement grâce à des formules faciles à retenir. Tant que la formule restera secrète, ton public pensera que tu as un cerveau de surhomme, ou, tout simplement, que tu es un vrai magicien. Ce tour a été exécuté bien avant que les calculatrices existent, mais tu le réaliseras encore plus vite en utilisant une petite calculatrice que tu cacheras dans la paume de ta main.

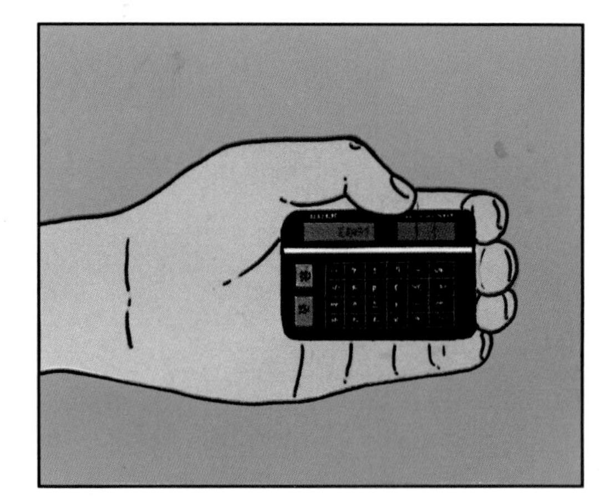

1 Pour préparer ce tour, trace sur du papier une grille de sept carreaux dans le sens de la largeur et de cinq carreaux dans le sens de la hauteur. Inscris sur cette grille les nombres de 1 à 31. Puis tiens la petite calculatrice dans la paume de ta main de manière à la dissimuler.

2 Pour présenter le tour, donne la grille et un stylo à un spectateur et tourne le dos au public. Demande-lui de dessiner un carré autour d'un bloc de neuf nombres sur la grille.

IL TE FAUT
Du papier
1 crayon-feutre
1 petite calculatrice

3 Demande à la personne qui a la feuille de papier de te donner le nombre le plus petit du carré. Ensuite, demande-lui d'ajouter tous les nombres du carré.

4 Puis utilise la formule magique et ta calculatrice dissimulée pour lui donner la réponse avant même qu'elle ait commencé ses calculs!
La formule est simple : prends le nombre le plus petit, ajoute 8 et multiplie par 9. Tu auras ainsi très rapidement la réponse.

LA CARTE RETOURNÉE

Ce super tour est facile mais très spectaculaire. Un volontaire choisit une carte et la remet dans le paquet. Le magicien doit non seulement trouver la carte choisie mais la présenter retournée dans le paquet. Quand tu exécutes ce tour, veille à ce que les spectateurs ne voient pas les mouvements que tu fais avec les cartes.

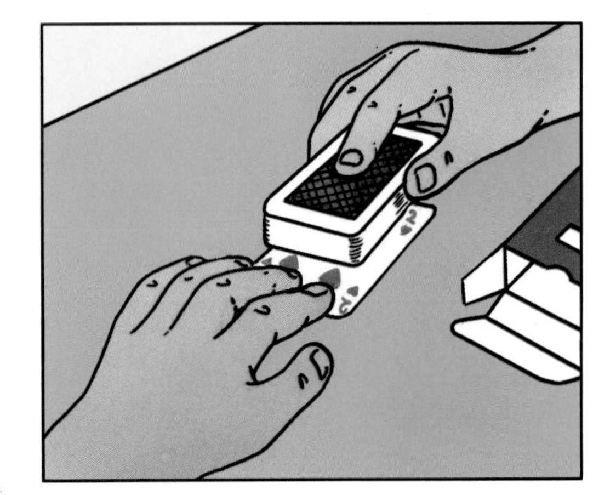

1 Pour préparer le tour, retourne la carte du dessous du paquet de manière à ce que le paquet ait deux « dessus ». Remets les cartes dans leur étui.

2 Pour exécuter le tour, sors les cartes de leur étui et présente-les derrière ton dos. Fais attention que personne ne voit la carte retournée sur le dessous du paquet. Demande à un spectateur de choisir une carte.

3 Pendant que le spectateur regarde sa carte, referme le paquet et retourne-le de manière à ce que la carte retournée soit sur le dessus. Tourne-toi face au public et tiens le paquet dans ta main comme sur le dessin.

5 Étale les cartes, à l'endroit, sur la table. La carte choisie sera la seule à l'envers, ou à l'endroit si tu as tenu le paquet dans l'autre sens pour le montrer au public.

4 Prends la carte choisie par le spectateur et remets-la dans le paquet. Tiens les cartes dans ton dos et remets discrètement la carte retournée du bon côté. En le faisant, explique que tu vas non seulement trouver la carte choisie mais qu'elle sera retournée dans le paquet.

LA SOIE QUI GLISSE

La corde est attachée au foulard de soie par un nœud, mais la soie est aussi nouée à la corde. Tes amis n'en reviendront pas quand ils verront le foulard de soie s'échapper de la corde alors que le nœud est intact.

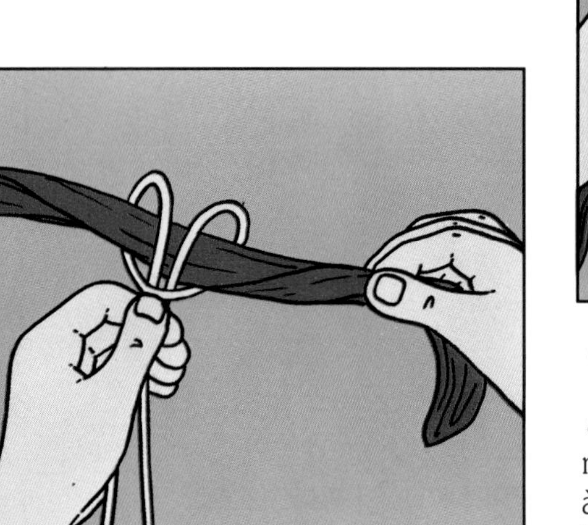

1 Pour présenter le tour, prends la corde et montre bien au public qu'elle est lisse. Plie-la en deux. Fais une boucle avec la corde comme sur le dessin, et annonce au public que tu as fais un « nœud » au milieu de la corde. Prends le foulard de soie et passe-le dans la boucle (le « nœud »), comme sur le dessin.

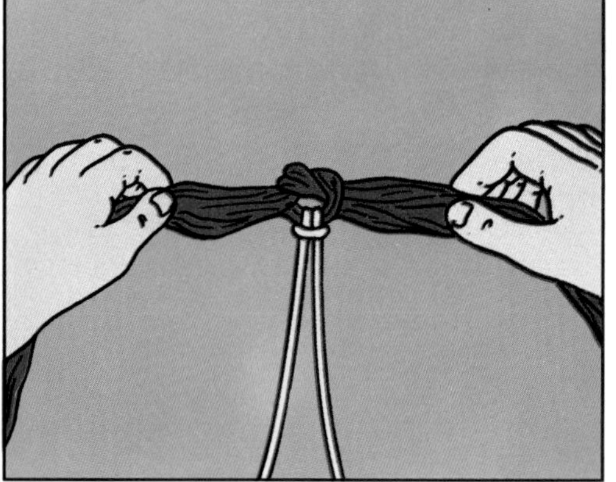

2 Tire le « nœud » en serrant et montre aux spectateurs que la corde est nouée au foulard. Dis-leur que maintenant tu vas attacher le foulard à la corde. Fais une simple boucle avec le foulard comme sur le dessin.

3 Tiens la corde de chaque côté à environ 30 cm du « nœud » pour bien montrer que tout est normal. En fait, ce mouvement va permettre d'inverser les nœuds et de former une grande boucle au milieu du foulard. Tu vas pouvoir enlever le foulard.

4 Pose ton pied gauche sur l'un des bouts de la corde et tends-la en tirant avec la main gauche. Attrape le foulard par la boucle et fais-le glisser de haut en bas sur la corde, comme si tu sciais du bois.

5 Tire sur le foulard d'un mouvement brusque : il va se libérer tout en restant noué.

IL TE FAUT
1 morceau
de corde lisse
de 2 m de long
1 carré de soie fine
de 45 cm de côté

LA CORDE COUPÉE ET RÉPARÉE

Voici un tour classique que tu perfectionneras très vite. On coupe une longue corde en deux et, grâce à un système de nœuds ingénieux, on la répare... comme par magie!

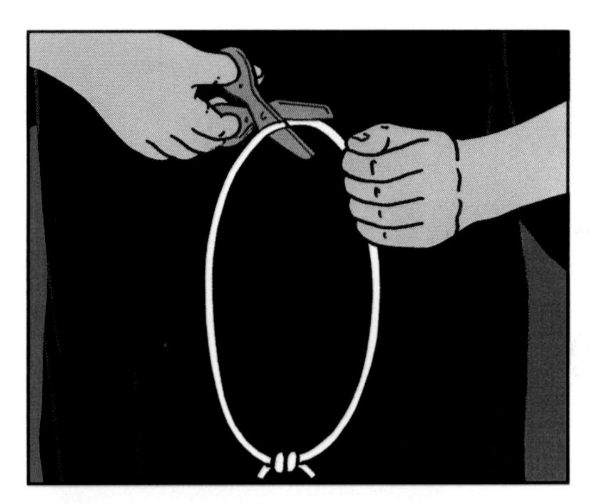

2 Pour exécuter le tour, montre la corde aux spectateurs. Ils vont croire que c'est une corde avec un nœud. Avec des ciseaux, coupe la corde à l'endroit où les bouts ont été collés, et attache les bouts ensemble pour former un nœud.

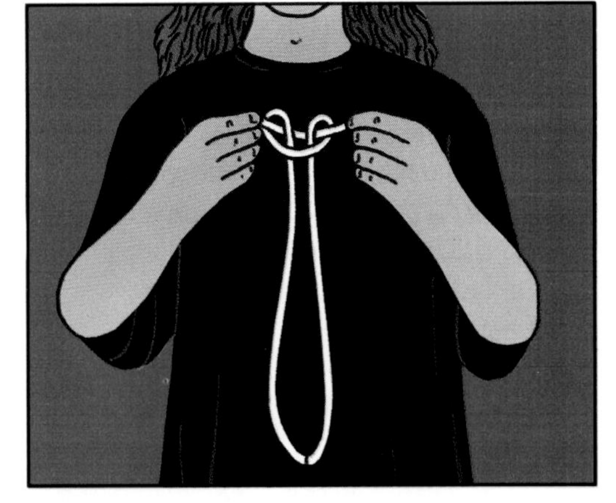

1 Pour préparer le tour, colle les extrémités d'une longue corde ensemble en formant un cercle. Laisse sécher. Fais une boucle sur la corde du côté opposé à la jointure des extrémités comme sur le dessin. Place un petit morceau de corde dans la boucle pour faire une sorte de nœud. Tire sur la corde pour serrer le nœud.

3 Tiens la corde en prenant le vrai nœud dans la main droite et le faux nœud dans la main gauche. Demande à un spectateur de désigner la droite ou la gauche.

IL TE FAUT
1 morceau de corde
de 1,40 m de long
1 morceau de corde
de 10 cm de long
Des ciseaux
De la colle universelle

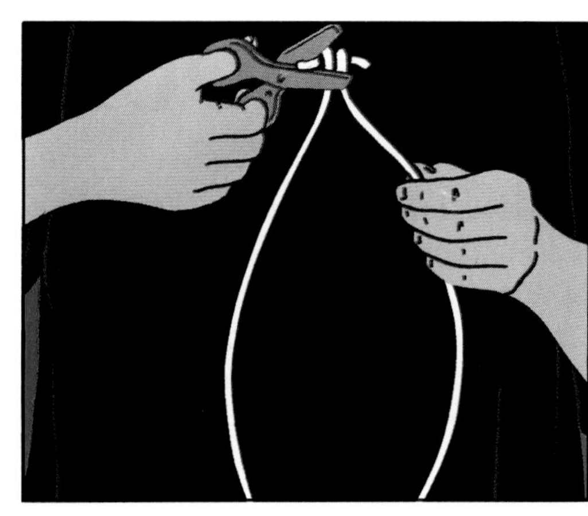

4 Si on te dit : « Gauche », réponds : « Je vais défaire mon nœud », et si c'est : « Droite », dis : « Je vais défaire ton nœud. » Quelle que soit la réponse, défais le vrai nœud. Prends ensuite le faux nœud et coupe les extrémités du petit morceau de corde, près des boucles.

5 Tiens la corde dans tes mains de sorte que le faux nœud se trouve au milieu. Prononce une formule magique et tire. Le nœud va se défaire et le petit morceau sauter, laissant la corde parfaitement lisse!

LA CARTE DE HOUDINI

Le magicien Harry Houdini était américain. Il vécut de 1874 à 1926. Il était connu comme le roi de l'évasion, car aucun coffre, aucun verrou, aucune chaîne ne lui résistaient ; il arrivait toujours à s'échapper ! Ce tour s'appelle « la carte de Houdini » car le 10 de carreau est fermement maintenu entre deux autres cartes et que toi seul connais le secret de sa disparition.

IL TE FAUT

Deux 10 de carreau
Un 10 de trèfle
Un 10 de pique
Une pince à linge
Un foulard

1 Pour préparer le tour, cache l'un des 10 de carreau dans ta poche. Puis coupe une très petite bande de chaque côté sur les parties les plus longues du 10 de trèfle et du 10 de pique. Coupe un petit rectangle sur l'un des bords courts du second 10 de carreau. Place le 10 de carreau entre le dix de trèfle et le 10 de pique, le côté coupé en bas.

2 Pour exécuter le tour, prends les cartes dans la main droite et maintiens les coins gauche du bas des cartes entre le pouce et les autres doigts. Étale les cartes pour montrer que le 10 de carreau est au milieu.

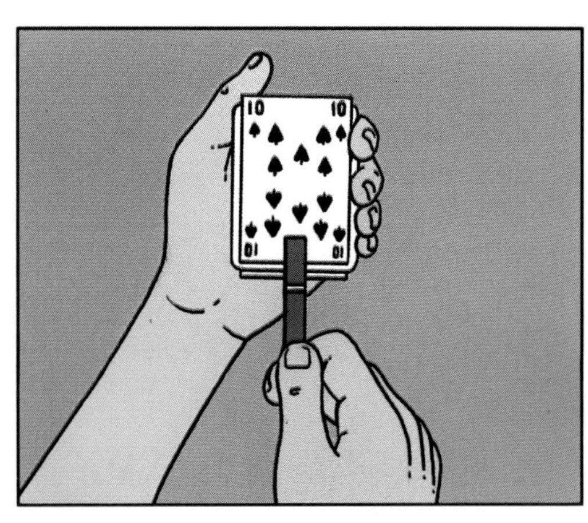

3 Referme le jeu et attache le bas des cartes avec une pince à linge comme sur le dessin.

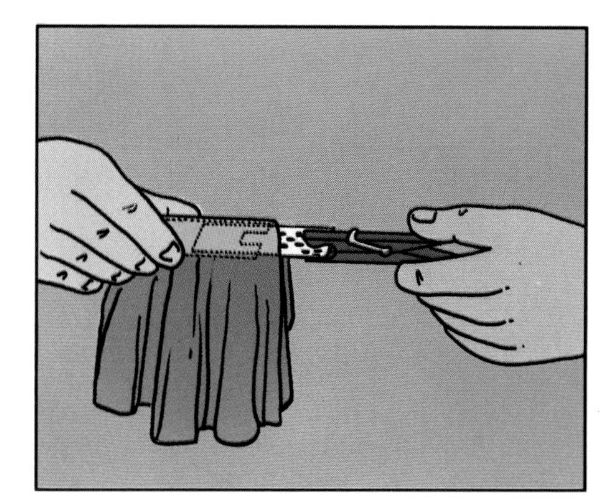

4 Demande à un assistant de tenir la pince à linge. Recouvre les cartes et la pince à linge avec un foulard. De la main droite, tiens les bords des cartes à travers le foulard. Demande à ton assistant de choisir le rouge ou le noir. S'il dit « Noir », tire sur le foulard et fais glisser secrètement la carte rouge entre les deux cartes noires plus étroites.

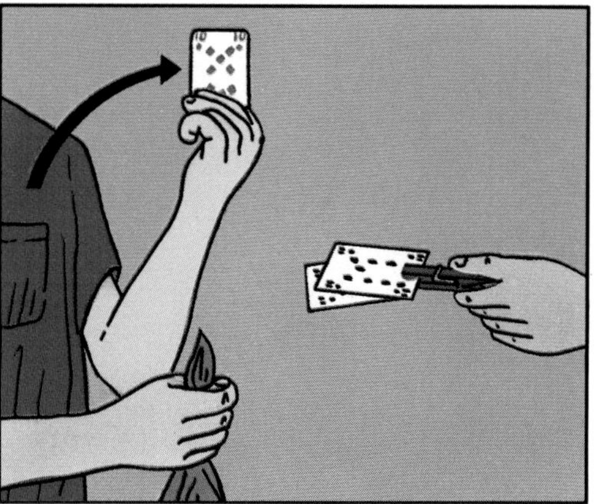

5 Quand ton aide regardera les deux cartes noires qui restent dans la pince à linge, dis-lui : « Ce sont tes cartes noires et ma carte rouge est maintenant dans ma poche.» (Sors la carte cachée.) Si ton aide te dit « Rouge », fais la même manœuvre qu'en 4 et dis : « Ta carte rouge a disparu, et elle se trouve maintenant dans ma poche. »

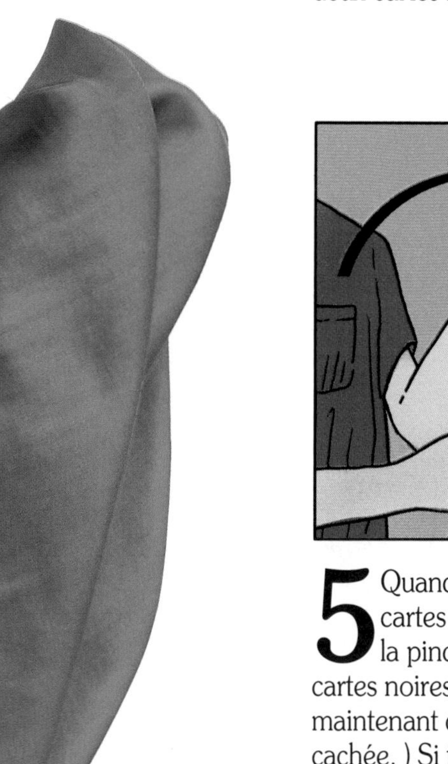

LES DÉS MAGIQUES

Déconcerte tes amis avec ce tour de dés très facile. Ils croiront que tu lis dans leurs pensées. Demande à un volontaire d'additionner les points des faces cachées des dés, et de penser très fort au résultat obtenu. Étonne-le en révélant le nombre auquel il a pensé.

1 Pour exécuter ce tour, demande à une personne de l'assistance de jeter les dés sur la table autant de fois qu'elle le désire pendant que tu as le dos tourné.

2 Quand elle aura constaté que les dés sont parfaitement normaux, demande-lui de placer les dés les uns sur les autres pour former une pile.

IL TE FAUT
4 dés
1 bloc de papier
1 stylo

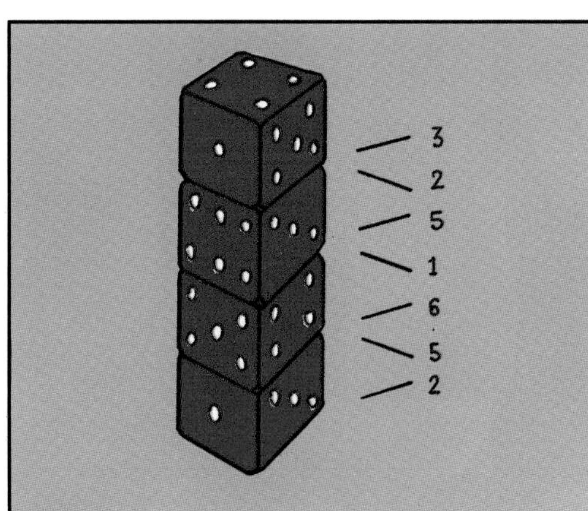

3 Retourne-toi et demande-lui d'additionner les points sur les faces invisibles des dés : c'est-à-dire la face du premier dé posé sur la table et les faces qui sont en contact les unes avec les autres. Demande-lui alors de penser très fort au chiffre du total.

4 Prends ton bloc et ton stylo et, après quelques minutes de concentration, épate tout le monde en inscrivant le nombre auquel la personne a pensé très fort.

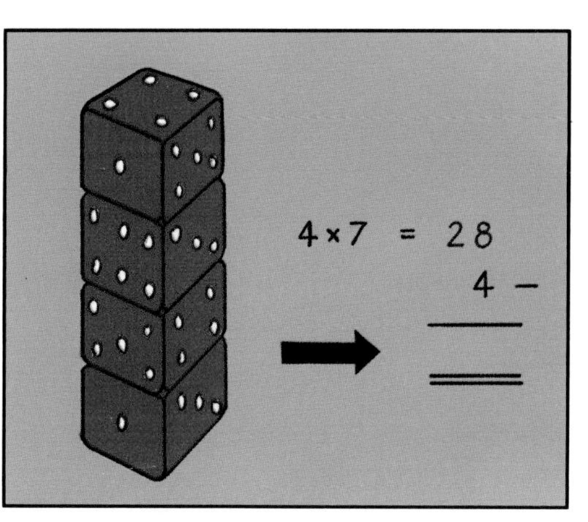

5 Comment faire ? C'est très simple ! Les points des faces opposées d'un dé forment toujours un total de 7, donc, sept faces cachées plus la face visible du dé du dessus font 28. La seule chose que tu as à faire, c'est de repérer le nombre de points sur la face du dessus du dernier dé, au moment où tu te retournes pendant la troisième étape du tour, et de soustraire ce nombre de 28. Ici, la face du dessus portant un 4, tu calcules 28 - 4 = 24.

LA BALLE ENSORCELÉE

Il va te falloir un peu d'entraînement pour réaliser ce tour, mais tes efforts seront récompensés quand tu verras les mines ébahies de tes spectateurs. La balle paraît se promener sur la corde mais, ce que le public ignore, c'est qu'en fait elle se déplace sur une longueur de fil attaché à la corde.

IL TE FAUT

1 balle légère comme une balle de ping-pong
1 m de grosse corde
60 cm de fil fin ou de fil de pêche en Nylon
1 verre à pied

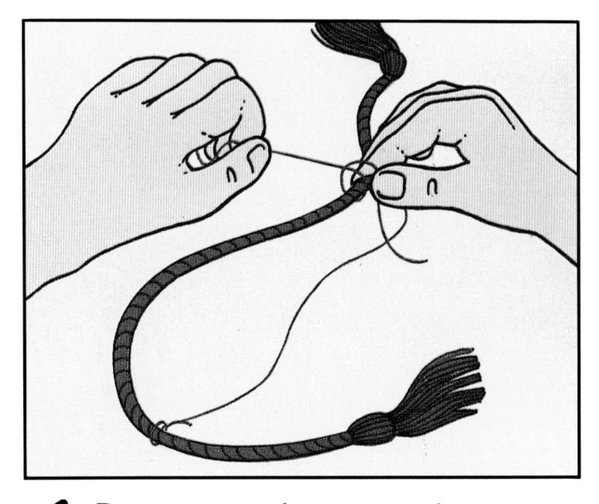

1 Pour préparer le tour, attache sur la corde les extrémités du morceau de fil comme sur le dessin.

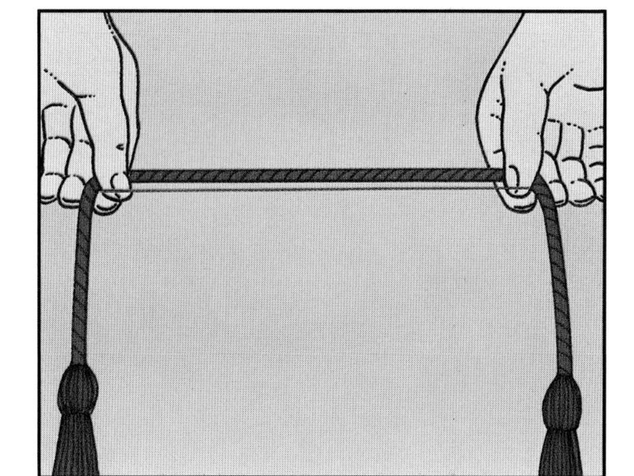

2 Prends la corde et place tes pouces entre la corde et le fil. Tiens la corde tendue de manière à ce que la corde et le fil forment un rail. Il faudra bien t'entraîner à faire ce geste avant d'exécuter le tour.

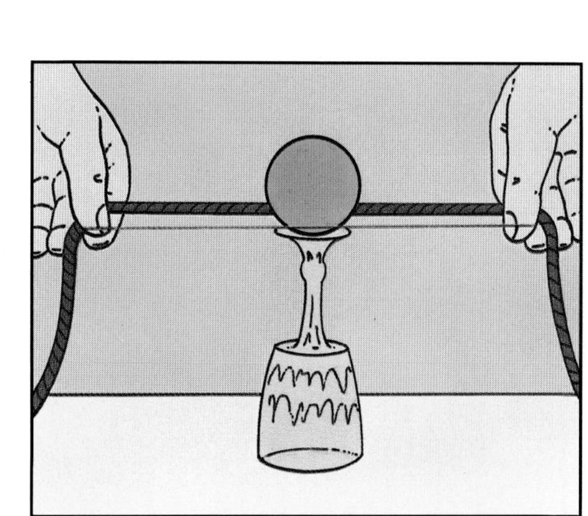

3 Pose la balle sur la base du pied d'un verre à vin. Prends la corde et le fil comme indiqué en 2, et place-les sur la balle en t'arrangeant pour que la corde soit devant la balle et le fil derrière. Descends les mains jusqu'à ce que la corde et le fil soient au niveau de la base de la balle.

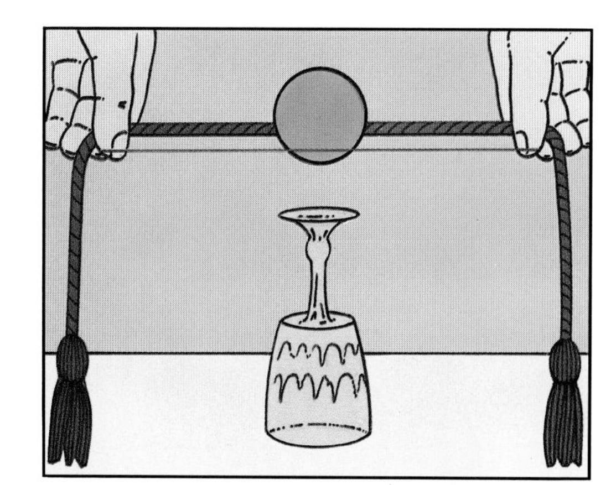

4 Tends la corde et le fil et soulève doucement la balle pour l'enlever du verre. Baisse doucement la corde vers la droite, puis vers la gauche. La balle roulera sur la corde.

CHOISIS UNE CARTE

Voici un tour de cartes très malin qui épatera tes amis. Grâce à quelques astuces et à un geste « en ciseaux » très spécial, tu arriveras à lire dans les pensées du volontaire qui acceptera de jouer avec toi et à révéler à quelle carte il a pensé.

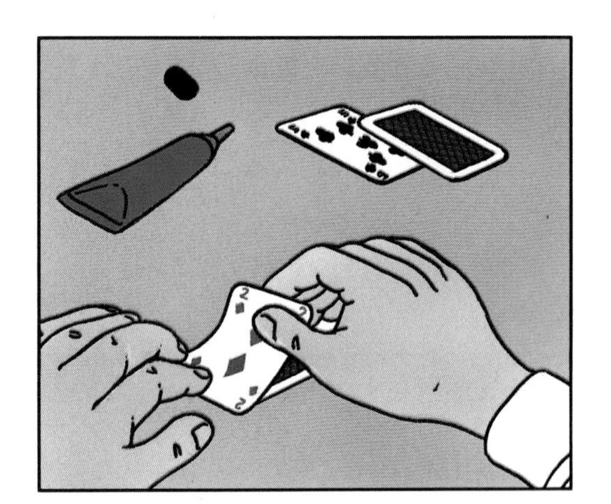

1 Pour préparer le tour, colle deux cartes, par exemple le 2 de carreau et le 8 de trèfle, dos à dos. C'est ce qu'on appelle une carte «double face ». Puis colle deux cartes face contre face. Tu obtiens une carte « double envers ».

2 Tiens les cartes entre le pouce et les doigts de la main droite avec la carte double envers sur le dessus et le 8 de trèfle en dessous, comme sur le dessin. Pour effectuer un geste en « ciseaux », retourne ta main pour montrer l'autre côté des cartes et, en même temps, pousse ton pouce vers la gauche et les autres doigts vers la droite dans un mouvement en ciseaux. Ce geste va permettre de faire apparaître le 2 de carreau de la carte double face. Inverse les mouvements quand tu refais le tour en arrière.

3 Pour exécuter le tour, présente les cartes au public en utilisant le geste en ciseaux et jette-les dans le chapeau haut de forme. Demande à quelqu'un de penser à l'une de ces cartes et annonce que tu vas lire dans ses pensées et révéler celle qu'il a choisie.

4 Prends la carte double envers dans le chapeau haut de forme. En même temps, jette un coup d'œil pour voir de quel côté est la carte double face. Sors la carte double envers et annonce que ce n'est pas la bonne. Mets-la dans ta poche.

5 Maintenant, demande à la personne qui a choisi la carte de révéler son choix. S'il s'agit de celle que tu as vue dans le chapeau, il te suffit de montrer l'intérieur de celui-ci pour que tout le monde voie qu'il s'agit de la bonne carte. S'il s'agit de l'autre carte, sors la carte double face du chapeau et montre le bon côté au public.

IL TE FAUT
4 cartes à jouer
De la colle universelle
1 chapeau haut de forme
(voir page 88)

LE MOUCHOIR QUI SE DÉNOUE

Tout le monde s'amusera follement à regarder ce mouchoir qui se tortille comme un serpent. Toi seul sais qu'un long fil, attaché au mouchoir, permet au nœud du mouchoir de se défaire dès que tu tires dessus.

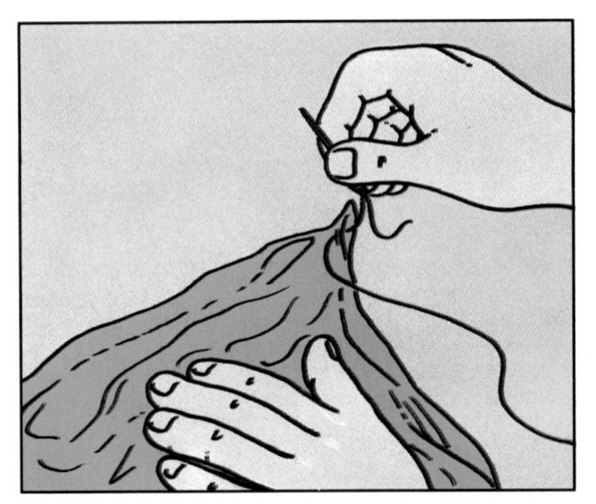

1 Pour préparer le tour, coupe une longueur de fil qui aille de tes pieds à ta taille. Couds l'une des extrémités du fil à l'un des coins du mouchoir et attache l'autre bout à ta chaussure droite avec l'épingle de sûreté.
(Porte des chaussures en toile, des tennis, par exemple.)

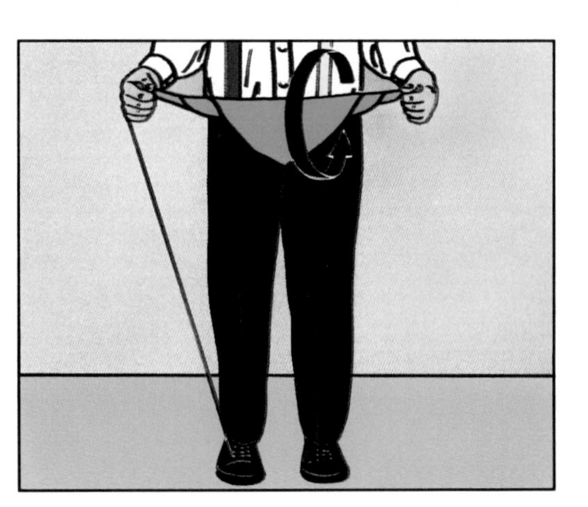

2 Pour exécuter le tour, tiens le mouchoir entre tes mains, en ayant le coin attaché au fil dans la main droite. Fais faire un mouvement circulaire au mouchoir comme sur le dessin.

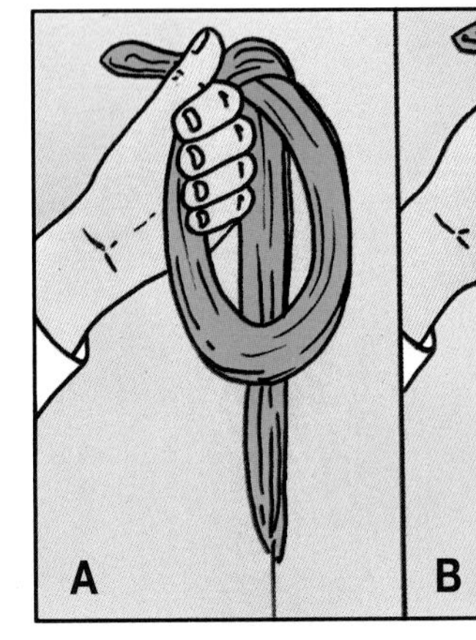

3 Fais une boucle avec le mouchoir comme sur le dessin A. Passe dans la boucle le bout du mouchoir attaché au fil, comme sur le dessin B.

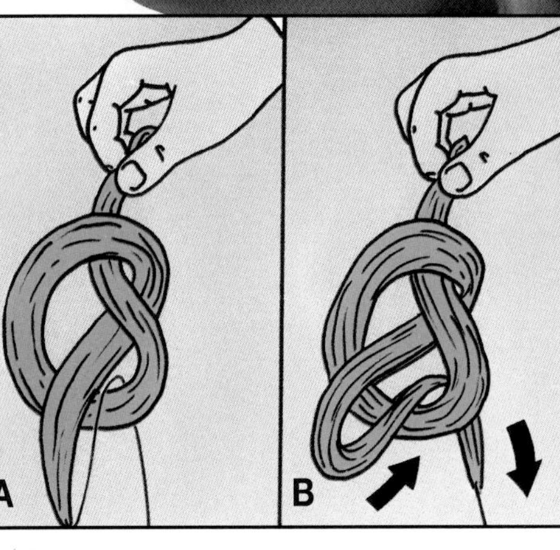

4 Tire sur le nœud pour le serrer davantage, comme sur le dessin A. Puis, en tenant l'extrémité du mouchoir qui n'est pas liée au fil, tire le mouchoir vers le haut, comme sur le dessin B.

5 En tendant le fil, la partie du mouchoir qui lui est attachée se dénouera comme un serpent en passant au travers du nœud.

PAS LE CHOIX !

Avec ce tour de cartes très malin, tu vas pouvoir obliger une personne du public à désigner la carte de ton choix. Le secret est dans la manière dont tu vas disposer le jeu de cartes avant de commencer.

1 Pour préparer le tour, commence par retourner la carte qui se trouve au-dessous du paquet, comme si le paquet avait deux « dessus ». Puis mets la carte que tu veux que choisisse le volontaire (par exemple, le 9 de pique) à l'endroit sous la carte que tu as retournée, comme sur le dessin.

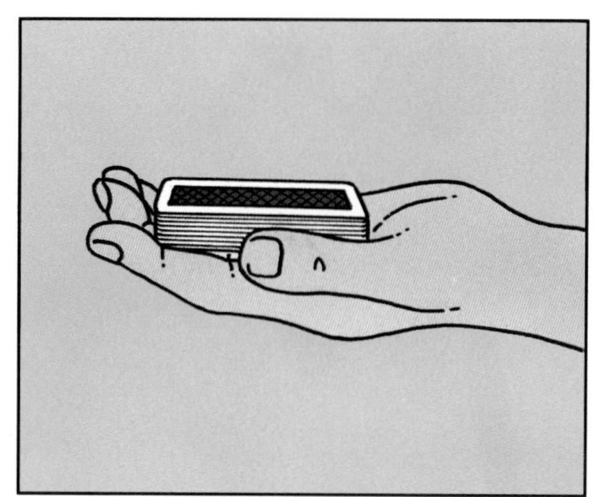

2 Pour exécuter le tour, prends le paquet de cartes et tiens-le à l'envers dans ta main gauche, en faisant bien attention qu'on ne voie pas les deux cartes retournées.

IL TE FAUT
1 paquet de cartes
1 grand mouchoir

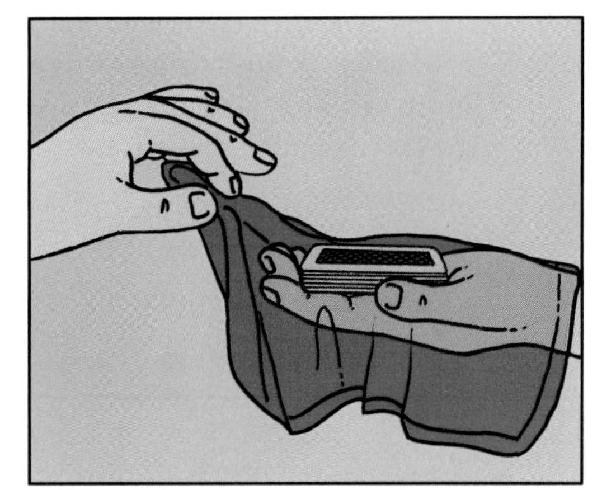

3 Explique que tu vas demander à un volontaire de couper le paquet puis de prendre la carte du dessus parmi celles qui restent dans ta main. Annonce que tu vas recouvrir le paquet de cartes avec un mouchoir pour ne pas voir le volontaire couper le paquet.

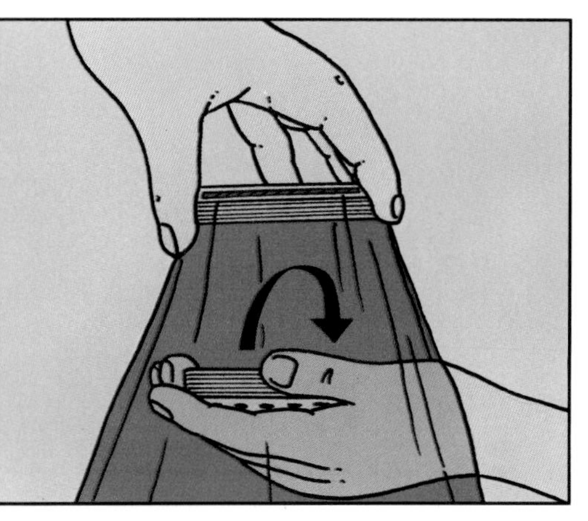

4 Puis demande au volontaire de couper le paquet à travers le mouchoir. Au moment où il enlève les cartes et le mouchoir, retourne secrètement les cartes qui restent dans ta main. Le 9 de pique sera sur le dessus.

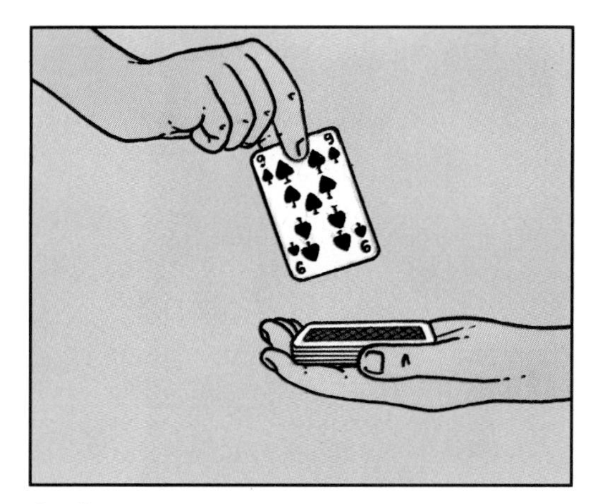

5 Présente les cartes au volontaire et demande-lui de prendre la carte du dessus sans te la montrer. Puis concentre-toi et annonce qu'il s'agit du... 9 de pique !

LES CISEAUX MAGIQUES

Ce super tour de cartes s'inspire du tour précédent, « Pas le choix! ». Les spectateurs n'en reviendront pas quand tu leur présenteras des découpages des cartes qu'ils auront choisies. Mais toi seul sauras que tu as secrètement préparé avant les cartes que tu voulais que tes volontaires choisissent.

1 Pour préparer ce tour, prends le paquet de cartes et retourne la carte qui se trouve au-dessous du paquet. Puis place trois cartes, le 8 de cœur, le 8 de pique et le 4 de carreau, également retournées, sous la dernière carte du paquet. Rappelle-toi bien dans quel ordre sont placées les cartes. Reprends les étapes 2 à 5 du tour « Pas le choix! », et demande à trois volontaires de prendre l'un après l'autre la carte du dessus, sans te la montrer.

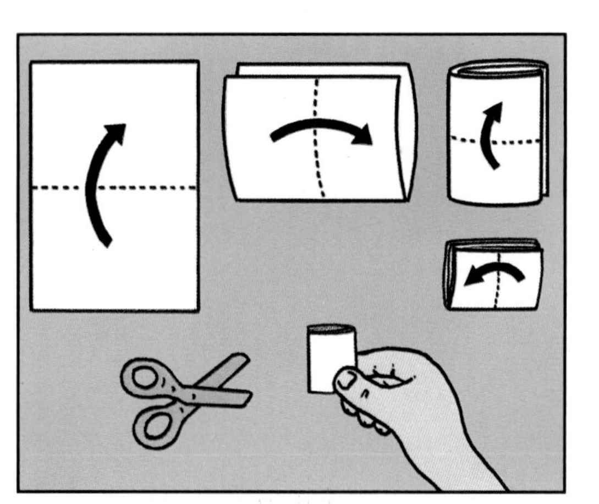

2 Montre une feuille de papier au public et plie-la en deux quatre fois de suite. Explique que, grâce à tes ciseaux magiques, tu vas découvrir les trois cartes qui ont été choisies.

3 Demande au volontaire qui a pris la première carte (le 8 de cœur) de se concentrer sur sa carte. Découpe soigneusement la forme indiquée ci-dessus à travers les épaisseurs de papier plié. Demande à ton volontaire quelle est sa carte et déplie la feuille de papier. Il verra huit cœurs découpés.

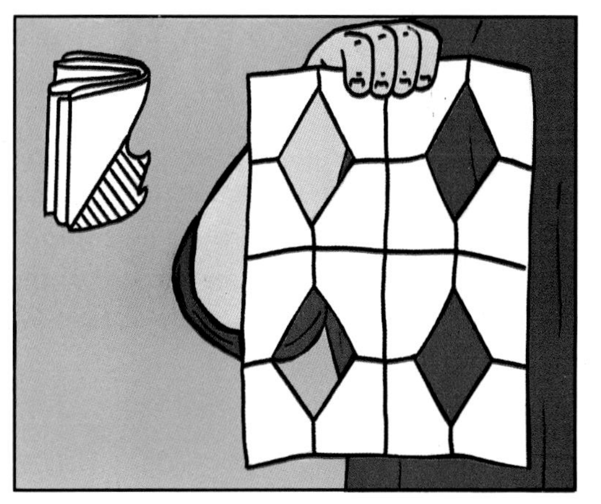

4 Replie la feuille de papier découpé, et demande au deuxième volontaire de se concentrer sur la carte qu'il a sélectionnée. Puis découpe la forme ci-dessus. Demande au deuxième volontaire de dire quelle carte il a choisie et déplie le papier pour que l'on découvre le 8 de pique.

5 Enfin, adresse-toi au dernier volontaire. Replie encore une fois la feuille de papier et demande au troisième volontaire de se concentrer sur la carte qu'il a choisie. Découpe la forme comme indiqué ci-dessus, et demande quelle est la troisième carte.
Quand on te dit 4 de carreau, hésite un peu et prends un air ennuyé. Tout le monde croira que tu t'es trompé et que tu as encore découpé un 8. Ce qui n'est pas le cas, bien sûr.
Alors, avec un grand sourire, déplie le papier et dévoile... le 4 de carreau.

IL TE FAUT
1 jeu de cartes
1 mouchoir
Des ciseaux
1 feuille de papier

LA BOBINE QUI MONTE

Ton public s'amusera beaucoup à voir ces bobines défier les lois de la pesanteur. Tes amis ne comprendront pas comment la bobine de fil blanc se retrouve sur les bobines de fil rouge. Toi seul connais le secret. Pour ce tour, tu n'auras besoin que d'un tube magique et de quatre bobines de fil.

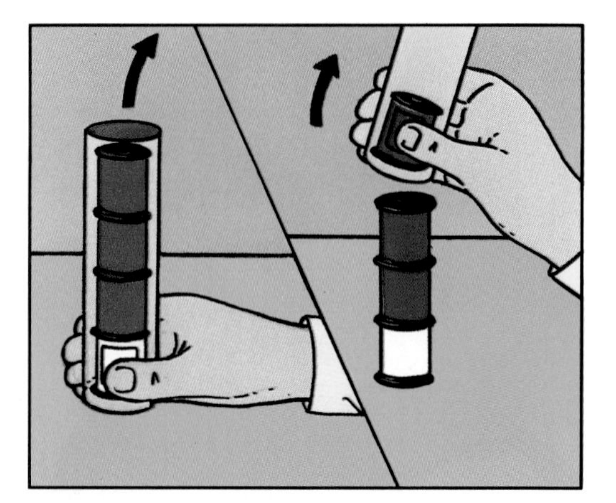

2 Maintenant, apprends la manœuvre secrète. Couvre les bobines avec le tube. Tiens le tube en mettant quatre doigts sur le devant et le pouce sur le trou; soulève le tube. Quand le bas du tube arrive au niveau du dessous de la bobine du dessus, enfonce ton pouce dans le trou et enlève cette bobine. Repose le tube à côté de la pile.

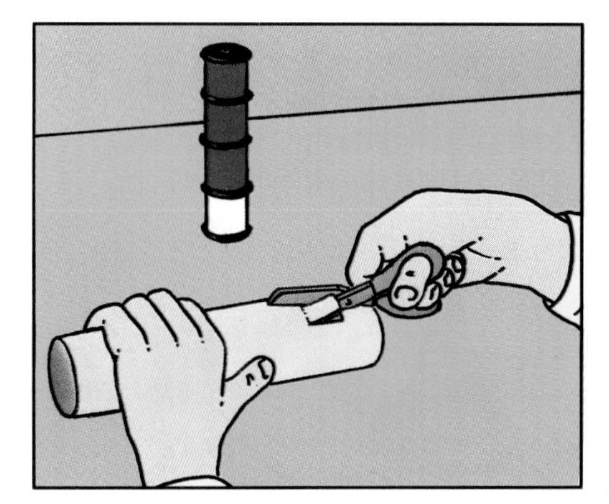

1 Pour fabriquer le tube magique, coupe le tube de carton de manière à ce qu'il soit juste un peu plus haut que les quatre bobines de fil empilées. Recouvre le tube de plastique adhésif. Découpe un trou carré de 2 cm de côté à l'arrière du tube.

IL TE FAUT
Du plastique adhésif
1 tube de carton
Des ciseaux
3 bobines de fil rouge
1 bobine de fil blanc

ATTENTION : *Ne te sers pas de ciseaux pointus sans l'aide d'un adulte.*

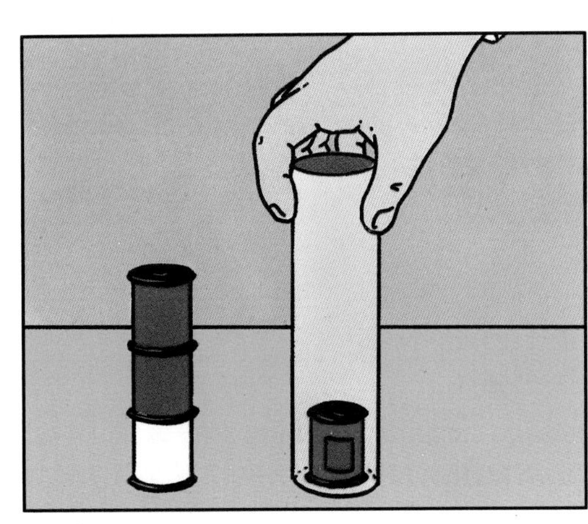

3 Avant d'exécuter le tour, empile les deux bobines rouges sur la bobine blanche; cache la troisième bobine rouge dans le tube et pose celui-ci à côté de la pile, comme sur le dessin. Tu es prêt. Explique que la bobine blanche représente l'ascenseur et les bobines rouges les étages 1 et 2. Dis que tu vas faire monter l'ascenseur au premier étage. Prends la pile des trois bobines et fais-la glisser dans le tube au-dessus de la bobine rouge cachée.

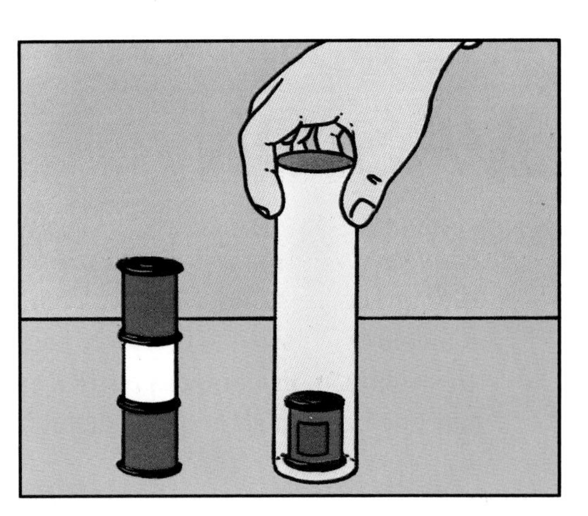

4 Prononce une formule magique, puis enlève le tube en « volant » la bobine rouge du dessus. Repose le tube avec la bobine rouge sur la table. La bobine blanche est grimpée au premier étage.

5 Explique que tu vas maintenant faire monter l'ascenseur au second étage. Prends la bobine rouge sur le dessus de la pile et fais-la glisser dans le tube au-dessus de la bobine cachée. Fais de même avec la bobine blanche, puis avec la dernière bobine rouge. Abracadabra! Enlève le tube en « volant » la bobine du dessus. La bobine blanche est maintenant en haut de la pile, au second étage.

LE SAC DE LA GRANDE ÉVASION

Si tu veux réaliser la grande évasion de la page suivante, il te faut d'abord confectionner ce sac. Demande à un adulte de t'aider à mesurer le tissu et à diviser le sac en trois parties. Ce sac a l'air très solide, mais l'une des parties est en fait fermée dans le bas par une bande Velcro qui se défait facilement.

IL TE FAUT
1 rectangle de tissu rayé
de 3 sur 1,50 m
1 aiguille et du fil
Des ciseaux
Du Velcro adhésif

1 Pour faire le sac en tissu, divise le côté le plus long en trois parties de 1 m chacune. Replie l'une des parties comme sur le dessin et fixe les deux parties du tissu avec du Velcro adhésif.

2 Puis replie le dernier côté comme sur le dessin, et fixe les deux parties du tissu avec du Velcro adhésif. Tu as maintenant un sac à deux compartiments.

3 Couds la base d'un des compartiments du sac et ferme l'autre avec du Velcro adhésif.

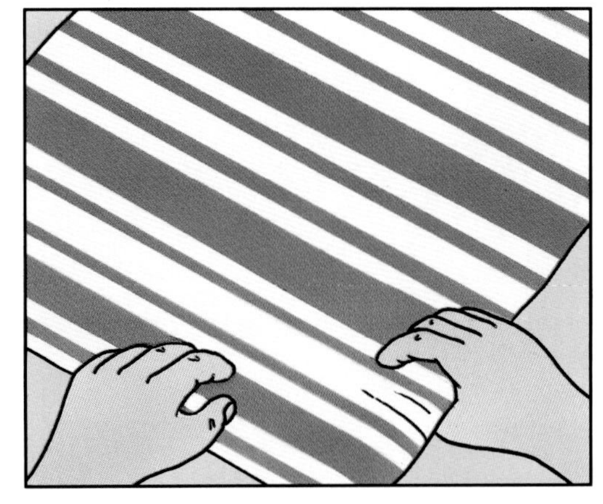

4 Le sac a l'air très solide et les spectateurs penseront que les côtés sont bien cousus. Maintenant, tourne la page et tu verras comment réaliser la grande évasion.

ATTENTION : *N'utilise pas de ciseaux pointus sans l'aide d'un adulte.*

LA GRANDE ÉVASION

Voici un tour sensationnel que tu pourras exécuter à la fin de ton spectacle. Il te faudra une partenaire qui jouera le rôle de celle qui arrive à s'échapper d'un sac parfaitement fermé. Entraîne-toi avec ta partenaire avant de présenter ce numéro en public.

1 Fabrique un sac en suivant les instructions des pages 80 et 81. Pour exécuter le tour, retourne le sac sur l'envers face au public. Passe les mains à l'intérieur du sac pour montrer que le fond est solide. Fais bien attention que le public ne s'aperçoive pas que le sac est fait de deux parties.

2 Retourne le sac pour qu'il soit de nouveau à l'endroit. Puis présente ta partenaire et annonce qu'elle va s'évader du sac. Demande à ta partenaire d'entrer dans le sac. (Elle doit se mettre dans la partie du sac dont le fond est fermé par du Velcro.) Demande à un spectateur de t'aider à nouer la corde très serré en haut du sac.

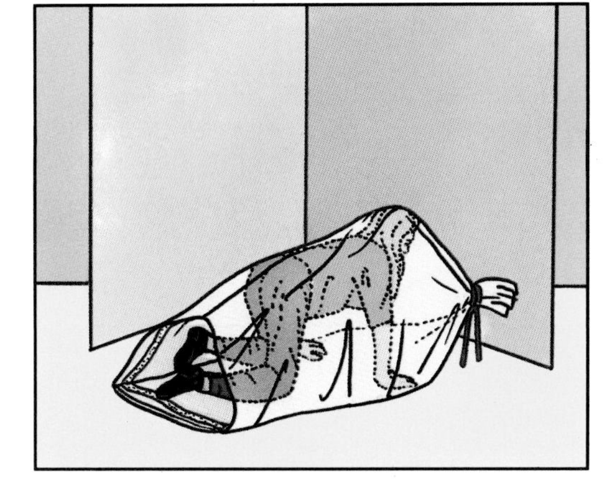

3 Place un écran devant le sac pour que ta partenaire puisse s'échapper ou demande à tout le monde de quitter la pièce. Quand ta partenaire sera hors de la vue du public, elle s'échappera en poussant avec les pieds sur le fond du sac. Le Velcro se défera facilement. Quand elle sera sortie, elle n'aura plus qu'à refermer le Velcro.

4 Ton public n'en reviendra pas quand il verra que ta partenaire s'est évadée. Montre-lui le sac fermé et insiste sur la corde toujours fermement nouée en haut du sac.

IL TE FAUT

Le sac spécial
(voir page 80)
2 m de corde

L'APPARITION

Voici un tour très spectaculaire souvent présenté sur scène ou à la télévision. On montre au public une grande boîte en carton vide, qui est en fait constituée de deux « paravents » à trois côtés. Les spectateurs n'en croiront pas leurs yeux quand, d'un claquement de main, tu feras surgir ton partenaire de la boîte.

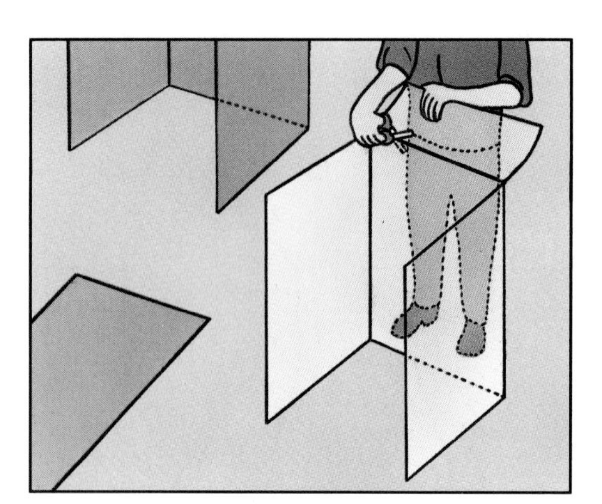

1 Pour préparer le tour, découpe le dessus, le fond et un des côtés de chacun des cartons pour faire des paravents à trois côtés comme sur le dessin.

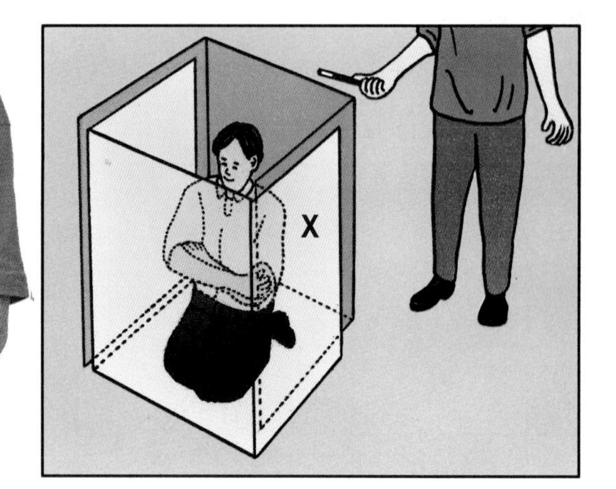

2 Dispose les paravents de manière à former une boîte fermée comme sur le dessin, avec ton partenaire caché à l'intérieur. Remarque bien le côté marqué d'une croix.

ATTENTION : *N'utilise pas les ciseaux pointus sans l'aide d'un adulte.*

IL TE FAUT
2 grands emballages en carton (les emballages des réfrigérateurs ou des machines à laver sont parfaits)
1 baguette magique (voir page 90)

3 Pour exécuter le tour, ouvre le côté marqué d'une croix vers le public. Tire le carton de derrière et fais-le tourner de manière à ce que le public le voie. Replace le carton à ta gauche à côté de l'autre carton de manière à ce qu'il chevauche légèrement le côté marqué d'une croix. Pendant cette opération, ton partenaire passe sans qu'on le voie dans le carton qui est maintenant sur le devant.

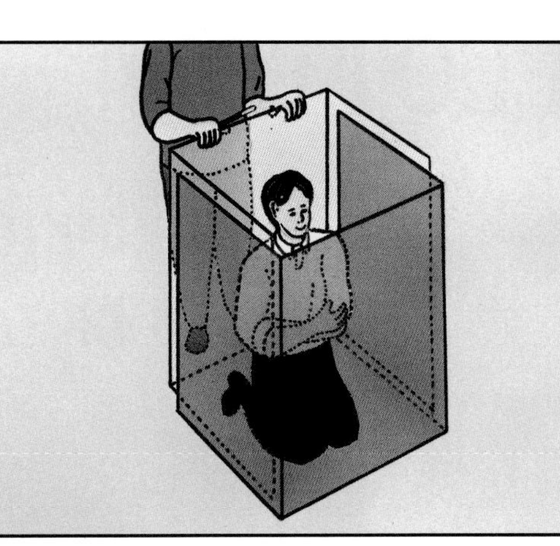

4 Puis, retire le carton où s'était caché ton partenaire et fais-le tourner pour qu'il soit visible par le public. Place le carton à l'arrière du carton de devant, comme sur le dessin.

5 Claque dans tes mains, agite ta baguette magique, et ton partenaire surgira de la boîte.

LA DAME QUI FLOTTE

Un des tours les plus amusants qu'un magicien puisse faire, c'est la lévitation d'un être humain. Le mot léviter veut dire s'élever ou flotter dans l'air sans aucun support ni personne pour vous aider. Maintenant, toi aussi tu vas pouvoir exécuter ce tour, avec l'aide d'une amie qui sait garder les secrets. Tu n'auras besoin que d'un drap et d'un peu d'entraînement.

1 Pour exécuter le tour, tiens-toi debout face au public et demande à ton amie de s'étendre par terre sur le dos, devant toi.

2 Recouvre ton amie avec le drap. Pendant que tu mets le drap sur elle, maintiens-le un moment devant elle pour la dissimuler et pour qu'elle ait le temps de se retourner sur le ventre.

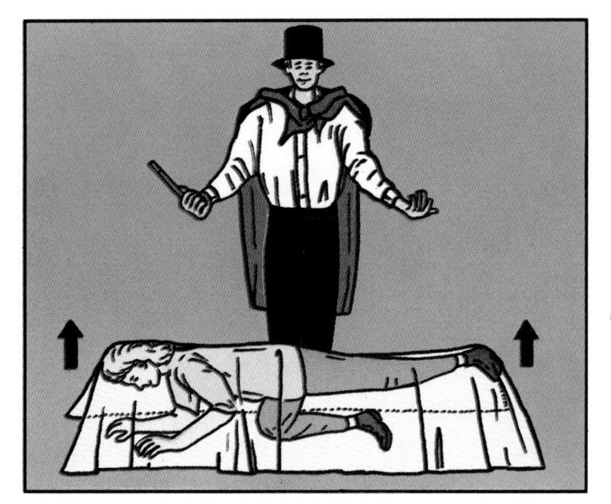

3 Agite ta baguette et prononce une formule magique. C'est le signal pour que ton amie commence à se redresser. Pour cela, elle gardera une jambe au sol et s'élèvera en s'appuyant sur ses deux bras et en montant l'autre jambe.

4 Ton amie devra continuer à se redresser jusqu'à ce qu'elle soit à 60 cm au-dessus du sol. Prononce une autre parole magique pour lui signaler qu'elle peut redescendre doucement sur le sol.

LE HAUT- DE- FORME DU MAGICIEN

Tous les magiciens possèdent un chapeau haut de forme très chic pour les représentations. Ils sont assez chers, alors essaie de t'en fabriquer un en carton. Décore ton chapeau avec des étoiles scintillantes et tu auras l'air d'un vrai professionnel.

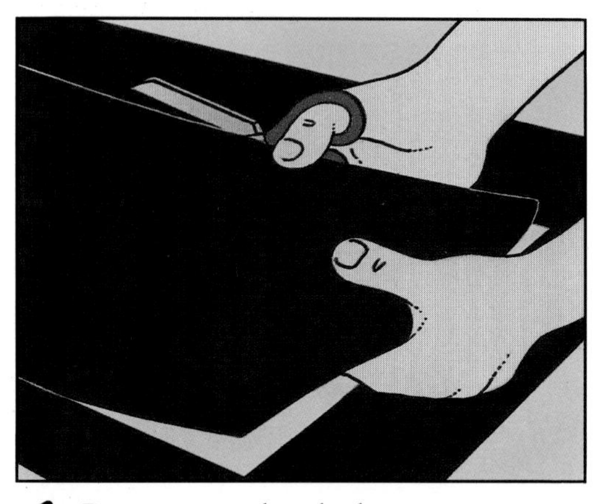

1 Découpe une bande de carton mince noir assez longue pour faire le tour de ta tête et large d'environ 21 cm.

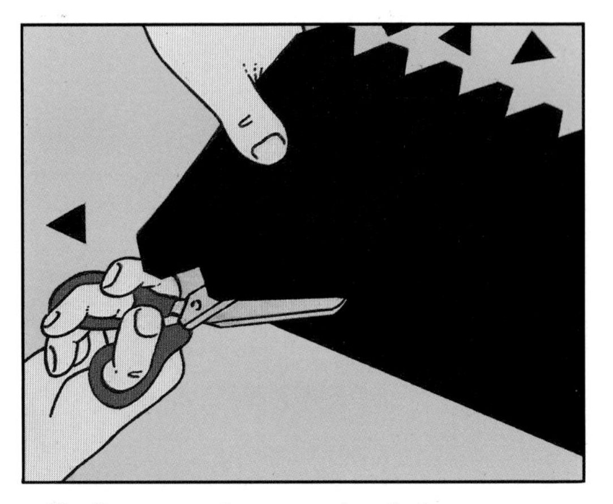

2 Découpe des encoches le long des bords les plus longs de la bande, comme sur le dessin. Roule la bande de carton pour former un cylindre. Colle les extrémités ensemble avec du ruban adhésif, à l'intérieur. Tu as ainsi la forme du chapeau.

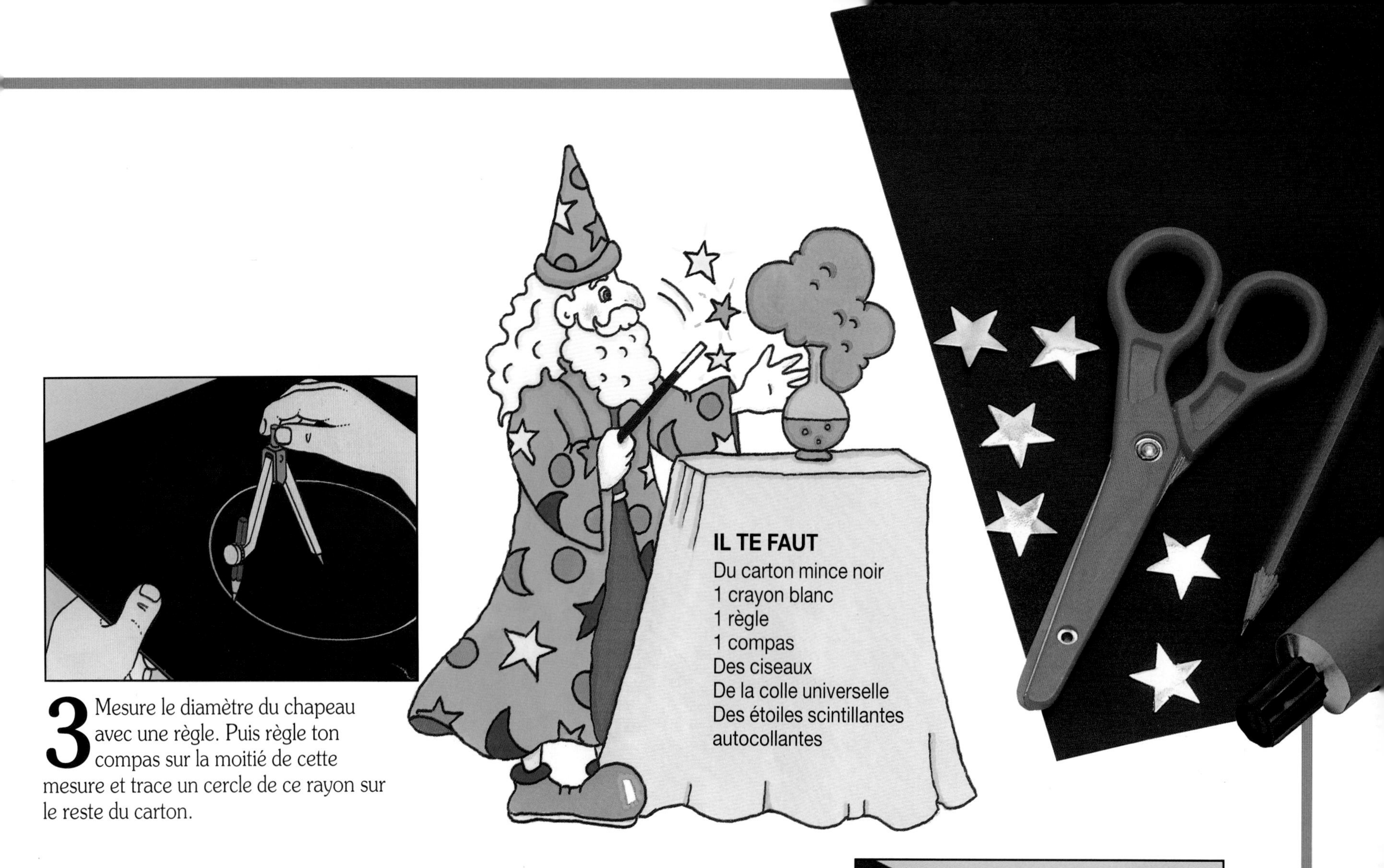

IL TE FAUT

Du carton mince noir
1 crayon blanc
1 règle
1 compas
Des ciseaux
De la colle universelle
Des étoiles scintillantes autocollantes

3 Mesure le diamètre du chapeau avec une règle. Puis règle ton compas sur la moitié de cette mesure et trace un cercle de ce rayon sur le reste du carton.

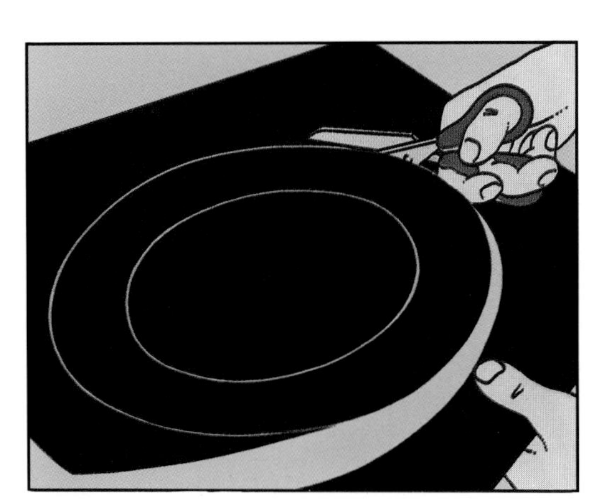

4 Laisse la pointe du compas au même endroit et trace un second cercle, de 5 cm plus grand que le premier. Découpe soigneusement les deux cercles pour obtenir un rond de carton. C'est le bord du chapeau.

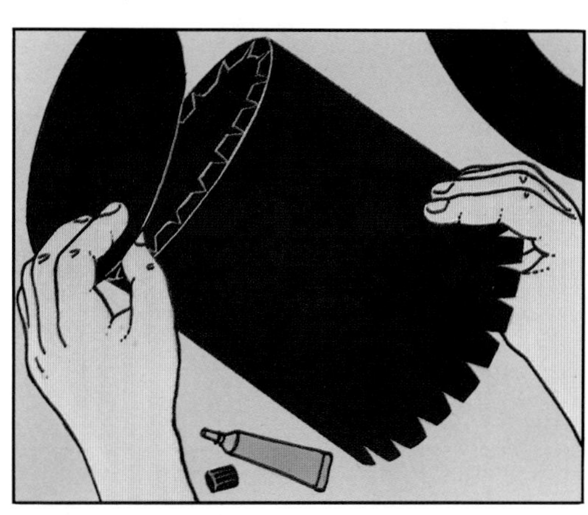

5 Coupe un cercle de carton assez grand pour former le fond du chapeau. Replie les crans du haut du cylindre et recouvre-les de colle. Colle le cercle sur les crans. Enlève ce qui dépasse sur les bords.

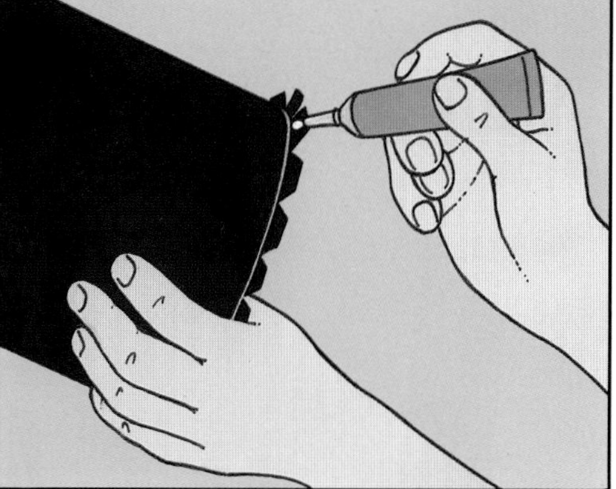

6 Replie les crans du bas du cylindre et recouvre-les de colle. Glisse le bord du chapeau sur le cylindre et colle-le sur la partie crantée du cylindre. Colle un cercle de carton sous le bord du chapeau pour cacher les crans. Pour terminer, décore le chapeau avec des étoiles autocollantes.

LA BAGUETTE MAGIQUE

La baguette magique fait partie des instruments indispensables au magicien. Tu t'en fabriqueras une très facilement avec du papier journal, et tu pourras la peindre de ta couleur préférée.

1 Prends une feuille de journal et roule-la aussi serré que possible, comme sur le dessin.
Essaie de garder les bords bien droits.

IL TE FAUT
1 journal
De la colle universelle
De la gouache et 1 pinceau
Des ciseaux

2 Étale une ligne de colle sur le bord le plus long de la feuille de journal et colle-la. Appuie fermement dessus jusqu'à ce que le papier soit parfaitement collé et ne bouge plus.

3 Avec des ciseaux, égalise soigneusement les extrémités de la baguette. Peins les extrémités en blanc avec de la gouache.

4 Peins le milieu de la baguette de la couleur de ton choix. Laisse ta baguette à l'abri jusqu'à ce qu'elle soit sèche. Tu peux aussi recouvrir la baguette de papier cadeau doré.

LA CAPE DU MAGICIEN

Si tu fais un spectacle devant tes amis ou ta famille, ce sera plus drôle de te déguiser. Avec cette cape rouge et noire, tu auras l'air d'un vrai magicien. Demande à un adulte de t'aider à couper le tissu.

1 Découpe un carré de satin rouge et un carré de satin noir de 1,30 m de côté.
Épingle les carrés ensemble, endroit contre endroit. Couds tout autour des quatre côtés, en laissant une ouverture d'un côté pour pouvoir mettre la cape sur l'endroit. Retourne la cape sur l'endroit et couds l'ouverture.

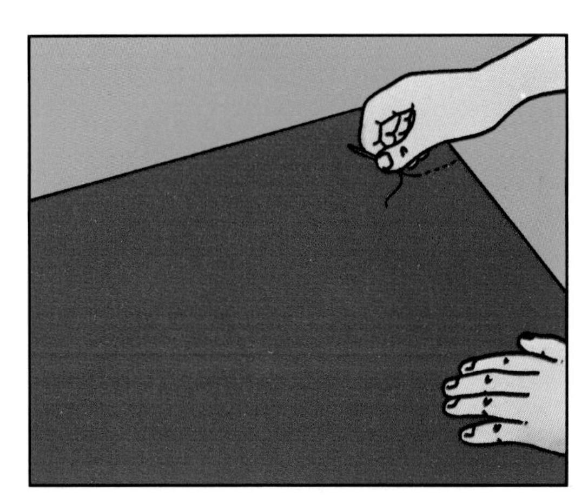

2 Puis fais une couture à travers les deux épaisseurs de tissu à 9 cm d'un des bords.

3 Fais une seconde couture à 2,5 cm de la première pour former une coulisse. Fais quelques points au bout de chaque sortie de la coulisse pour la consolider.

4 Attache une épingle de sûreté à l'une des extrémités du ruban et passe-le à travers la coulisse. En faisant glisser l'épingle de sûreté, tu arriveras facilement à atteindre l'autre bout.

IL TE FAUT

1 morceau de satin rouge de 1,50 sur 1, 30 m
1 morceau de satin noir de 1,50 sur 1,30 m
1,30 m de ruban rouge
Du fil noir et une aiguille
Des ciseaux et des épingles
1 épingle de sûreté

LE CHAPEAU DU MAGICIEN

Les magiciens ne portent pas forcément des chapeaux haut de forme. Pour changer, fabrique-toi ce chapeau brillant et coloré et porte-le quand tu exécutes tes tours. Tu peux aussi te faire une cape assortie en suivant les indications de la page 92.

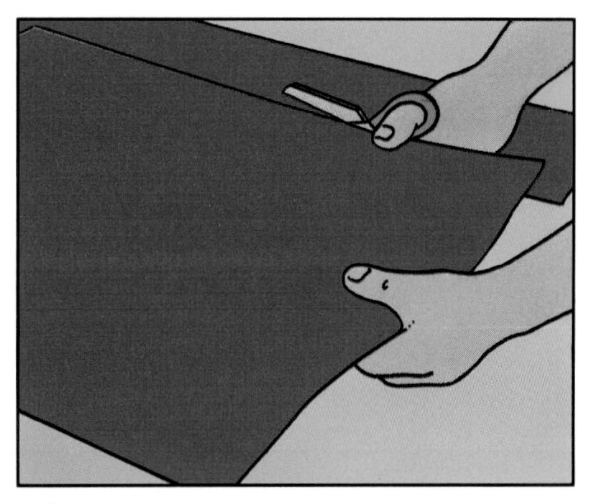

1 Découpe soigneusement un rectangle de carton mince de couleur de 50 sur 60 cm.

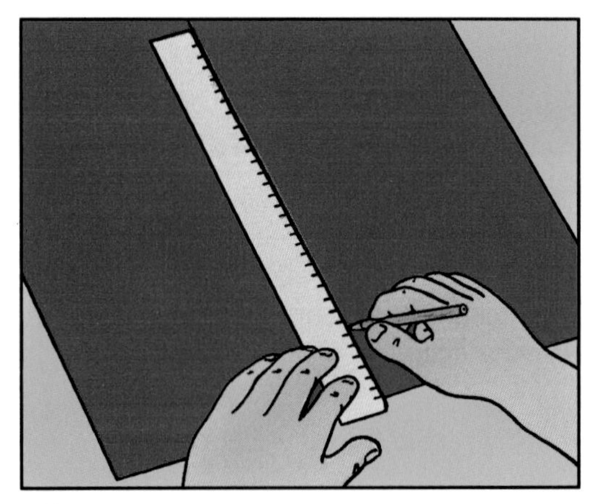

2 Indique le centre des deux côtés courts et trace une ligne sur le carton comme sur le dessin.

3 Attache l'extrémité d'un fil à une punaise. Puis attache un crayon à l'autre extrémité du fil, à 50 cm de la punaise. Appuie le crayon sur la marque que tu as faite au milieu du rectangle. Dessine un arc entre les deux coins comme sur le dessin.

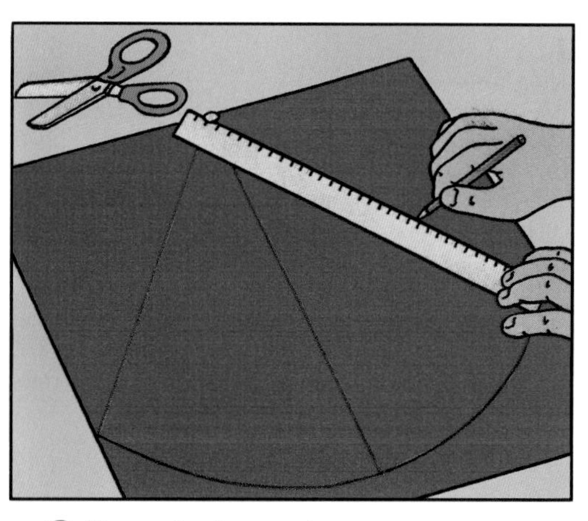

4 Trace des lignes du point où était piquée la punaise jusqu'aux côtés de l'arc et découpe la forme.

5 Puis forme un cône et colle soigneusement les bords ensemble pour obtenir ton chapeau. Découpe des étoiles et des croissants de lune dans du carton doré ou argenté et colle-les sur le chapeau.

TROISIÈME PARTIE

INDEX

QUATRIÈME PARTIE

1, 2, 3, JE CRÉE...
AVEC LA NATURE

CHERYL OWEN

Cette partie vivante et colorée offre aux enfants
plus de 35 projets pleins d'imagination
et de fantaisie, à réaliser avec des matériaux
qu'on trouve facilement dans la nature.
Ils apprendront à faire des coffrets en coquillages,
des dessous-de-verre en liège, des collages
avec des graines ou des feuilles, ou encore
de ravissantes décorations de Noël.

Des instructions faciles à suivre, des dessins détaillés
illustrant chaque étape et des photographies
en couleurs leur permettront de réussir
tous les projets présentés.

QUATRIÈME PARTIE

AVEC LA NATURE

SOMMAIRE

INTRODUCTION

Au fur et à mesure que nous devenons attentifs au monde qui nous entoure, nous prenons conscience des nombreuses possibilités que nous offre la nature. *1, 2, 3, je crée... avec la nature* te propose de réaliser des objets jolis et pratiques à partir des mille choses que tu peux trouver dans ton jardin, à la plage ou au cours d'une promenade dans la campagne. Apprends à réaliser des impressions avec une pomme de terre, un collage avec des graines ou un hérisson avec des chardons.

AVANT DE COMMENCER

- Avant toute chose, demande à un adulte de regarder avec toi ce dont tu as besoin.
- Lis bien les instructions avant de t'y mettre.
- Réunis tout ce dont tu as besoin.
- Recouvre la table sur laquelle tu vas travailler avec du papier ou un morceau de tissu usagé.
- Protège tes vêtements avec un tablier ou enfile de vieux habits.

Lis attentivement les instructions avant de commencer.

QUAND TU AS TERMINÉ

Range tout ce que tu as sorti. Mets les crayons, les tubes de peinture et de colle dans de vieux pots en plastique ou des boîtes à biscuits.

Nettoie les pinceaux et n'oublie pas de refermer les pots dans lesquels tu as mis les crayons, les peintures ou la colle.

ÉQUIPEMENT ET MATÉRIEL

Quand tu te promènes sur une plage, cherche tout ce que tu peux récolter d'utile pour tes réalisations : des coquillages, des pierres, des vieux bois flottants, des écorces ou des pommes de pin tombées des arbres. Ne cueille pas de fleurs sauvages sans en demander l'autorisation à un adulte. Certaines fleurs sauvages que l'on trouve sur les landes ou dans les haies sont menacées de disparition. Demande s'il n'y a pas, dans le jardin, des plantes que tu pourrais faire sécher.
Cherche aussi dans la maison et le jardin tout ce que tu pourrais recycler : ficelles, vieilles boîtes ou chutes de tissus. N'oublie pas de récupérer les boîtes de céréales vides car tu auras besoin de carton. Les tubes en carton sur lesquels sont enroulés le papier absorbant et le papier toilette font des anneaux parfaits une fois découpés, et les herbes séchées conviennent tout à fait dans les sachets pour le bain.

PRUDENCE !

Fais bien attention quand tu te sers de quelque chose de chaud ou de coupant. Tu es capable de faire la plupart des objets tout seul, mais il t'arrivera d'avoir besoin d'aide. La mention ATTENTION t'indiquera les projets qui nécessitent l'aide d'un adulte.

Rappelle-toi ces règles de base :

- Ne laisse jamais traîner des ciseaux ouverts ou, même fermés, près de plus petits que toi, qui risquent de les attraper.
- Quand tu ne les utilises pas, prends bien soin de piquer les aiguilles et les épingles sur un coussinet spécial ou un petit morceau d'étoffe.
- Ne te sers jamais d'un four, d'un fer à repasser ou d'un couteau à lame coulissante (cutter) sans l'aide d'un adulte.

Certaines fleurs sauvages sont rares. Vérifie avec un adulte si tu peux ou non les cueillir.

COMMENT UTILISER LES PATRONS

Tu trouveras à la fin du livre les patrons indispensables à la réalisation de certains objets. Reproduis le patron dont tu as besoin sur du papier fin ou du papier-calque avec un crayon. Pour les objets à fabriquer avec du tissu, coupe le patron et épingle-le sur le morceau de tissu. Tu n'as plus qu'à découper autour de la forme. Quand tu auras davantage confiance en toi, après avoir fabriqué quelques-uns de ces objets, essaie d'adapter et de réaliser tes idées.
Si tu aimes dessiner, crée tes propres patrons et tes décorations.

RÉSERVÉ AUX ADULTES

La réalisation de tous les objets proposés dans *1, 2, 3, je crée... avec la nature* est expliquée le plus simplement possible. Toutefois, elle nécessite parfois l'utilisation de certains ustensiles dangereux, comme des couteaux pointus ou un fer à repasser. Votre aide dépendra de la maturité de votre enfant, mais détaillez avec lui toutes les opérations à effectuer avant de le laisser commencer quoi que ce soit.

IL TE FAUT

Du papier
De la gouache
Un pinceau
Des feuilles
Des pastels
Du ruban étroit
De la colle universelle

DU PAPIER À FEUILLES

La prochaine fois que tu iras te promener, ramasse toutes sortes de feuilles de différentes tailles et fabrique ton propre papier cadeau imprimé. Harmonise le papier et les étiquettes pour que le résultat soit vraiment réussi.

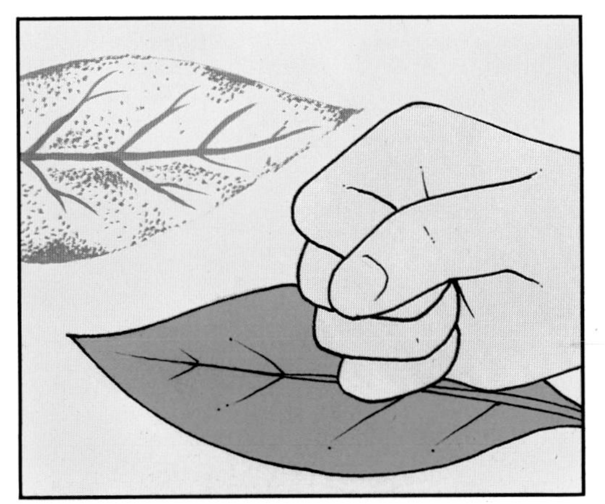

1 Pour réaliser l'imprimé, peins soigneusement une des faces de la feuille avec de la gouache.

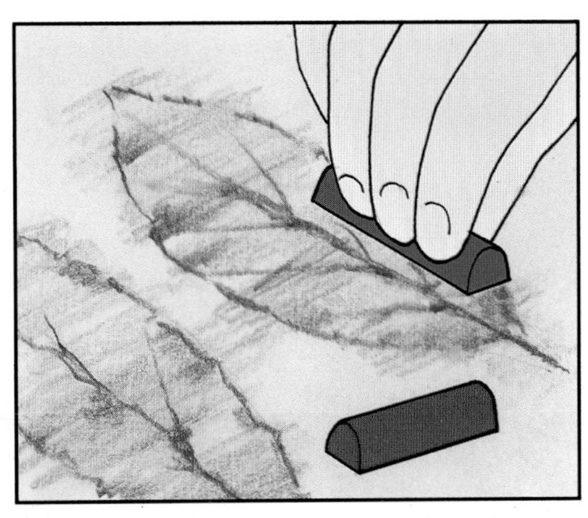

2 Appuie la face peinte de la feuille sur une feuille de papier. Presse très fort avec ton poing. Soulève la feuille et recommence pour imprimer un autre motif. Lorsque la peinture aura séché, tu pourras envelopper ton cadeau.

3 Pour faire une étiquette de cadeau, place une feuille sous un morceau de papier. Frotte le papier avec un pastel jusqu'à ce que le dessin de la feuille apparaisse. Découpe la forme de la feuille.

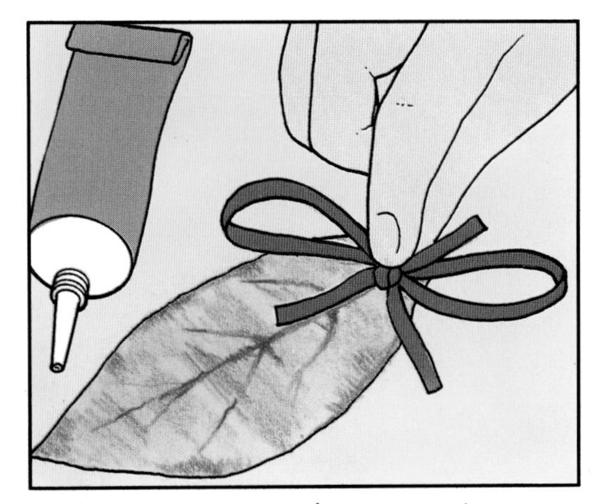

4 Pour terminer, fais un nœud en ruban et colle-le sur l'étiquette. Écris ton message au dos et attache l'étiquette sur ton cadeau bien enveloppé.

DES CHAPEAUX D'ÉTÉ

Ces mini-chapeaux de paille sont irrésistibles avec leurs petits bouquets de fleurs séchées et leurs rubans. Tu peux en décorer plusieurs de tailles différentes et les suspendre au mur de ta chambre.

IL TE FAUT
Des mini-chapeaux de paille
De la bordure en dentelle
Des fleurs séchées
Du fil de coton
De la colle universelle
Du ruban étroit

1 Colle avec soin une longueur de dentelle sur le bord intérieur d'un chapeau de paille. Fais attention de bien laisser dépasser le côté ouvragé.

2 Attache ensemble avec du fil de coton des mini-bouquets de fleurs séchées. Dispose-les tout autour de la calotte du chapeau.

3 Colle les fleurs en place. Tu peux coller un seul bouquet ou couvrir tout le tour du chapeau de fleurs.

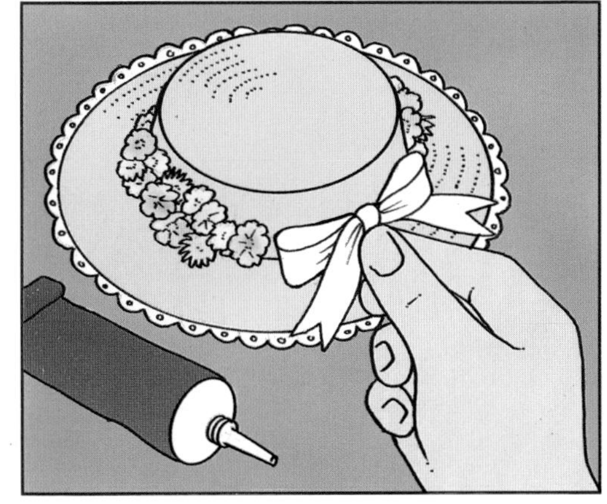

4 Pour finir, fais un beau nœud de ruban et colle-le sur le chapeau. Taille les bouts du ruban.

DES CARTES DÉCORÉES À FLEURS

Cueille des fleurs et ramasse des feuilles au cours de l'été, et fais-les sécher dans un livre. Tu les utiliseras ensuite pour décorer des cartes, des étiquettes de cadeaux ou des petits tableaux. Aplatis les marguerites en les pressant très fort, tout comme les herbes, les feuilles ou les bruyères.

1 Dispose les fleurs et les feuilles sur du papier buvard. Replie le buvard pour les recouvrir et tiens les fleurs pressées entre les pages d'un gros livre ou dans une presse à fleurs.

2 Quelques semaines plus tard, tu peux utiliser les fleurs et les feuilles. Découpe un rectangle de carton mince de couleur et plie-le en deux pour faire une carte de vœux.

3 Dispose les fleurs et les feuilles pour faire une jolie décoration sur le dessus de la carte.

4 Colle avec soin tous les éléments sur la carte. Tu peux recouvrir ta carte de film plastique transparent autocollant pour protéger les fleurs.

LE CACATOÈS EN FLEURS SÉCHÉES

Avec des fleurs séchées et des monnaies-du-pape (qu'on appelle aussi lunaires), tu pourras réaliser un très joli collage. Suis les indications que nous te donnons pour faire ce cacatoès ou bien imagine tes propres modèles.

1 Avec un crayon, décalque le patron d'oiseau de la page 92. Retourne le tracé sur un morceau de carton. Appuie très fort sur le contour avec ton crayon. Tu verras apparaître le dessin sur le carton. Découpe la forme et pose-la sur le carton mince de couleur. Dessine les contours de l'oiseau.

2 Colle les feuilles longues pour faire la queue du cacatoès. Dispose les monnaies-du-pape sur le corps, en les faisant se chevaucher. Colle-les en place. Ajoute quelques feuilles longues pour faire les ailes.

3 Pour le bec, colle une petite feuille et pour l'œil, utilise le cœur d'une petite fleur. Colle la tige pour faire le perchoir, puis colle dessus deux petites feuilles pour les pattes.

4 Fais la fameuse crête du cacatoès avec des pétales jaunes et blancs. Complète le décor en collant quelques feuilles et quelques fleurs dans les coins de la carte.

DES ANIMAUX EN GRAINES

Ces petits tableaux représentant des animaux sont faits de graines et d'herbes. Tu trouveras ici les indications pour fabriquer l'écureuil, mais le blaireau se fait de la même manière. Tu peux aussi imaginer d'autres animaux et réaliser toute une série d'habitants des bois.

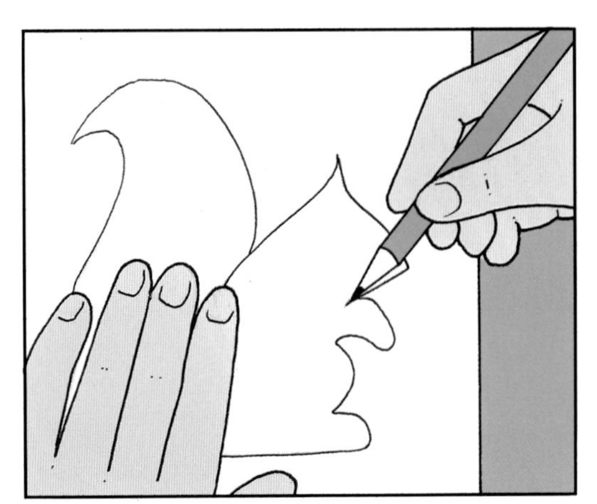

1 Avec un crayon, décalque les patrons de la page 93. Retourne le tracé sur le morceau de carton. Appuie très fort sur le contour avec le crayon. Le modèle apparaîtra sur le carton. Découpe les formes et dispose-les sur le carton mince vert. Dessine les contours.

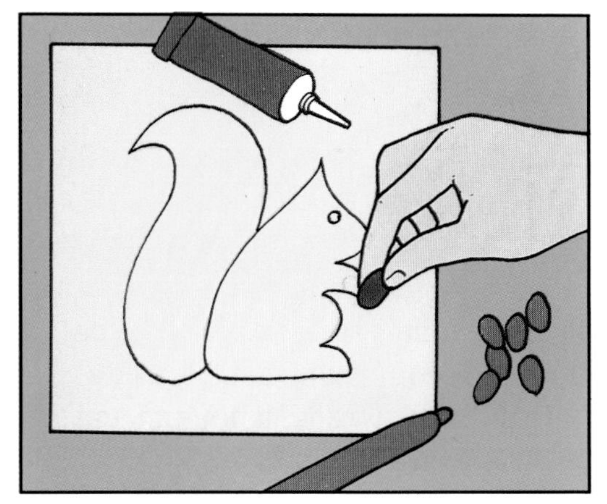

2 Pour faire l'écureuil, colorie des graines de citrouille avec un crayon-feutre orange vif. Coupe une noisette en deux et colles-en une moitié au bout de la patte de l'écureuil.

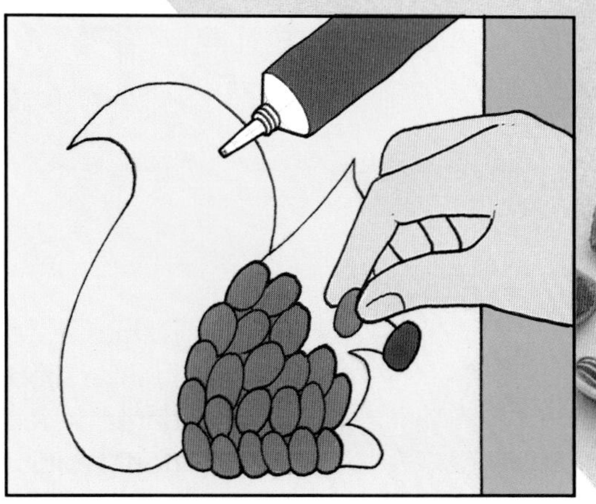

3 Pose les graines à l'intérieur de la forme du corps et colle-les en place. Colle un pois cassé sur la tête pour faire l'œil.

4 Colle des herbes teintes en rouge pour la queue de l'écureuil et d'autres herbes de couleur le long des bords de la carte.

IL TE FAUT

Du carton mince vert
Un morceau de carton
Du papier-calque et un crayon
Des graines de tournesol
et des graines de citrouille
Quelques pois cassés
Une noisette
Des herbes de couleur
Un crayon-feutre orange
De la colle universelle

LA DAME DE FEUILLES

Ramasse dans ton jardin toutes sortes d'herbes et de feuilles mortes, et réalise ce ravissant collage. Cette dame de feuilles fera un très joli cadeau pour un ami dont l'anniversaire se fête en automne.

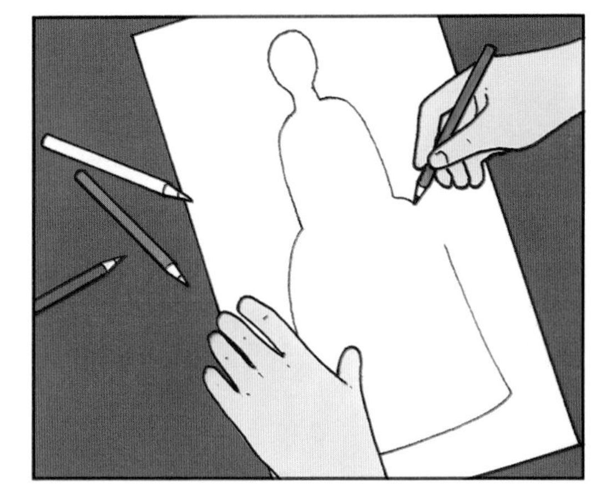

1 Avec un crayon, décalque le patron de la page 94. Retourne le tracé sur une feuille de papier épais. Appuie très fort sur le contour avec le crayon. Le patron de la dame de feuilles va alors apparaître sur le papier. Dessine les détails du visage avec des crayons de couleur.

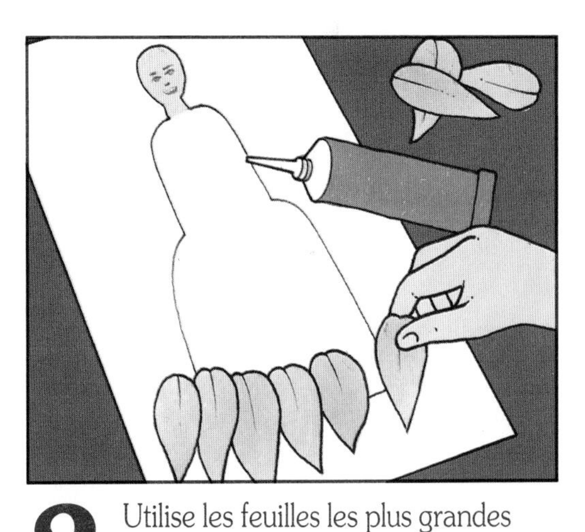

2 Utilise les feuilles les plus grandes pour faire la jupe. Commence par le bas et travaille en remontant. Colle les bouts des feuilles en place.

3 Utilise des feuilles plus petites et de couleur différente pour le buste, et des feuilles fines et longues pour les bras. Colle-les en place avec soin.

4 Enfin, colle quelques branches de statice pour les cheveux. Coupe quelques feuilles ou des épis de blé, que tu placeras dans les bras de la dame.

DES IMPRESSIONS À LA FICELLE

IL TE FAUT
Du carton d'emballage
De la colle universelle
De la ficelle ou tout autre matériau naturel
De la peinture acrylique
Du papier ou du tissu à imprimer
Des ciseaux et
un récipient creux

Utilise de la corde, de la ficelle ou tout autre matériau naturel, comme de l'écorce, pour imprimer toutes sortes de motifs grâce à des tampons que tu fabriqueras toi-même. Ici, nous avons décoré des napperons, une écharpe et du papier à lettres avec des tampons faits de ficelle, mais tu peux imprimer bien d'autres choses encore.

1 Pour faire un tampon, découpe un morceau de carton d'emballage de 3 sur 7,5 cm.

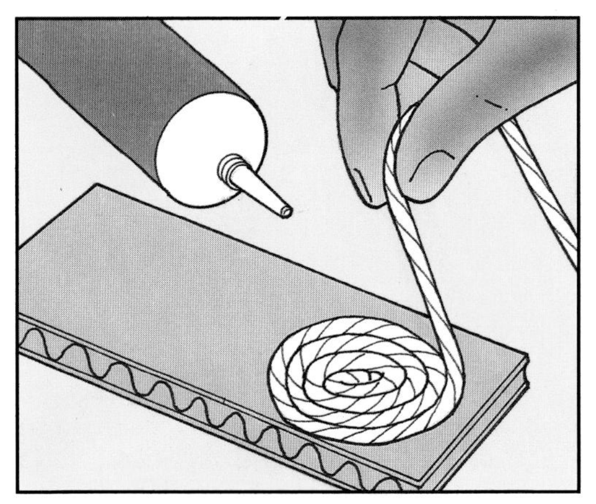

2 Prends une petite longueur de ficelle et dispose-la pour faire un dessin original. Colle-la sur le carton au fur et à mesure. Laisse sécher.

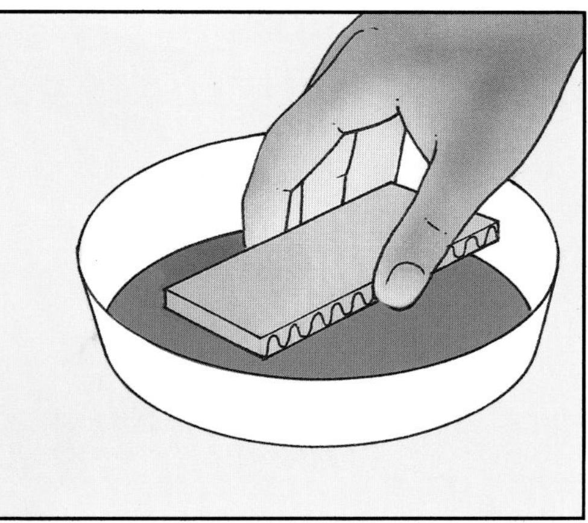

3 Dans un récipient creux, dilue la peinture avec un peu d'eau. Trempe le tampon avec la ficelle dans la peinture.

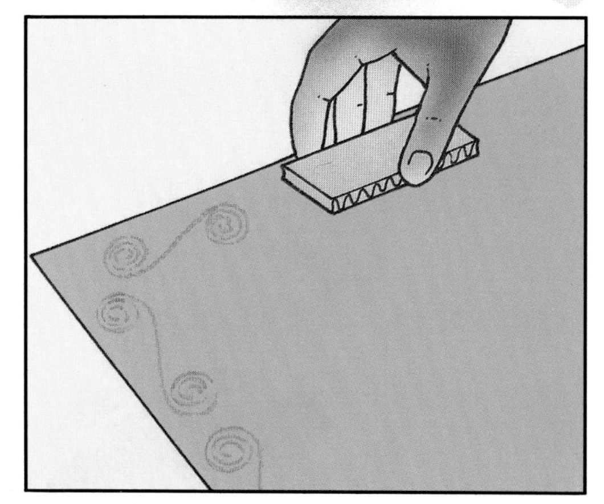

4 Égoutte le tampon pour enlever le surplus de peinture et appuie-le très fort sur le tissu ou le papier que tu veux imprimer. N'utilise pas trop de peinture, tu abîmerais le tampon et la ficelle se décollerait.

DES SACHETS DE LAVANDE

Fabrique ces ravissants sachets odorants avec des morceaux de tissu rayés de rose, de bleu ou de mauve et remplis-les de lavande. Range ces sachets parmi tes vêtements pour les embaumer.

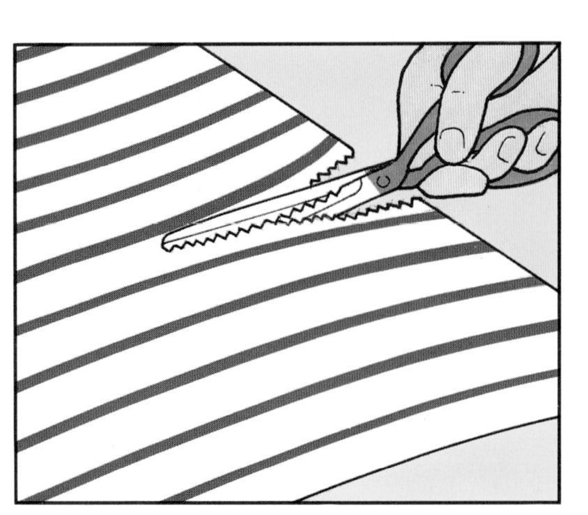

1 Avec des ciseaux crantés, découpe un rectangle de tissu d'environ 18 sur 13 cm.

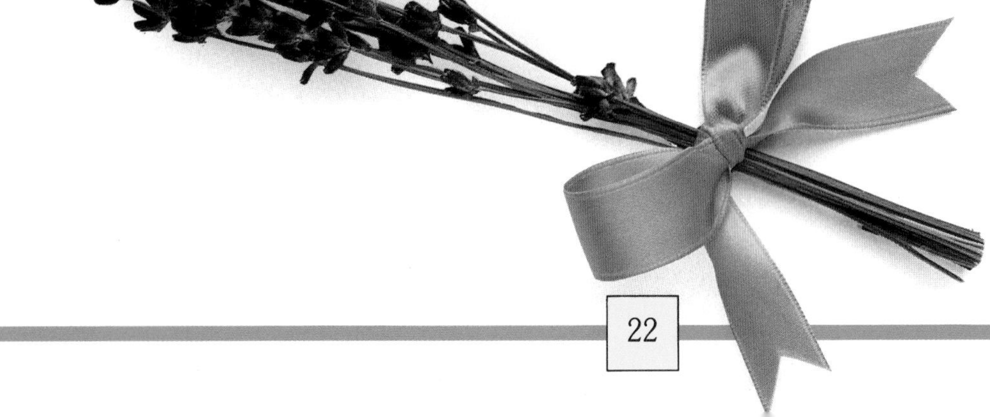

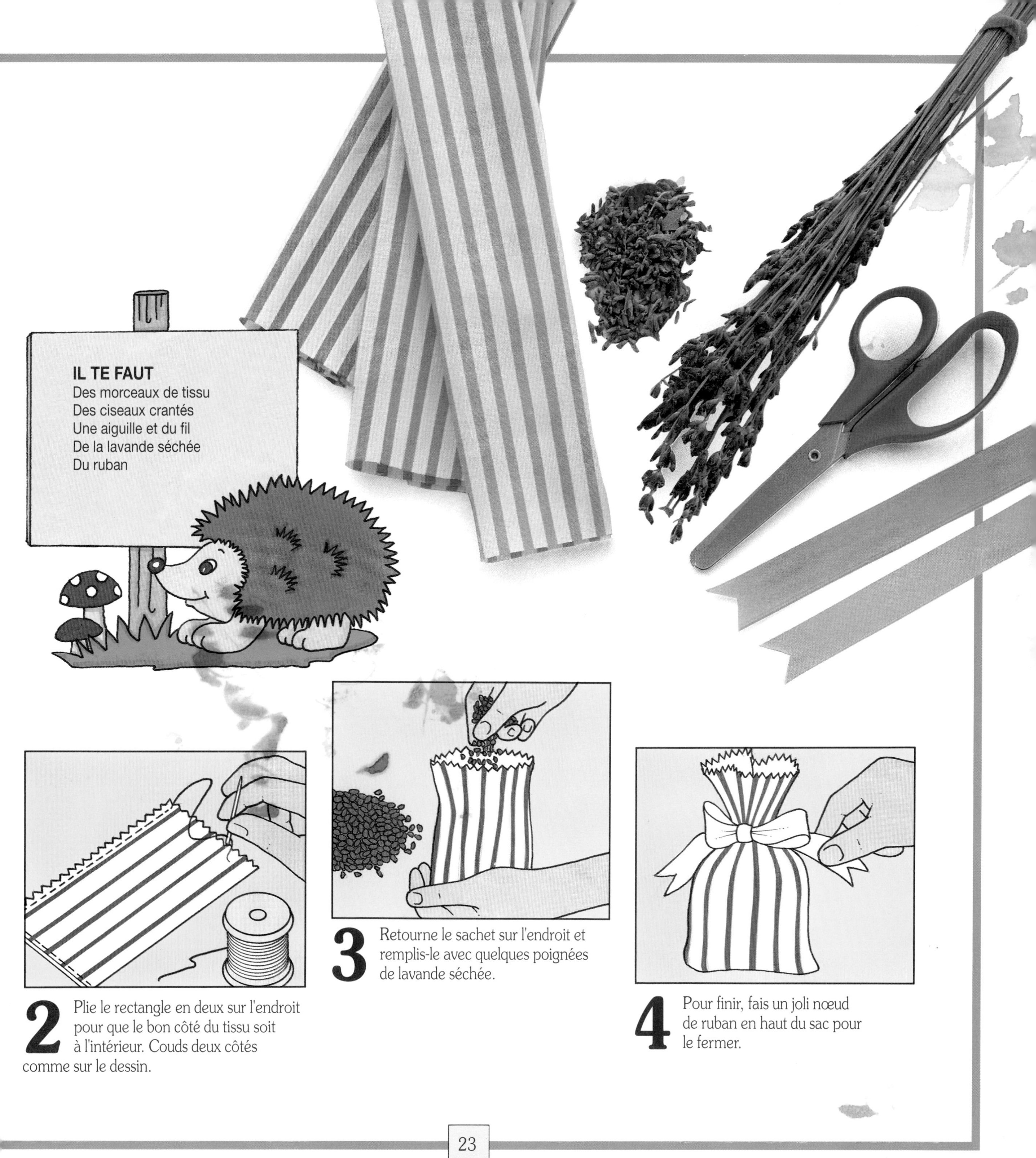

2 Plie le rectangle en deux sur l'endroit pour que le bon côté du tissu soit à l'intérieur. Couds deux côtés comme sur le dessin.

3 Retourne le sachet sur l'endroit et remplis-le avec quelques poignées de lavande séchée.

4 Pour finir, fais un joli nœud de ruban en haut du sac pour le fermer.

DES ORANGES POUR PARFUMER

Piqués de clous de girofle, ces oranges ou ces citrons, suspendus à de jolis rubans, parfumeront délicatement la cuisine, ta chambre ou ton armoire.

IL TE FAUT
Des oranges et des citrons
Du ruban de 2,5 cm de large
Des clous de girofle

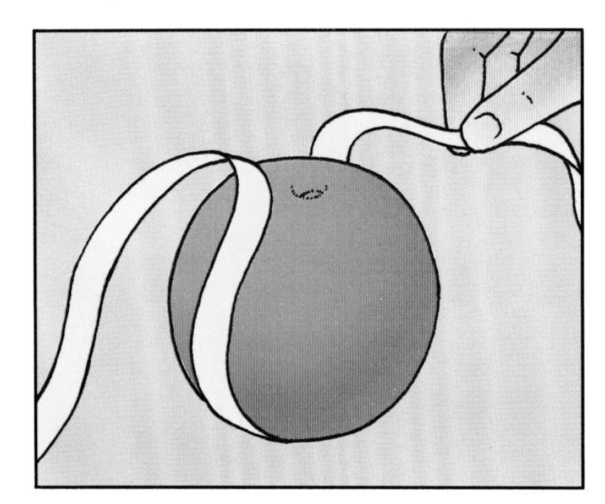

1 Plie une longueur de ruban en deux. Mets le fruit sur le ruban, au milieu, et ramène les deux bouts sur le dessus du fruit.

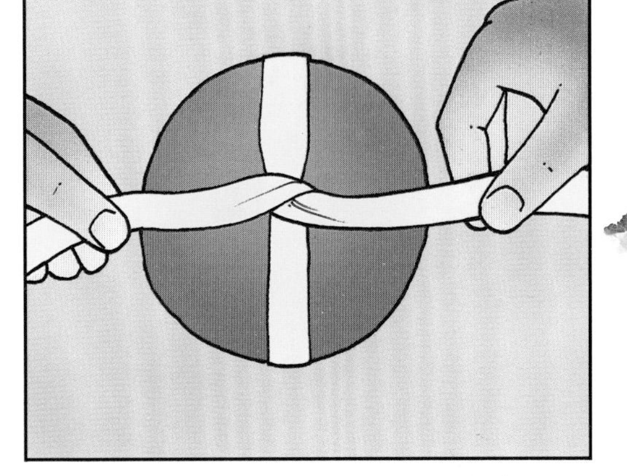

2 Croise le ruban sur le haut du fruit, comme sur le dessin. Ramène alors le ruban de chaque côté du fruit et fais un nœud lorsque tu es arrivé à l'opposé.

3 Si tu préfères, ne fais qu'un tour de ruban sur le fruit. Fais un beau nœud sur le dessus et égalise soigneusement les bouts.

4 Maintenant, décore le fruit avec les clous de girofle. Pique-les dans la peau du fruit, en faisant un dessin ou en recouvrant complètement la surface.

DES GALETS PEINTS

Les galets peints sont à la fois de jolis objets et de merveilleux souvenirs de vacances. La prochaine fois que tu iras à la plage, ramasse de jolis galets bien lisses, que tu décoreras de retour à la maison.

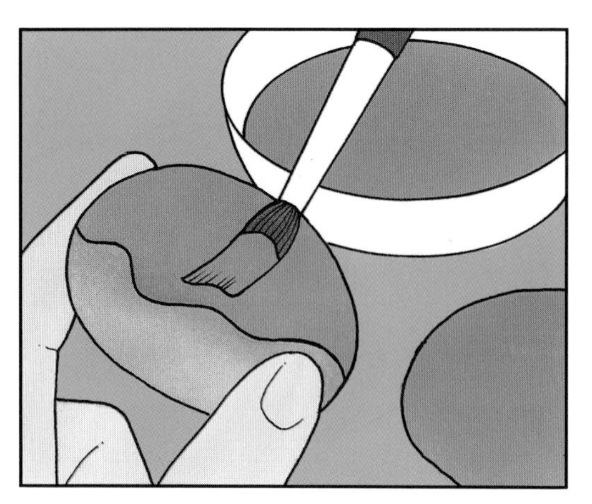

1 Lave les galets et laisse-les sécher toute la nuit. Peins un fond de couleur bleue.

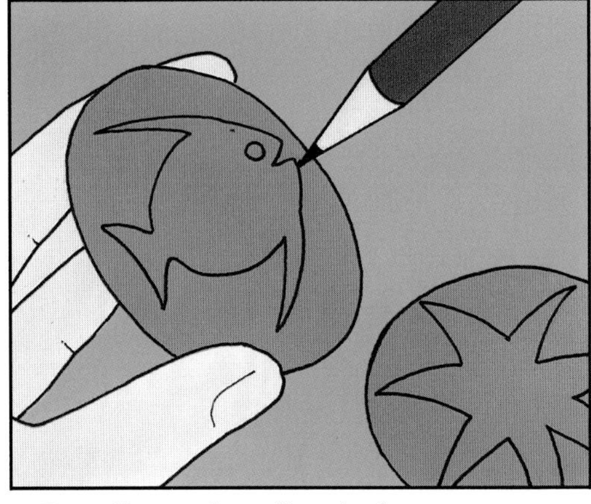

2 Fais un brouillon de dessin sur une feuille de papier. Lorsque le dessin te plaît, dessine-le sur le galet.

3 En suivant les contours de ton dessin, peins avec soin l'intérieur en soignant les détails. Laisse bien sécher les galets.

4 Pour que tes galets peints restent jolis, et que les dessins tiennent, enduis-les d'une couche de vernis incolore.

IL TE FAUT
Des galets lisses
De la gouache
Du papier
Un pinceau
Un crayon
Du vernis incolore

DES ARBRES FANTASTIQUES

Avec un peu de gouache, tu feras apparaître sur le papier ces arbres étranges et magnifiques. Suis nos instructions et tu pourras réaliser de superbes dessins pour illustrer des tableaux, des cartes ou des étiquettes de cadeaux très originales. Tu peux aussi facilement créer tes propres décors.

1 Avec une éponge naturelle, imprègne d'eau les deux faces d'une feuille de papier fort. Colle le papier avec du ruban adhésif gommé sur une surface plane. Cela empêchera le papier de se gondoler en séchant. Lisse-le bien avec l'éponge.

2 Quand le papier est sec, humidifie l'éponge et trempe-la dans la peinture à l'eau bleu-vert. Passe l'éponge sur tout le papier pour faire le fond.

IL TE FAUT
Du papier fort
Du ruban adhésif gommé
De la gouache diluée dans l'eau ou de l'encre
Une petite éponge naturelle
Un compte-gouttes
Des pailles

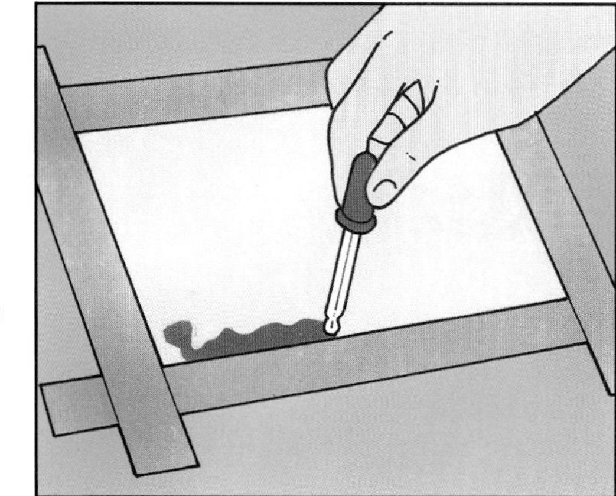

3 Avec un compte-gouttes, dépose avec précaution quelques gouttes de gouache noire ou marron très diluée ou bien d'encre au bas de la feuille, comme sur le dessin.

4 Pour faire apparaître les arbres, souffle très fort avec une paille sur la gouache que tu viens de répandre au bas de la feuille. Tu peux souffler en différents endroits pour créer plusieurs arbres.

DES OURSONS-BOUGEOIRS

Ces adorables bougeoirs en forme d'ourson conviendront parfaitement pour un anniversaire. Ils sont faits en pâte à sel – de la farine, du sel et de l'eau mélangés. Les proportions données ici sont prévues pour un ourson.

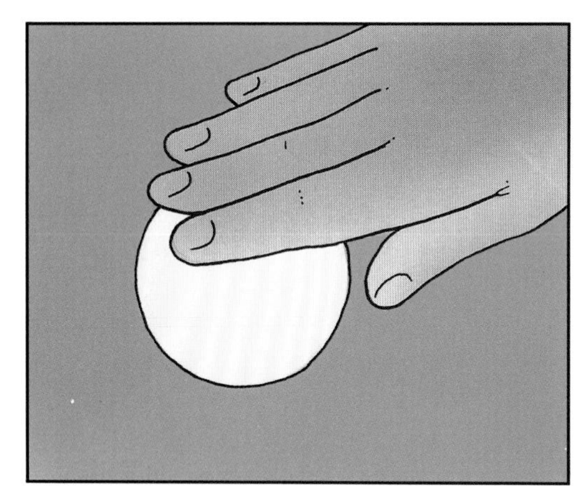

1 Mélange la farine, le sel et l'eau pour faire une boule de pâte. Roule un morceau de pâte en une boule de 4 cm de diamètre pour faire le corps. Appuie sur la boule pour la rendre ovale.

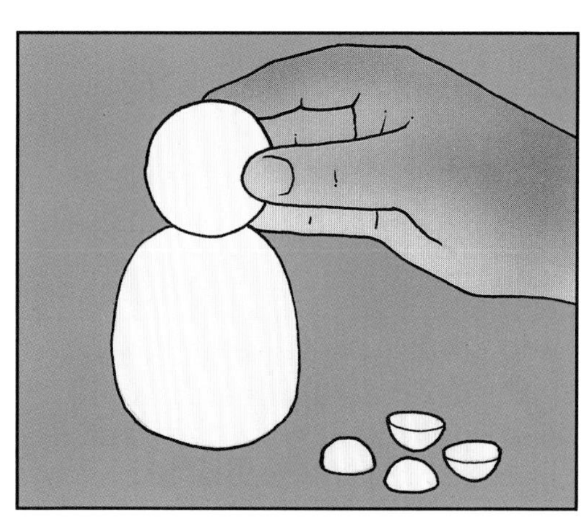

2 Roule un autre petit morceau de pâte dans tes mains pour faire la tête. Enfonce la tête sur le corps. Pour les oreilles et le museau, roule deux autres boules de pâte et coupe-les en deux pour faire quatre demi-sphères.

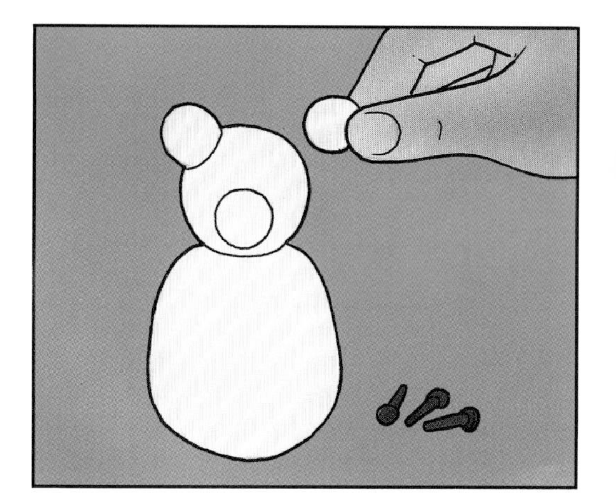

3 Pour les oreilles, presse une demi-sphère de chaque côté de la tête. Le museau est fait d'une demi-sphère pressée sur la face de l'ourson. Utilise des clous de girofle pour le nez et les yeux. Dessine un sourire sur le visage avec une épingle.

IL TE FAUT

4 cuillerées à soupe de farine ordinaire
2 cuillerées à soupe de sel
2 cuillerées à soupe d'eau
3 clous de girofle
Une épingle
Une bougie d'anniversaire
De la gouache
Un pinceau
Du vernis

4 Pour les bras, roule deux morceaux de pâte en forme de saucisse et presse-les sur les côtés du corps. Fabrique un petit nœud en pâte et pose-le sur le côté du cou.

5 Prends la bougie et fais un trou avec sur le dessus de la tête de l'ourson. Enlève la bougie et demande à un adulte de t'aider à faire cuire l'ourson dans le four à thermostat 1-2 (110 °C) pendant six heures. Peins et vernis l'ourson quand il est froid.

ATTENTION : *N'utilise pas le four sans l'aide d'un adulte.*

MADAME HÉRISSON

Cueille les chardons sauvages qui poussent dans la campagne et utilise-les pour fabriquer cette adorable dame hérisson. Elle fera un très joli cadeau. Tu peux aussi en fabriquer plusieurs pour décorer ta chambre.

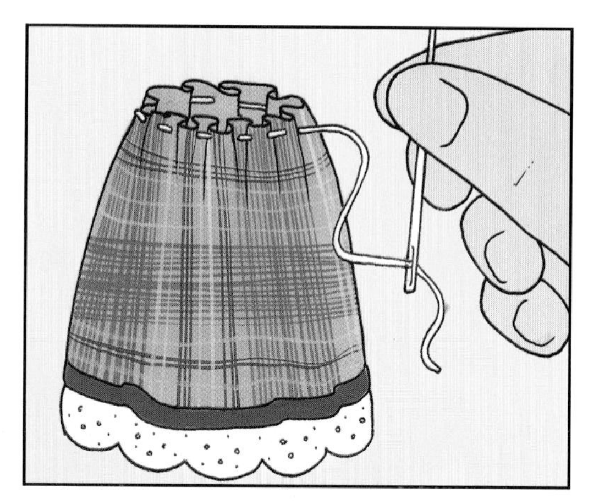

1 Pour faire la robe, coupe un rectangle de tissu de 28 sur 11 cm. Couds le ruban et la dentelle le long du bord inférieur du tissu. Plie le tissu en deux, endroit sur endroit, et couds le long du petit côté. Passe un fil en faisant de gros points dans le haut, et tire pour resserrer le tissu.

IL TE FAUT

Des chutes de tissu
Du ruban et de la dentelle au mètre
Un gros et un petit chardon
Du papier-calque et un crayon
Des épingles et des ciseaux
3 clous de girofle
De la feutrine beige et du coton
Des fleurs séchées
Du fil et une aiguille
De la colle universelle

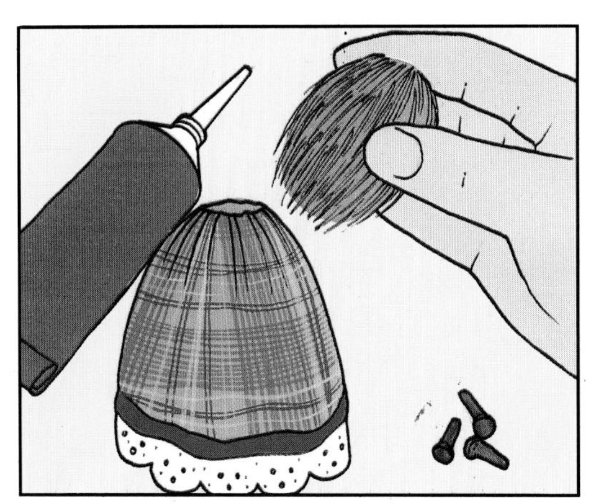

2 Glisse la robe sur le gros chardon et colle-le en haut. Colle un plus petit chardon au-dessus pour faire la tête. Colle aussi des clous de girofle pour les yeux et le nez.

3 Pour faire le bonnet, coupe un rond de 14 cm de diamètre dans le même tissu. Couds de la dentelle tout autour du bord. Passe un fil à grands points à l'intérieur du cercle, à 2 cm du bord. Tire sur le fil pour resserrer le tissu et donner sa forme au bonnet. Pose le bonnet sur la tête.

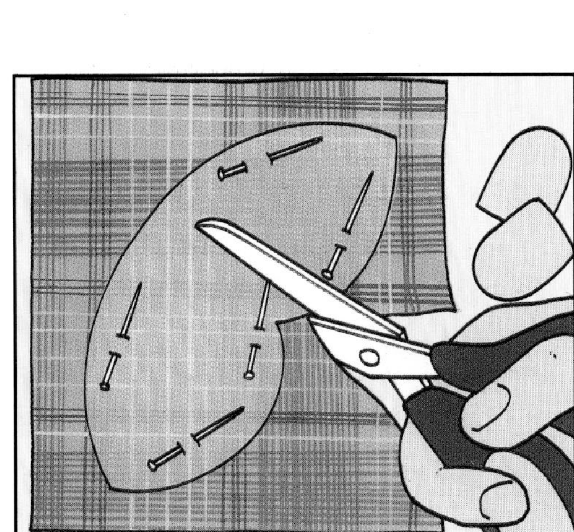

4 Avec un crayon, décalque les patrons des manches et des pattes de la page 95 et découpe-les. Épingle le patron des manches sur le tissu et celui des pattes sur la feutrine. Découpe deux manches et deux pattes.

5 Plie les manches en deux, endroit contre endroit, et fais une couture tout le long. Retourne les manches sur l'endroit et couds de la dentelle dans le bas. Remplis les manches avec du coton. Place les pattes sur les manches et couds le tissu à chaque patte pour que le coton ne s'échappe pas et que les pattes tiennent. Colle les manches au corps du hérisson. Enfin, colle un petit bouquet de fleurs séchées sur les pattes.

L'ARBRE DE PÂQUES

Cet arbre de Pâques qui porte des œufs est très drôle et facile à exécuter. Il est aussi décoratif avec ces coquilles pleines de fleurs multicolores que tu disposeras le jour de Pâques. Tu peux aussi remplir les coquilles avec des petits œufs en chocolat.

IL TE FAUT
Un pot de fleurs
Du papier crépon
De la colle universelle
Une branche
De la terre et de la mousse
Un couteau en bois
Des œufs
Du ruban
Des fleurs fraîches

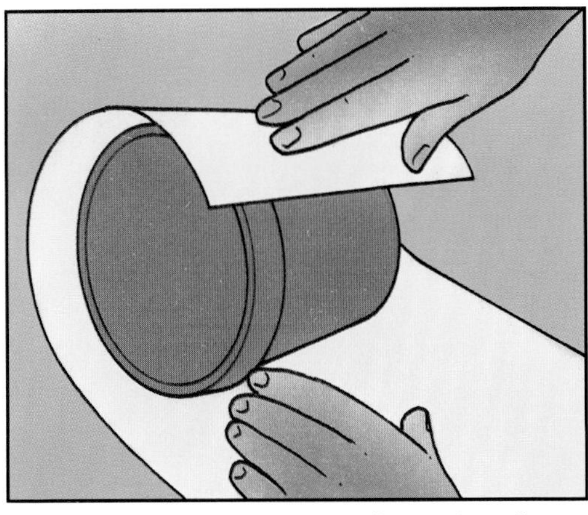

1 Recouvre un pot de fleurs de taille moyenne avec du papier crépon. Colle avec soin le papier à l'intérieur et sous le pot.

2 Remplis le pot avec de la terre et plante dedans une petite branche pour faire l'arbre. Dispose de la mousse autour du « tronc » de l'arbre.

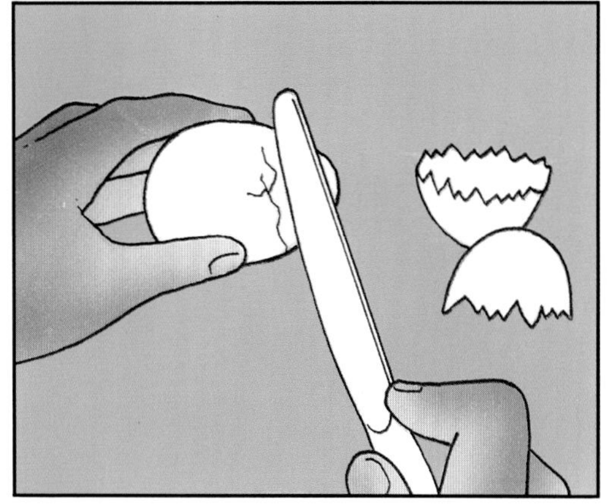

3 Avec un couteau en bois, tape doucement au centre des œufs pour les casser. Mets les blancs et les jaunes dans un bol (tu pourras les utiliser plus tard pour la cuisine), rince les coquilles et laisse-les sécher.

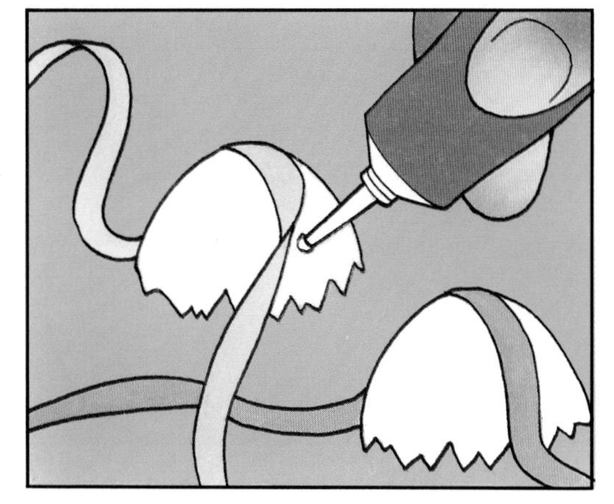

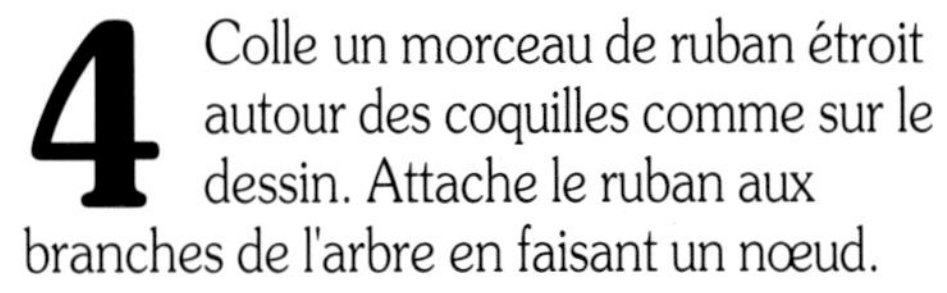

4 Colle un morceau de ruban étroit autour des coquilles comme sur le dessin. Attache le ruban aux branches de l'arbre en faisant un nœud.

5 Pour décorer, mets un peu d'eau au fond des coquilles et ajoute avec précaution quelques petites fleurs.

DES ÉTIQUETTES À FLEURS

Presser et faire sécher des fleurs est très facile à faire. Nous t'expliquons comment procéder page 12. Ici, nous avons utilisé ces fleurs pour réaliser de ravissantes étiquettes qui ajouteront une touche originale à tes paquets-cadeaux.

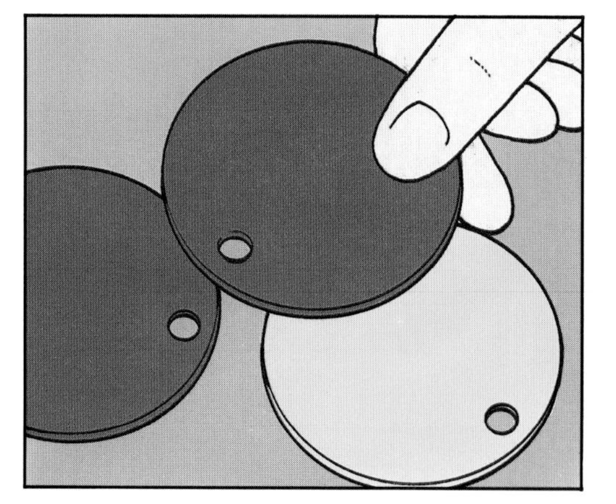

1 Découpe soigneusement des formes rondes et ovales dans du carton de couleur et fais un trou dans le haut de ces formes.

2 Dispose les fleurs séchées sur les étiquettes. Colle les fleurs en place.

3 Passe du ruban étroit dans le trou des étiquettes et attache-le en faisant un nœud.

4 Ajoute une touche différente à certaines étiquettes en collant une petite rosette. Pour cela, prépare quelques nœuds de ruban et colle-les en haut des étiquettes.

DES TÊTES D'ŒUFS CHEVELUES

Voici une nouvelle manière de faire pousser le cresson ! Garde les coquilles des œufs qui auront été utilisés pour la cuisine et réalise ces drôles de têtes chevelues. Quand le cresson aura poussé, mélange-le à des œufs durs coupés en morceaux pour faire de délicieux sandwichs.

IL TE FAUT
Des coquilles d'œufs vides
Des graines de cresson
Du coton
Des crayons-feutres
Une boîte à œufs

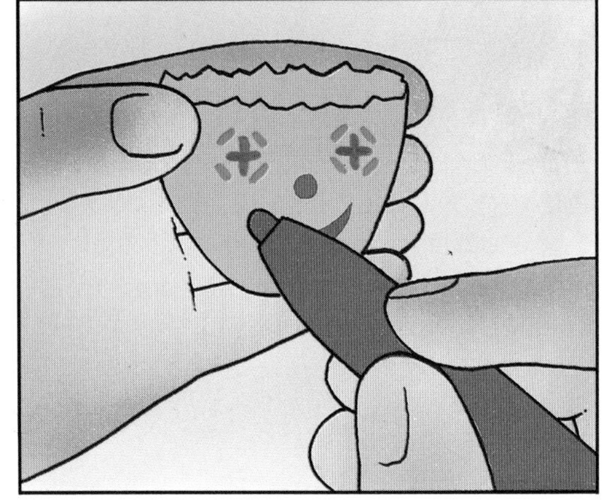

1 Nettoie et sèche les coquilles d'œufs. Dessine une tête amusante ou effrayante sur chaque coquille avec des crayons-feutres.

Humecte d'eau du coton et enfonce-le doucement à l'intérieur des coquilles d'œufs.

3 Dispose soigneusement quelques graines de cresson sur le coton humide.

4 Place les coquilles d'œufs dans une boîte à œufs que tu mettras sur le rebord d'une fenêtre exposée au soleil. Assure-toi que le coton ne sèche pas. Quelques jours après, les graines vont éclore et les « cheveux » pousser.

FLEURS SÉCHÉES POUR PAPIER CADEAU

De simples fleurs séchées peuvent transformer du papier cadeau uni. Utilise les herbes et les fleurs que tu as récoltées et fais-les sécher toi-même. Tu peux aussi les acheter chez un fleuriste ou au marché.

1 Enveloppe soigneusement ton cadeau dans du papier cadeau brillant, ou mets-le dans un joli sac tout prêt.

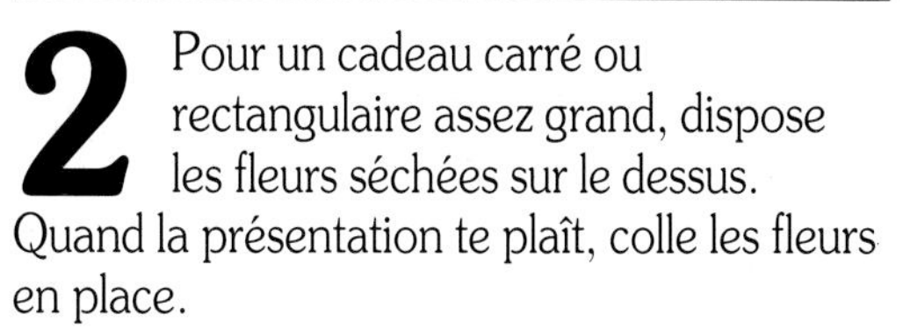

2 Pour un cadeau carré ou rectangulaire assez grand, dispose les fleurs séchées sur le dessus. Quand la présentation te plaît, colle les fleurs en place.

3 Pour décorer un petit cadeau, entoure-le de ruban étroit et glisse une petite branche de fleurs séchées sous le ruban.

4 Pour un sac cadeau tout prêt, rassemble un petit bouquet de fleurs séchées et attache-le avec du ruban. Fais un nœud et colle le bouquet sur le sac, dans un angle.

IL TE FAUT

Du papier cadeau uni et brillant ou un sac cadeau tout prêt
Des herbes et des fleurs séchées
Du ruban
De la colle universelle
Des ciseaux

DES CŒURS EN POT-POURRI

Ces ravissants sachets en forme de cœur sont faits de chutes de tissu uni et de tulle. Remplis-les de pot-pourri, un mélange d'herbes et de fleurs odorantes, que tu achèteras dans une grande surface ou dans une parfumerie. Le pot-pourri est bien mis en valeur dans des petits cœurs.

IL TE FAUT

Du tulle brodé
Du tissu uni
25 cm de ruban étroit
10 cm de ruban
de 1,5 cm de large
Du pot-pourri
Une aiguille et du fil
Des épingles et des ciseaux
Du papier-calque et un crayon

1 Avec un crayon, décalque le modèle de la page 95. Découpe le patron.

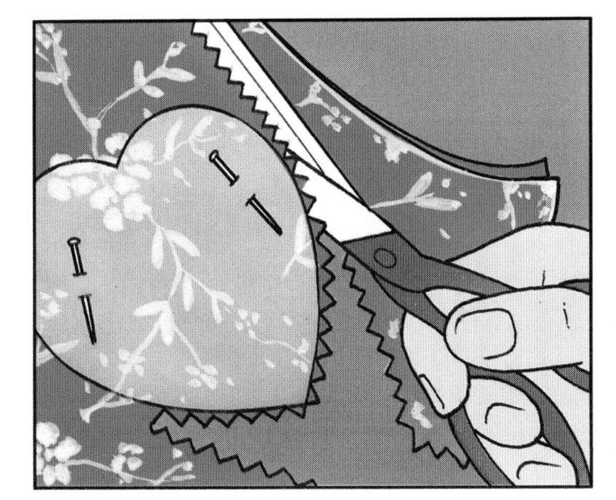

2 Épingle le patron sur le tulle et le tissu uni superposés et découpe avec soin la forme en utilisant des ciseaux crantés.

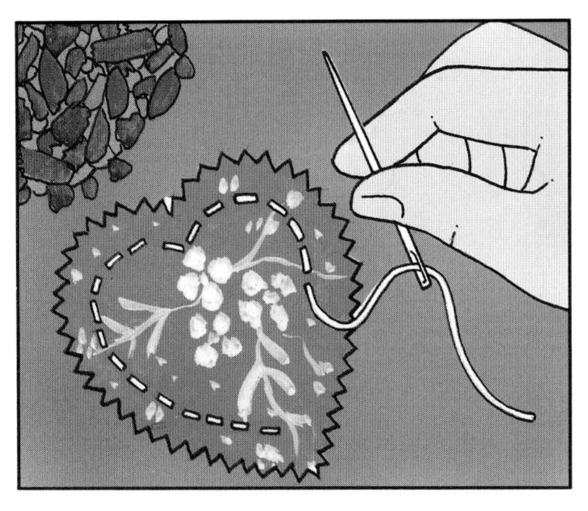

3 Couds ensemble les cœurs de tissu et de tulle en laissant une petite ouverture sur un côté. Remplis le sachet de pot-pourri et finis de coudre le cœur. Fais une grande boucle avec le ruban étroit et couds-la en haut du cœur pour le suspendre.

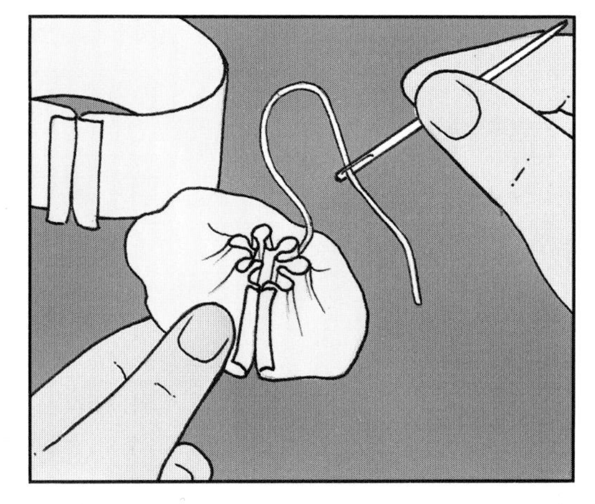

4 Pour ajouter une petite rosace, couds ensemble les extrémités d'un morceau de ruban large de manière à former un cercle. Passe un fil à grands points sur l'un des côtés et tire dessus pour former une petite rosace. Couds la rosace sur le devant du cœur.

DES ŒUFS DÉCORÉS

Utilise des feuilles, des bruyères ou des fleurs pour décorer ces œufs. Lorsqu'ils seront prêts, place-les dans une jolie coupe ou attache-les avec des rubans pour les suspendre et décorer la maison.

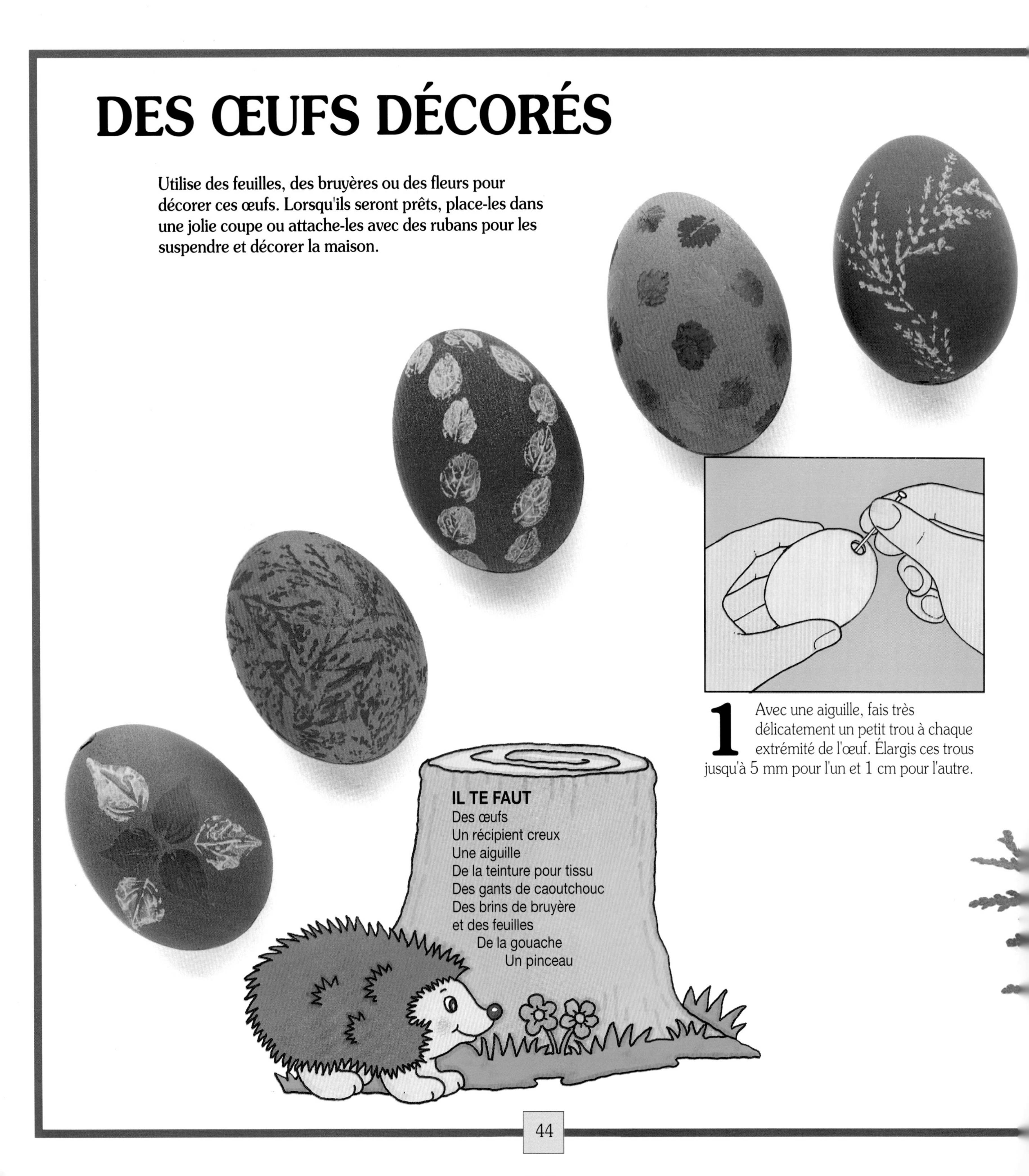

1 Avec une aiguille, fais très délicatement un petit trou à chaque extrémité de l'œuf. Élargis ces trous jusqu'à 5 mm pour l'un et 1 cm pour l'autre.

IL TE FAUT

Des œufs
Un récipient creux
Une aiguille
De la teinture pour tissu
Des gants de caoutchouc
Des brins de bruyère
et des feuilles
De la gouache
Un pinceau

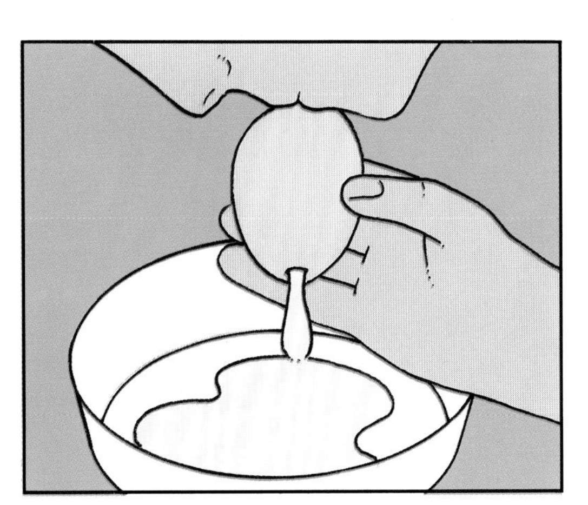

2 Enfonce l'aiguille dans l'œuf pour briser le jaune. En tenant l'œuf au-dessus d'un récipient, souffle doucement par le plus petit trou pour le vider de son contenu.

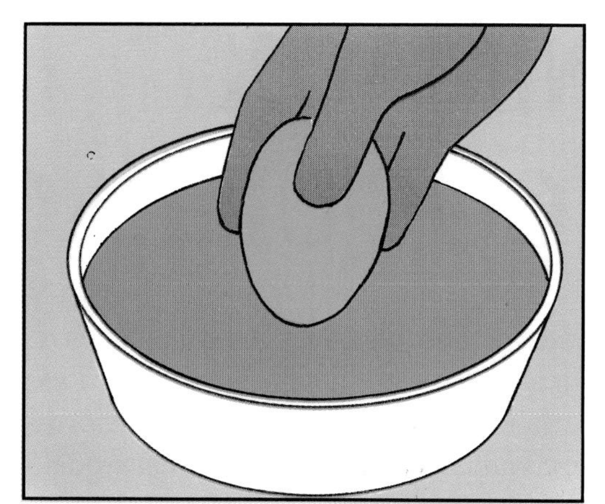

3 Demande à un adulte de t'aider à préparer la teinture pour tissu en suivant les instructions portées sur le paquet. Mets des gants en caoutchouc et maintiens l'œuf dans la teinture quelques minutes, puis retire-le et laisse-le sécher.

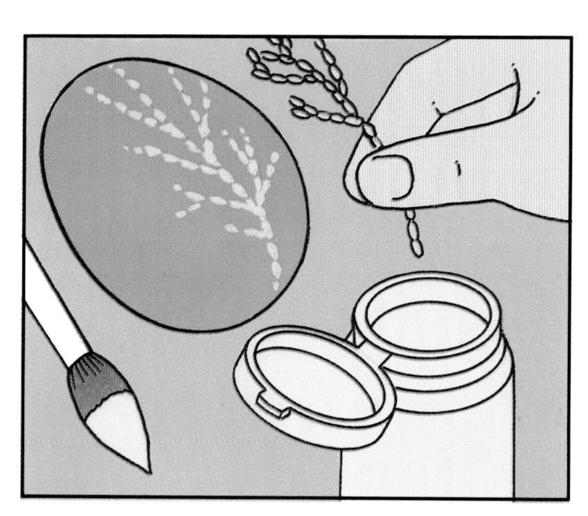

4 Peins les bruyères et les feuilles avec de la gouache et applique-les sur l'œuf pour imprimer de jolis dessins sur la coquille. Laisse bien sécher les œufs avant de les utiliser.

ATTENTION : *Ne prépare pas la teinture pour tissu sans l'aide d'un adulte.*

DES ANIMAUX EN COQUILLAGES

Crée ces drôles de bestioles avec les coquillages que tu as ramassés sur les plages pendant les vacances. Les patelles feront de parfaites tortues et tu pourras transformer les plus petits de tes coquillages en souris ou en escargots.

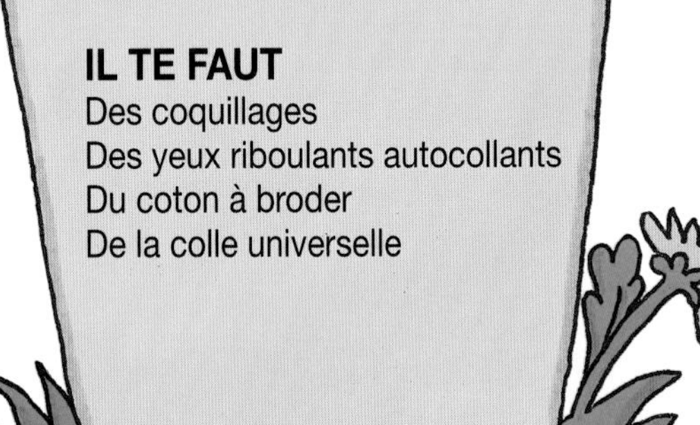

IL TE FAUT

- Des coquillages
- Des yeux riboulants autocollants
- Du coton à broder
- De la colle universelle

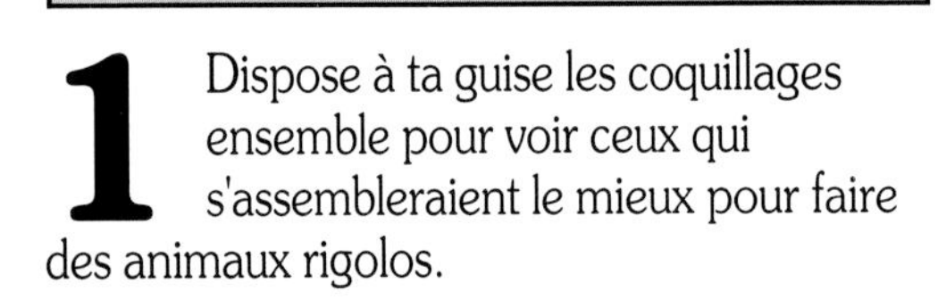

1 Dispose à ta guise les coquillages ensemble pour voir ceux qui s'assembleraient le mieux pour faire des animaux rigolos.

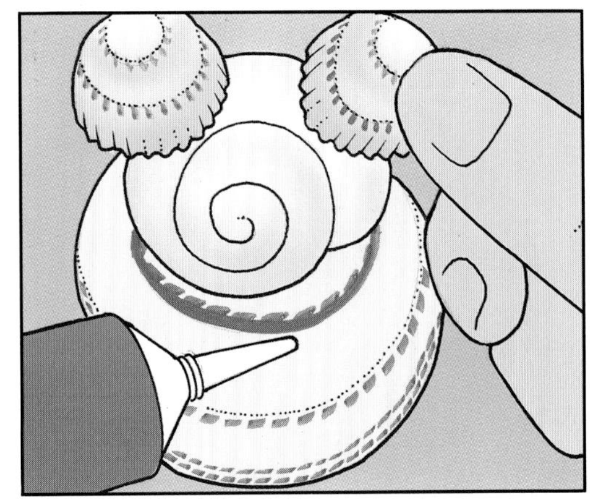

2 Quand tu seras satisfait de ton assemblage, colle ensemble les coquillages avec une colle universelle très forte.

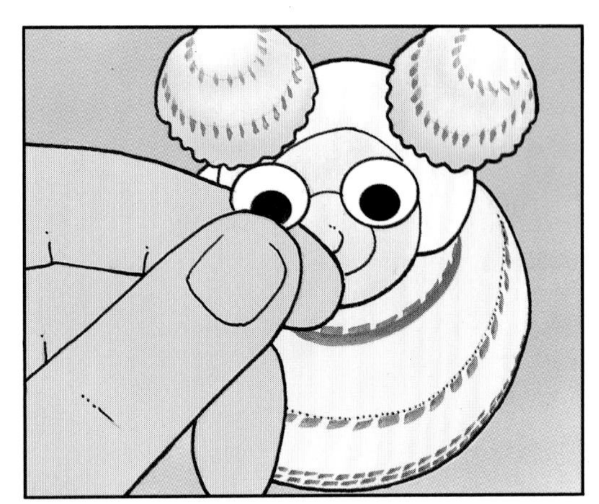

3 Colle aussi des yeux riboulants quand c'est nécessaire. C'est inutile pour les tortues et les escargots.

4 Si l'aimal a besoin d'une queue, fais-en avec une grande longueur de coton à broder et colle-la sous l'animal.

DES DESSOUS-DE-VERRE FLEURIS

De simples dessous-de-verre en liège se transformeront en idée de cadeau idéale si tu leur ajoutes des immortelles des jardins.

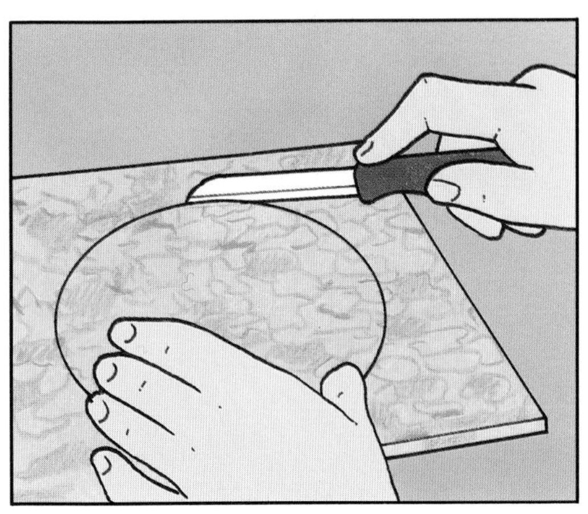

1 Avec un compas, trace un cercle de 11 cm de diamètre sur une plaque de liège. Demande à un adulte de t'aider à découper le cercle avec un couteau pointu.

4 Colle les fleurs en place. Assure-toi que la colle est bien sèche avant de te servir de tes dessous-de-verre.

3 Dispose les têtes des fleurs en rond tout autour du bord du dessous-de-verre en liège.

2 Avec des ciseaux, coupe soigneusement les tiges des immortelles séchées au ras de la fleur.

IL TE FAUT
Des fleurs séchées du type immortelles
Une plaque de liège
De la colle universelle
Un couteau pointu
Un compas et un crayon
Des ciseaux

ATTENTION : *N'utilise pas le couteau pointu sans l'aide d'un adulte.*

UN BOUQUET DE FLEURS SÉCHÉES

Un assortiment de fleurs séchées attachées avec un ruban d'une belle couleur fera un très joli cadeau d'anniversaire. Tu peux le présenter d'une façon plus originale en ajoutant un napperon en papier.

1 Assemble quelques jolies fleurs séchées pour en faire un bouquet et attache-les avec un élastique.

2 Dispose des brins de statice autour du bouquet et attache l'ensemble avec un autre élastique.

3 Fais un trou au centre d'un napperon en papier. Glisse les tiges du bouquet dans le trou.

4 Mets un point de colle pour que le napperon adhère aux tiges. Enroule un ruban autour du bouquet et termine par un joli nœud.

IL TE FAUT

Des fleurs séchées et des statices
Un napperon en papier
Du ruban
2 élastiques
De la colle universelle
Des ciseaux

DES JARDINS À LA FRANÇAISE

Autrefois, du temps des rois, on aimait bien planter les jardins suivant des dessins géométriques, que ce soit les potagers ou les parterres de fleurs. Avec nos indications, tu pourras élaborer un collage qui rappelle les jardins d'alors, en utilisant des haricots, des pois ou des lentilles.

ATTENTION : *Ne mange pas les haricots secs, tu pourrais avoir très mal au ventre !*

1 Avec des ciseaux, découpe un carré de carton fort de 15 cm de côté.

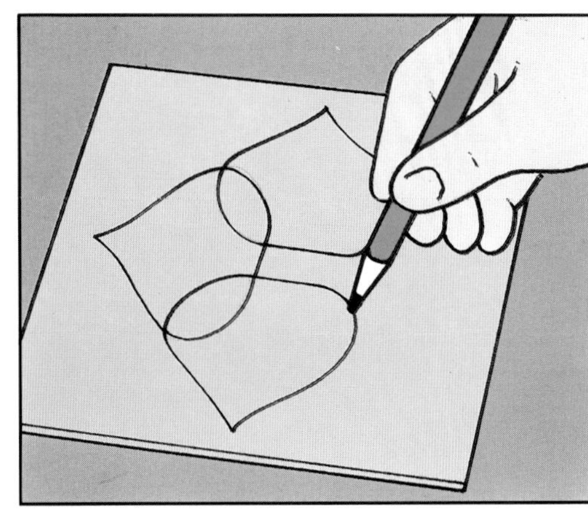

2 Avec un crayon, dessine des formes géométriques sur le carton. Tu peux aussi recopier les modèles que nous te proposons ici.

3 En commençant par le centre du modèle, étale un peu de colle sur le carton et mets quelques élements en place en appuyant dessus.

4 Continue en faisant les bords. Étale la colle au fur et à mesure, jusqu'à ce que le dessin soit complètement rempli.

DES BOÎTES DÉCORÉES DE COQUILLAGES

Tu peux décorer beaucoup de choses avec les coquillages que tu ramasses sur la plage. Ici, ils ornent le couvercle d'une boîte en bois ordinaire qui se transforme ainsi en ravissant coffret à bijoux.

IL TE FAUT
Des coquillages
Une boîte en bois
De la gouache
Un pinceau
De la colle universelle

1 Mélange la peinture avec de l'eau pour qu'elle soit facile à étaler. Peins la boîte et laisse-la sécher.

Dispose harmonieusement les coquillages sur le couvercle de la boîte. Place d'abord les plus grands.

Quand l'arrangement te convient, colle avec soin les coquillages en place.

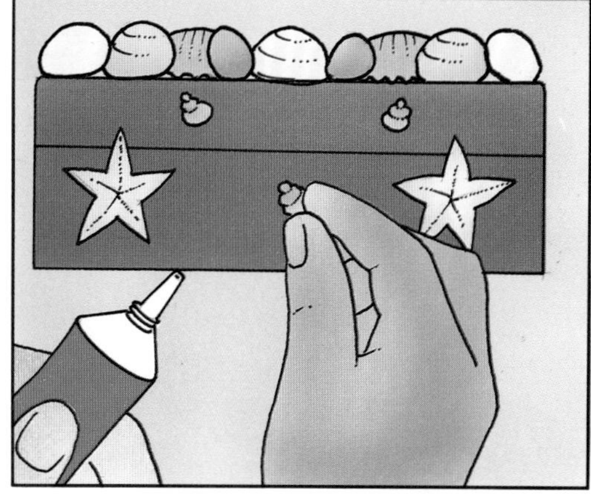

4 Tu peux laisser les côtés de la boîte tels qu'ils sont ou coller quelques petits coquillages au hasard.

DU PAPIER CADEAU EN OR

Le papier cadeau de Noël est souvent très cher. Cette année, enveloppe tes cadeaux dans du simple papier kraft, mais ajoute des décorations naturelles, comme des pommes de pin, des feuilles, et un peu de peinture dorée.

1 Enveloppe soigneusement un cadeau dans du papier kraft comme tu le fais habituellement.

2 Pour donner un air de fête, noue autour du paquet du ruban à cadeaux doré, comme sur le dessin.

3 Peins quelques pommes de pin, ou d'autres éléments, avec de la peinture dorée. Laisse sécher. Dispose les éléments sur le paquet et colle-les en place.

4 Tu peux aussi ajouter des nœuds de ruban à cadeaux et les coller au milieu des pommes de pin et des feuilles.

IL TE FAUT

Du papier kraft
Des ciseaux
Du ruban à cadeaux doré
Des pommes de pin
Des cosses
Des herbes et des feuilles séchées
Des chardons
Des bâtons de cannelle
Des écorces
De la gouache dorée
Un pinceau
De la colle universelle

BIJOUX ET PEIGNES EN FLEURS SÉCHÉES

Réalise cette jolie collection de bijoux et d'accessoires pour les cheveux. Avec une sélection de fleurs séchées de toutes les couleurs, tu pourras assortir peignes, barrettes et boucles d'oreilles ou créer des modèles à porter avec tes différentes tenues cet été.

1 Pour protéger les fleurs séchées les plus délicates, passe une couche de vernis sur les pétales.

3 Dispose une sélection de jolies fleurs séchées sur un support de broche ou le bord d'un peigne.

2 Pour les boucles d'oreilles, colle une seule fleur sur les clips. Laisse sécher dans un endroit sûr.

4 Quand l'arrangement te satisfait, colle soigneusement les fleurs en place.

IL TE FAUT

Des fleurs séchées
Des clips pour boucles d'oreilles
Des supports de broche
Des peignes
Des barrettes
De la colle universelle
Du vernis
Un pinceau

DES IMPRESSIONS À LA POMME DE TERRE

L'impression à la pomme de terre donne des résultats formidables. Sers-toi de ce procédé pour imprimer ton papier à lettres, des étiquettes de cadeaux ou tes enveloppes. Tu peux utiliser la même pomme de terre pour des couleurs différentes à condition de bien la laver à chaque fois.

IL TE FAUT

Des pommes de terre lavées
De la gouache
Un pinceau
Du papier à lettres de couleur
Du ruban
Un couteau pointu
Un crayon-feutre
Un perforateur

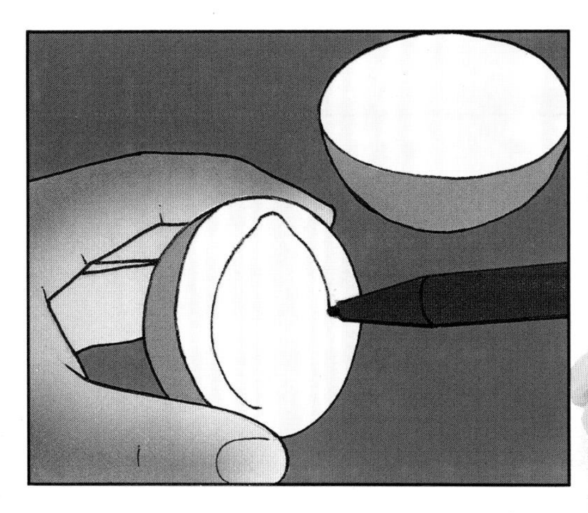

1 Coupe une pomme de terre en deux. Dessine un fruit sur une moitié avec un crayon-feutre.

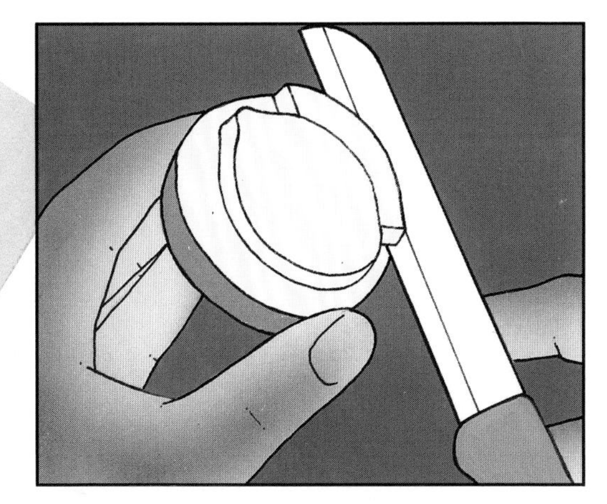

2 En maniant le couteau avec prudence, découpe soigneusement le contour du fruit que tu as dessiné et enlève la pulpe inutile pour ne garder que la forme en relief.

3 Avec un pinceau, applique une couche épaisse de peinture sur la forme en relief, puis presse-la très fortement sur le papier.

4 Tu peux imprimer un motif en haut d'une feuille de papier ou plier la feuille en deux et imprimer dessus tout un groupe de fruits.

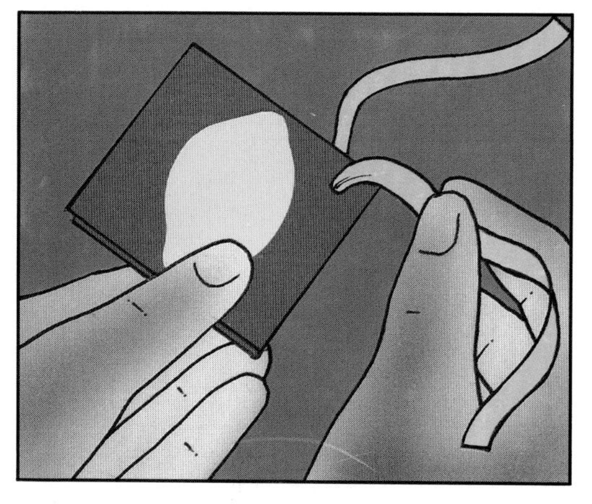

5 Pour faire une étiquette pour un cadeau, découpe un petit rectangle de papier et plie-le en deux. Fais un trou en haut de l'étiquette et passe un ruban au travers.

ATTENTION : *N'utilise pas de couteau pointu sans l'aide d'un adulte.*

DES PANIERS PARFUMÉS

Ces adorables petits paniers font un cadeau idéal si tu les remplis de pot-pourri, surtout si tu as préparé le mélange odorant toi-même. Assemble des têtes de fleurs séchées, des épices, des feuilles et des pétales, et ajoute quelques gouttes d'huile essentielle pour intensifier le parfum naturel des ingrédients.

1 Entoure l'anse du panier de ruban et passe-le autour des bords du panier si le tressage le permet.

2 Prépare le pot-pourri avec des têtes de fleurs, des pétales, des baies, des feuilles, des épices – des morceaux de bâton de cannelle par exemple – et quelques gouttes d'huile essentielle de rose, de santal ou de lavande.

IL TE FAUT
Un petit panier
Du ruban
Des fleurs séchées
Des pétales, des têtes de fleurs, des baies, des feuilles, des bâtons de cannelle
De l'huile essentielle

3 Remplis le panier avec deux ou trois poignées du mélange de pot-pourri que tu as préparé.

4 Fais des mini-bouquets de fleurs séchées et attache-les à l'anse du panier avec des nœuds de ruban.

DES PRESSE-PAPIERS FLEURIS

Personne ne croira que tu as fait toi-même ces merveilleux presse-papiers. Il te faudra acheter le verre et le vernis dans une boutique spécialisée, mais tu peux cueillir et faire sécher les fleurs en suivant les instructions que nous te donnons page 12.

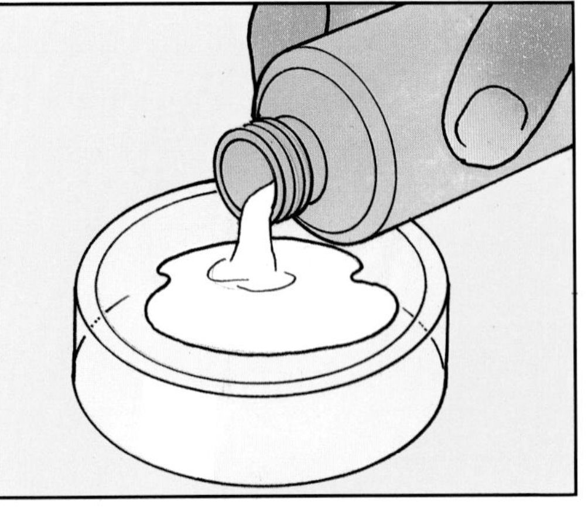

1 Verse un peu de vernis dans la partie creuse du presse-papiers. Remue la base pour faire glisser le vernis afin qu'il recouvre bien le fond.

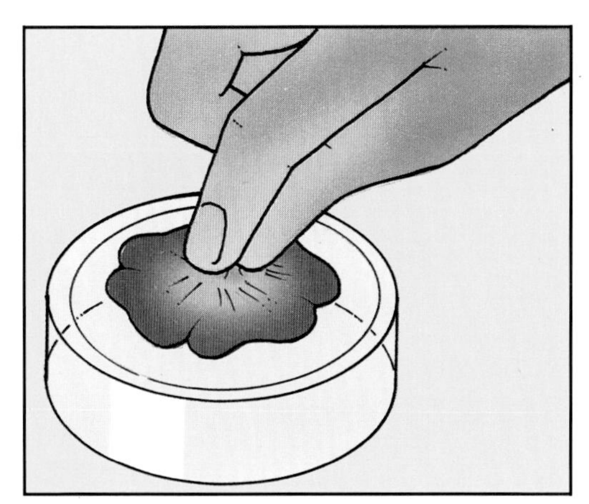

2 Pose une fleur, face contre le vernis, avec délicatesse. Verse un peu plus de vernis afin de recouvrir complètement la fleur.

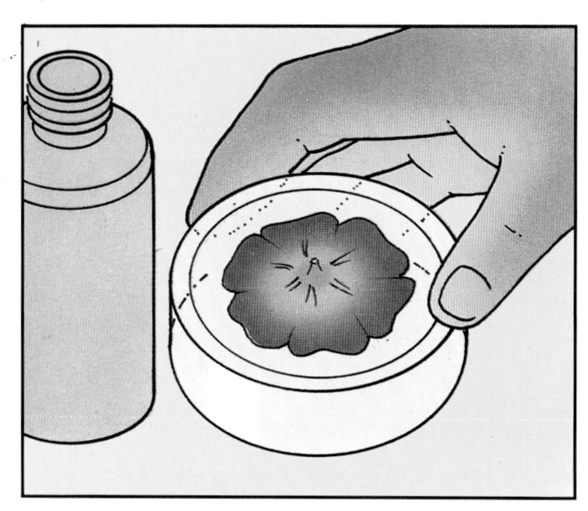

3 Remue à nouveau le presse-papiers pour que le vernis se répartisse bien. Laisse-le durcir au moins trois ou quatre jours.

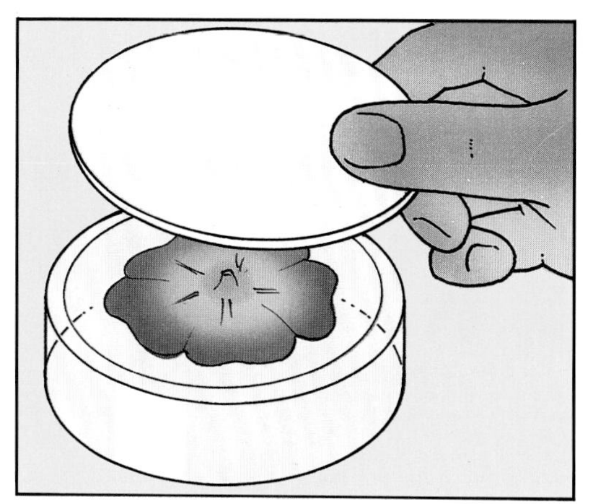

4 Découpe un morceau de carton de la taille de la partie creuse du presse-papiers. Achève le presse-papiers en couvrant la base d'un morceau de feutrine autocollante.

IL TE FAUT

Un presse-papiers de verre avec une partie creuse
Du vernis
Des fleurs séchées
Du carton et des ciseaux
De la feutrine autocollante

COLLIERS ET BRACELETS EN GRAINES

Tu peux faire de très jolis bijoux avec des graines de melon et de citrouille. Colore-les avec des crayons-feutres et enfile-les sur du fil élastique pour faire des bracelets et des colliers flamboyants.

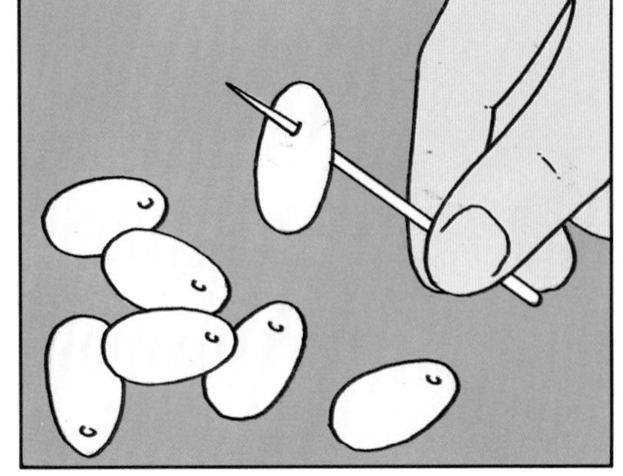

1 Laisse les graines sécher toute une nuit, puis fais un trou dans chacune d'elles avec une grosse aiguille très délicatement.

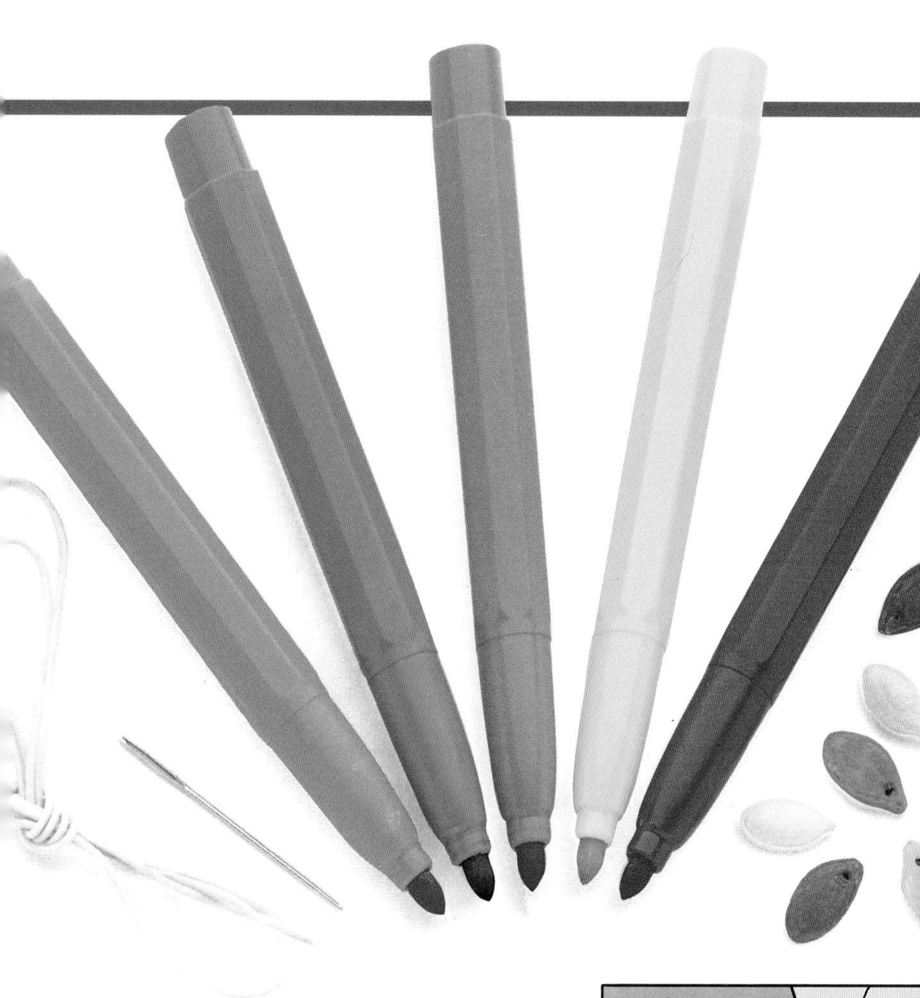

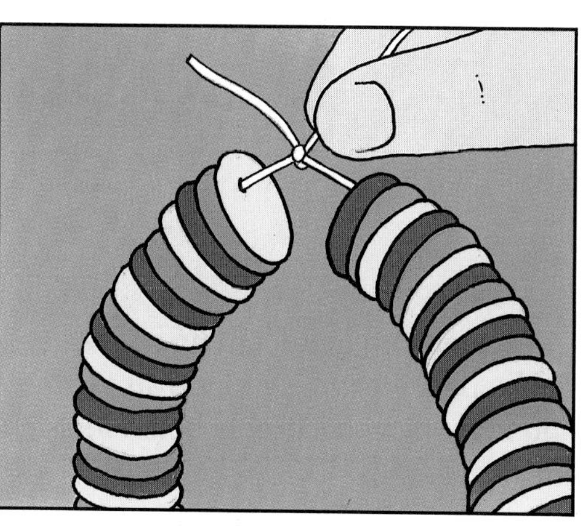

4 Attache les bouts de l'élastique ensemble en faisant un nœud serré. Fais glisser les graines le long de l'élastique pour cacher le nœud.

2 Colorie un côté des graines avec des crayons-feutres. Laisse sécher, puis colorie l'autre côté des graines.

3 Enfile les graines sur du fil élastique jusqu'à ce que tu aies une longueur suffisante pour un collier, un bracelet ou un élastique à cheveux.

IL TE FAUT
- Des graines de citrouille ou de melon
- Des crayons-feutres indélébiles
- Une grosse aiguille
- Du fil élastique

DES DESSINS DE FICELLE

Cette boîte originale fera un coffret à bijoux parfait. La ficelle peut être collée en suivant le tracé du dessin que tu souhaites pour décorer la boîte. Mais choisis plutôt des formes simples.

IL TE FAUT
Une boîte en bois
Un crayon
Des bouts de différentes ficelles
De la gouache
Un pinceau
De la colle universelle

1 Mélange la peinture avec de l'eau pour obtenir une solution bien diluée. Peins la boîte entièrement et laisse-la sécher.

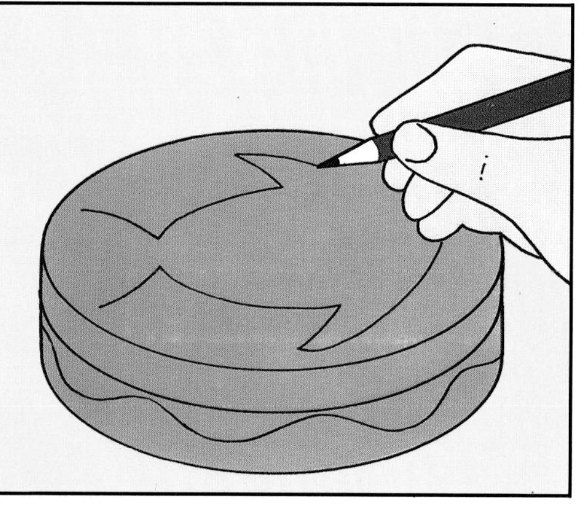

2 Avec un crayon, dessine une forme de poisson, ou de tout autre animal, sur le couvercle et une ligne ondulée tout autour de la boîte.

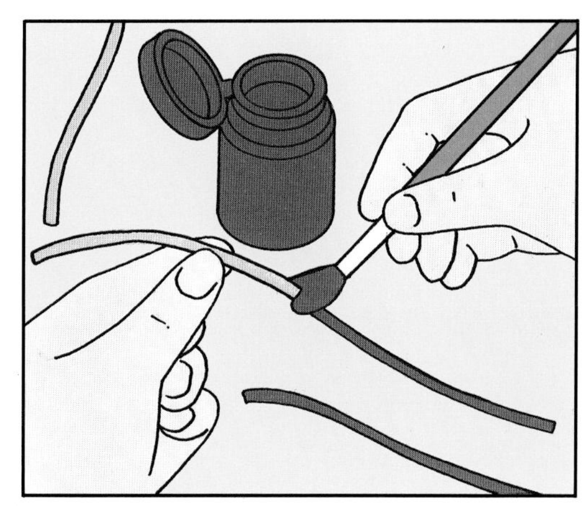

3 Peins les ficelles avec de la gouache non diluée et laisse sécher. Mets de la colle sur le tracé de ton dessin et colle la ficelle dessus.

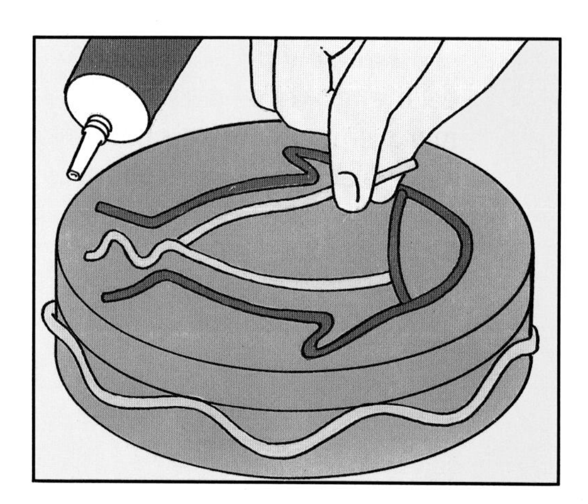

4 Décore le poissson avec des morceaux de ficelle droits et d'autres ondulés. Colle-les en place sur la boîte. Fais un tortillon de ficelle fine pour l'œil et colle-le sur le poisson.

DES MARQUE-PAGES FLEURIS

Presser et faire sécher des fleurs est une occupation très amusante qui permet ensuite de réaliser toutes sortes de décorations et de cadeaux originaux, comme ces ravissants marque-pages. Tu dois prendre des fleurs fraîches et si possible assez plates, cela te facilitera la tâche pour les presser.

1 Place une feuille de papier buvard à l'intérieur d'un grand livre épais. Dispose des petites feuilles et des fleurs très colorées sur le papier buvard.

2 Place une seconde feuille de papier buvard sur les fleurs et les feuilles. Referme le livre et range-le dans un endroit où personne ne le touchera.

3 Au bout de quelques semaines, ouvre le livre et retire les fleurs avec une pince à épiler. Dispose les fleurs et les feuilles sur une bande de carton. Quand la disposition te satisfait, colle les fleurs et les feuilles en place.

4 Protège les fleurs en recouvrant les marque-pages d'un film de plastique transparent autocollant. Lisse bien avec une règle pour ôter les bulles d'air. Coupe les bords du plastique avec des ciseaux et colle un nœud de ruban étroit.

LES CITROUILLES MAGIQUES

Dans les pays anglo-saxons, un peu avant Noël, les enfants fêtent Hallowen. Ils se déguisent et fabriquent des lanternes avec des citrouilles (ou, comme sur la photo, avec de gros rutabagas) pour éloigner les fantômes.
Tu peux toi aussi essayer d'en faire une, c'est très facile.
Mets une bougie à l'intérieur et place la lanterne devant la fenêtre.

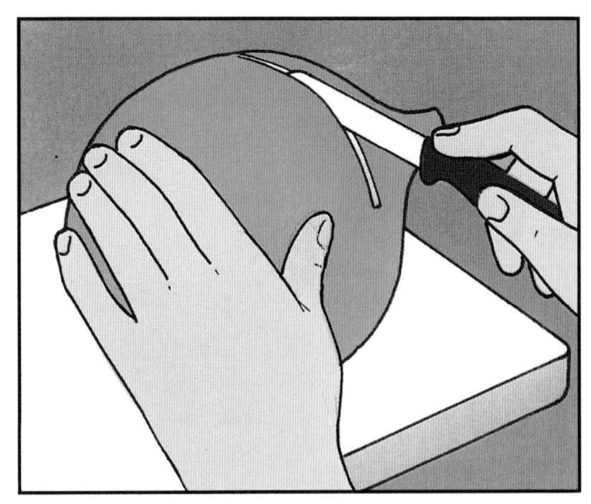

1 Avec un couteau pointu, découpe le haut d'une citrouille ou d'un rutabaga. Demande à un adulte de t'aider.

ATTENTION : *N'utilise pas le couteau pointu sans l'aide d'un adulte.*

2 Vide l'intérieur avec un couteau. Demande à un adulte de t'aider. Avec un crayon-feutre, dessine une tête sur le devant de la citrouille ou du rutabaga.

3 Découpe soigneusement le contour des yeux, du nez et de la bouche avec un couteau pointu. Pousse les morceaux de l'intérieur vers l'extérieur.

IL TE FAUT
Une citrouille ou un rutabaga
Un couteau pointu
Un crayon-feutre
Une bougie de chauffe-plat

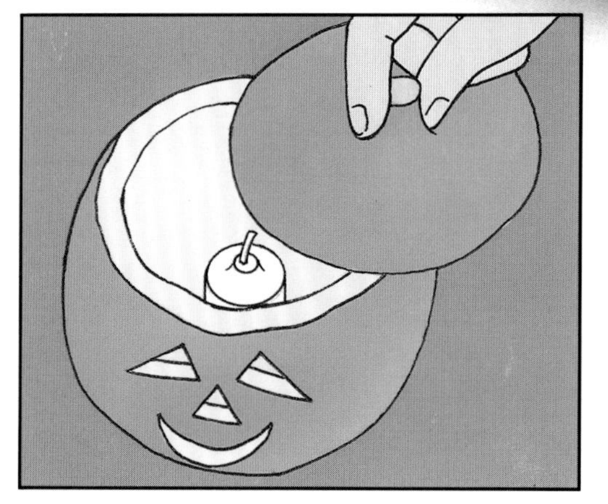

4 Place une bougie de photophore ou de chauffe-plat à l'intérieur de la lanterne. Demande à un adulte de l'allumer. Remets le couvercle mais surveille la lanterne quand elle est allumée.

DES HERBES PARFUMÉES POUR LE BAIN

Accroche ces petits sachets d'herbes aux robinets de la baignoire. En coulant au travers, l'eau s'imprégnera du parfum des herbes. Tu peux utiliser les mélanges que nous te proposons ici ou inventer tes propres combinaisons.

1 Coupe un rond de 18 cm de diamètre dans de la mousseline. Mets quelques pincées d'un mélange d'herbes parfumées au centre du rond.

2 Ajoute une cuillerée à soupe de son ou d'avoine pour adoucir l'eau. Rassemble les bords du tissu et ferme le sachet avec un morceau de ruban.

3 Noue les extrémités du ruban en faisant une rosette de manière à pouvoir attacher le sachet au robinet.

4 Pour finir, glisse quelques brins d'herbes ou de lavande sous le ruban.

UN POT-POURRI DE NOËL

Ces compositions odorantes sont très décoratives et auront un air de fête avec ces rubans de velours de couleurs vives. Fabrique toi-même ton pot-pourri avec des têtes de fleurs séchées et des essences parfumées ou achète-le tout préparé.

IL TE FAUT
Un gros pinceau
De la colle vinylique
Une balle en mousse pour fleuriste
Du pot-pourri
Du ruban de velours
De la colle universelle
Du fil et une aiguille

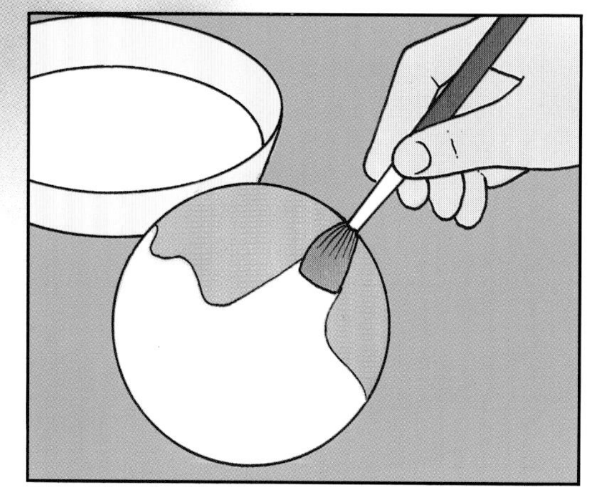

1 Avec un gros pinceau, enduis de colle vinylique une petite balle de mousse pour fleuriste. Applique le pot-pouri sur la boule pendant que la colle est encore un peu humide.

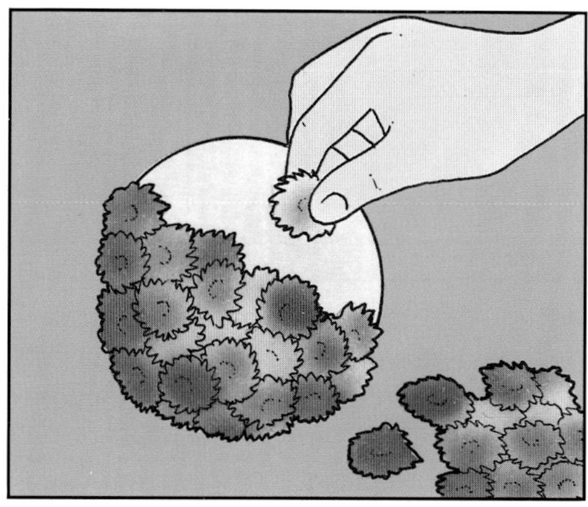

2 Assure-toi que la boule est complètement recouverte de pot-pourri, puis mets-la à sécher toute la nuit dans un endroit où personne n'y touchera.

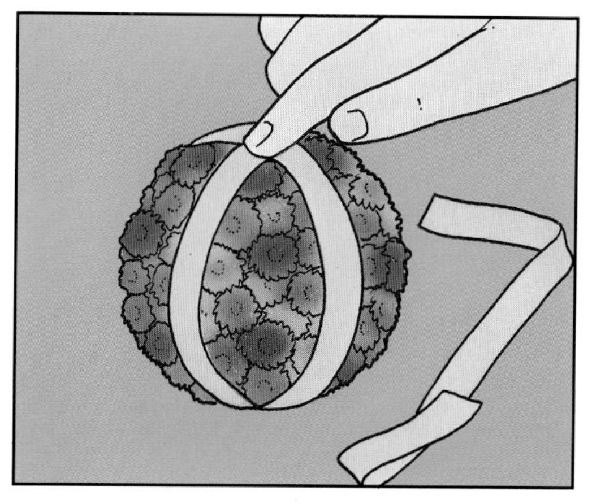

3 Coupe deux longueurs de ruban de la taille de la circonférence de la boule. Colles-les en place.

4 Fais une petite boucle en ruban et colle-la ou couds-la sur la balle afin de pouvoir la suspendre.

5 Enfin, fais un nœud de ruban et colle-le sur le dessus de la balle.

DES DÉCORATIONS DE NOËL

Ces superbes décorations dorées pour arbre de Noël sont faites de pommes de pin et de feuilles de lierre que tu auras ramassées lors d'une promenade en forêt ou même dans ton jardin.

1 Avec un pinceau, passe une couche de peinture dorée sur les pommes de pin et les feuilles de lierre. Allonge la peinture avec de l'eau pour donner une transparence.

2 Pour la pomme de pin, coupe un morceau de ruban et fais un gros nœud. Colle-le à la base de la pomme de pin, comme sur le dessin.

3 Prends deux ou trois feuilles de lierre et colle-les sur une autre longueur de ruban en laissant une distance entre chaque feuille. Fais deux nœuds avec du ruban plus large et colle-les entre les feuilles, comme sur le dessin.

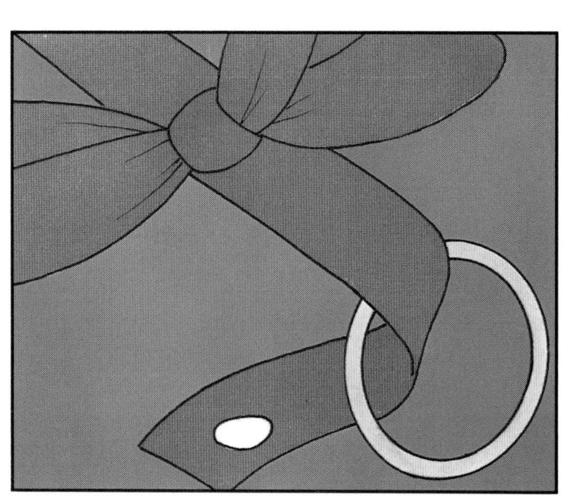

4 Passe le haut du ruban dans un anneau de rideau. Replie le ruban et colle-le derrière le nœud du haut.

IL TE FAUT

Des pommes de pin
Des feuilles de lierre
De la peinture acrylique dorée
Un pinceau
De la colle universelle
Des anneaux de rideau
Du ruban
en deux largeurs

LES PETITS SKIEURS

Ces petits skieurs en pommes de pin décoreront joliment un gâteau d'anniversaire ou la table de Noël, ou bien ils glisseront le long des branches de ton sapin. Les matériaux utilisés ici permettent de fabriquer un skieur.

IL TE FAUT

Une pomme de pin
Deux pique-olives en bois
Une balle de coton de 3,5 cm
Une tasse de thé très fort
Un clou de girofle
Des chutes de feutrine
Des crayons-feutres
De la peinture acrylique
et des pinceaux
Du carton de couleur et des ciseaux
De la colle et deux cure-pipes

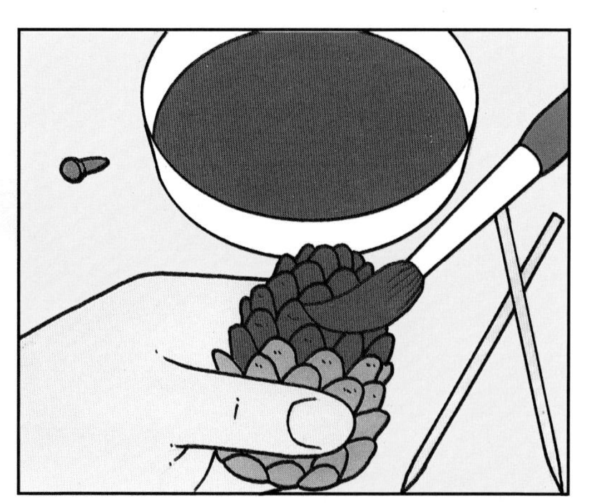

1 Peins avec de la peinture acrylique la pomme de pin, le clou de girofle et les pique-olives. Colore la balle de coton avec un pinceau trempé dans du thé très fort. Lorsque tout est sec, colle la balle de coton sur le haut de la pomme de pin.

2 Introduis le clou de girofle dans la balle de coton pour faire le nez. Dessine les yeux et la bouche avec des crayons-feutres. Pour l'écharpe, coupe une bande de feutrine,
et fais des franges aux deux bouts.
Noue-la autour du cou.

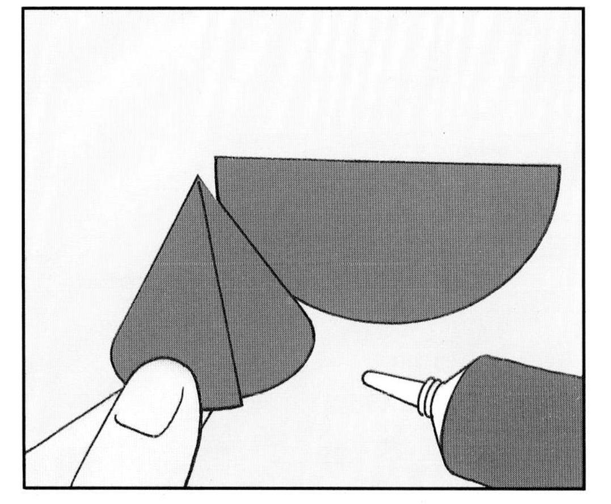

3 Pour le chapeau, découpe un rond de feutrine de 10 cm de diamètre. Coupe-le en deux, colle les bords pour former un cône et colle ce chapeau sur la tête.

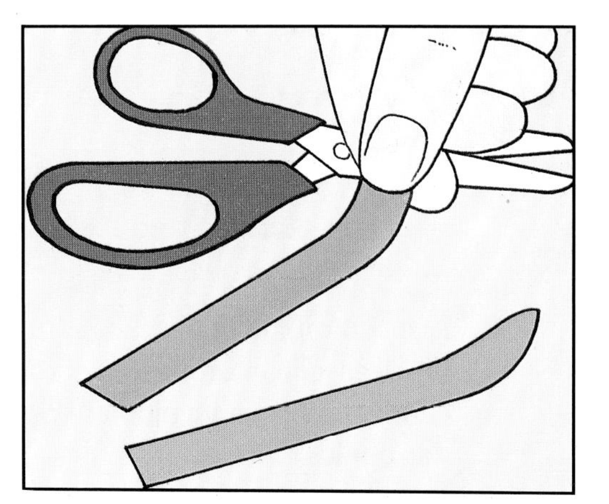

4 Coupe deux bandes de carton terminées par une pointe pour faire les skis. Avec les doigts, remonte les pointes vers le haut et maintiens-les incurvées. Colle-les sous la pomme de pin.

5 Pour les bras, coupe deux cure-pipes afin qu'ils aient 14 cm de long. Tords-les ensemble et entortille-les autour de la pomme de pin. Recourbe les bouts des cure-pipes autour des pique-olives.

UNE COURONNE DE NOËL EN RAPHIA

IL TE FAUT
Du raphia naturel
Cinq petites boules de Noël rouges
Du ruban à cadeaux étroit rouge
Des fleurs séchées rouges et roses
Du ruban adhésif
De la colle universelle
Des ciseaux

Avec du raphia et des fleurs, tu pourras composer une très jolie couronne à accrocher tout au long de l'année. Mais en lui ajoutant des rubans scintillants et des boules de Noël,
tu en feras un élément décoratif
idéal pour cette fête.

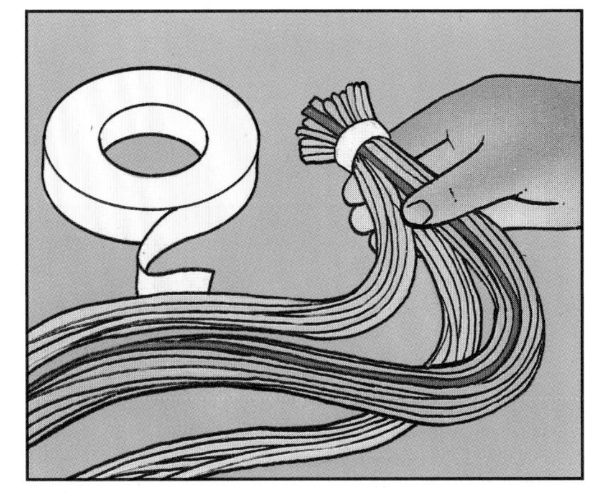

1 Coupe trois gerbes de raphia naturel de 50 cm de long et une longueur équivalente de ruban à cadeaux. Attache le raphia et le ruban à cadeaux ensemble à une extrémité, et dissimule la jonction avec du ruban adhésif.

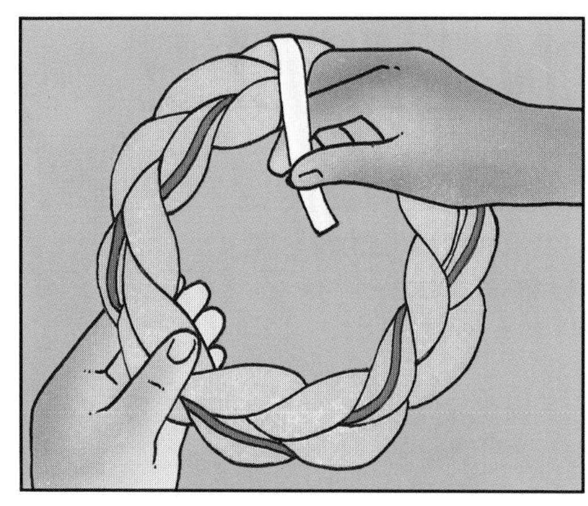

2 Tresse le raphia et le ruban à cadeaux et, quand tu as terminé, réunis les deux extrémités pour former un cercle. Attache les bouts ensemble avec du ruban adhésif.

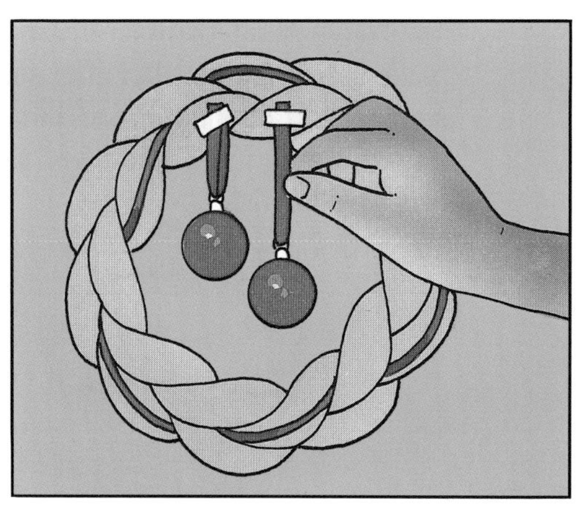

3 Enfile trois boules de Noël dans trois longueurs de ruban et suspends-les à l'intérieur de la couronne avec du ruban adhésif. Colle des fleurs sur le haut des boules.

4 Choisis quelques fleurs séchées avec des tiges assez longues et colle-les de chaque côté du haut de la couronne. Colle aussi quelques têtes de fleurs séchées et les autres boules sur le haut de la couronne pour cacher le ruban adhésif.

LES ANGES EN PAILLE

Faits d'éléments complètement naturels, ces anges en paille seront du plus bel effet suspendus dans ton arbre de Noël cette année. Place dans les bras de chaque ange un petit bouquet de fleurs séchées ou une poignée de pommes de pin.

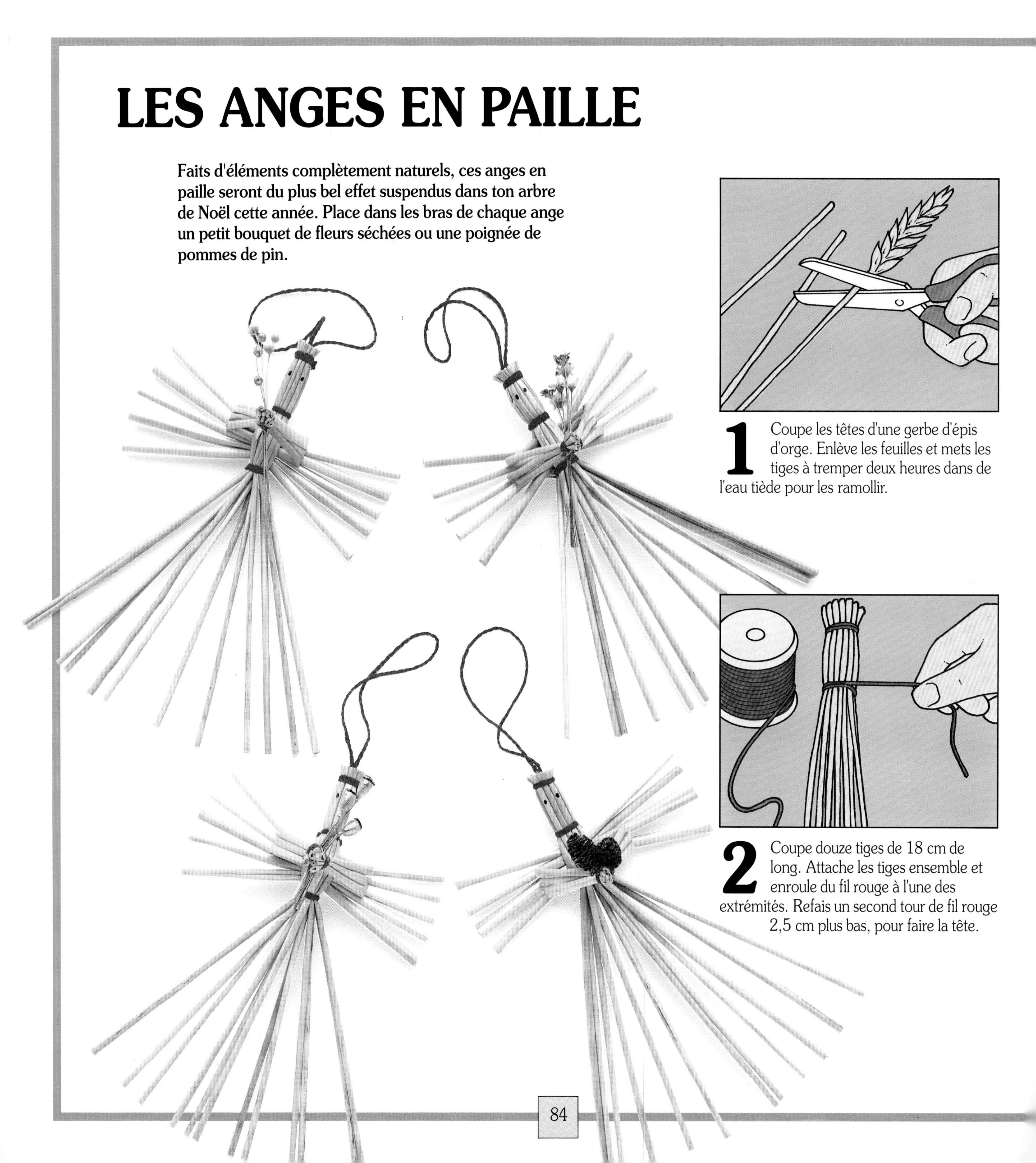

1 Coupe les têtes d'une gerbe d'épis d'orge. Enlève les feuilles et mets les tiges à tremper deux heures dans de l'eau tiède pour les ramollir.

2 Coupe douze tiges de 18 cm de long. Attache les tiges ensemble et enroule du fil rouge à l'une des extrémités. Refais un second tour de fil rouge 2,5 cm plus bas, pour faire la tête.

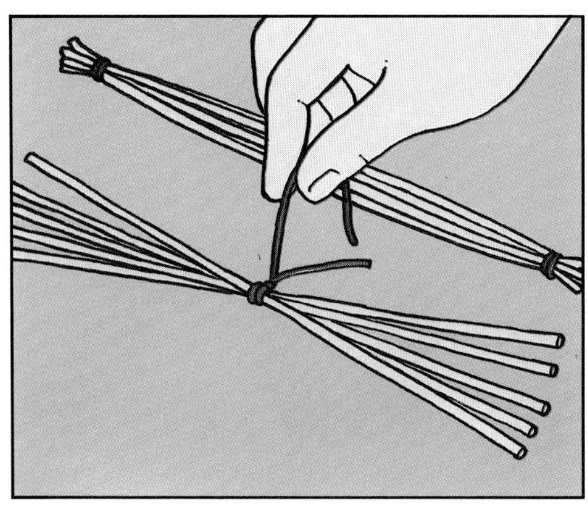

3 Pour faire les ailes, coupe quatre tiges de 12,5 cm de long et attache-les ensemble par le milieu. Pour les bras, coupe trois tiges de 12,5 cm de long et attache-les ensemble à chaque extrémité avec du fil rouge.

5 Courbe les bras vers l'avant pour qu'ils se rejoignent, et colle les mains ensemble. Pour finir, fais une boucle de fil rouge et colle-la derrière la tête.

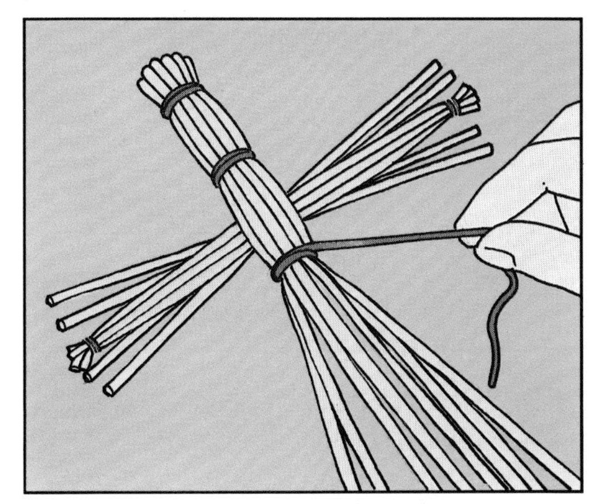

4 Glisse les bras et les ailes entre les longues tiges qui forment le corps, et mets un lien de fil rouge juste en dessous pour marquer la taille.

IL TE FAUT

- De l'orge ou du blé séchés
- Du coton à broder rouge ou de la laine
- De la colle universelle
- Des fleurs séchées
- Des pommes de pin
- Des ciseaux

LE PÈRE NOËL ET SES AIDES

Compose ce joyeux groupe de personnages typiques de Noël avec de la pâte à sel – de la farine, du sel et de l'eau mélangés pour faire une pâte. Peins-les de couleurs vives et accroche-les dans ton sapin.

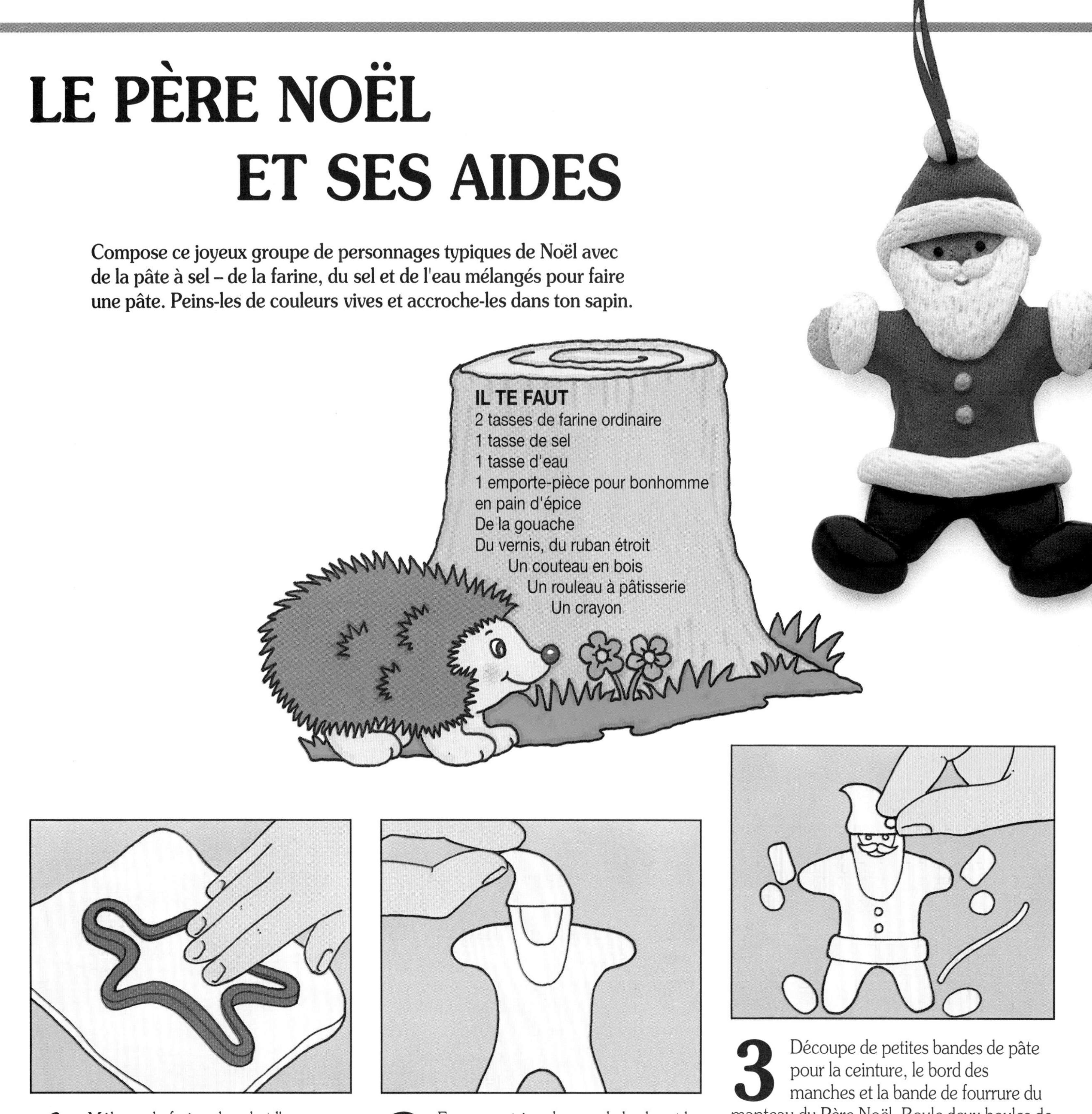

IL TE FAUT

2 tasses de farine ordinaire
1 tasse de sel
1 tasse d'eau
1 emporte-pièce pour bonhomme en pain d'épice
De la gouache
Du vernis, du ruban étroit
Un couteau en bois
Un rouleau à pâtisserie
Un crayon

1 Mélange la farine, le sel et l'eau pour faire une pâte bien ferme. Étale-la en une plaque de 1 cm d'épaisseur et découpe soigneusement les personnages avec l'emporte-pièce.

2 Forme un triangle pour la barbe et le chapeau, aplatis-les et pose-les sur la tête en appuyant bien. Recourbe le chapeau des lutins.

3 Découpe de petites bandes de pâte pour la ceinture, le bord des manches et la bande de fourrure du manteau du Père Noël. Roule deux boules de pâte pour les chaussures et deux petites boules pour les boutons. Prends des bouts de pâte pour les moustaches, les yeux et le nez. Place tous les éléments en appuyant doucement sur la pâte. Fais un trou dans le chapeau pour y passer du ruban.

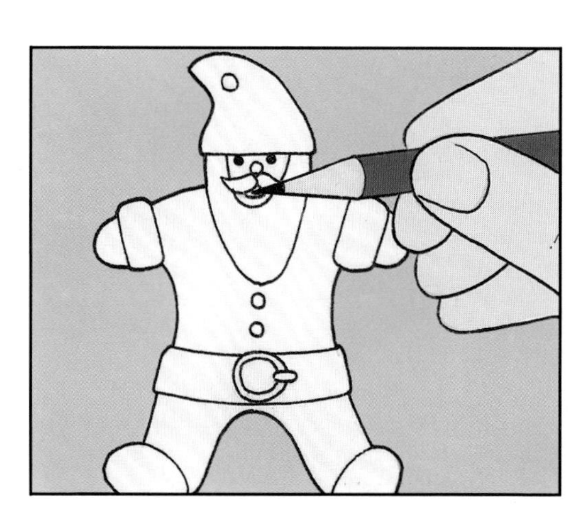

4 Dessine un sourire au-dessus de la barbe avec la pointe d'un crayon. Fais de petites marques sur les manchons en fourrure du Père Noël et sur chaque barbe avec un couteau en bois.

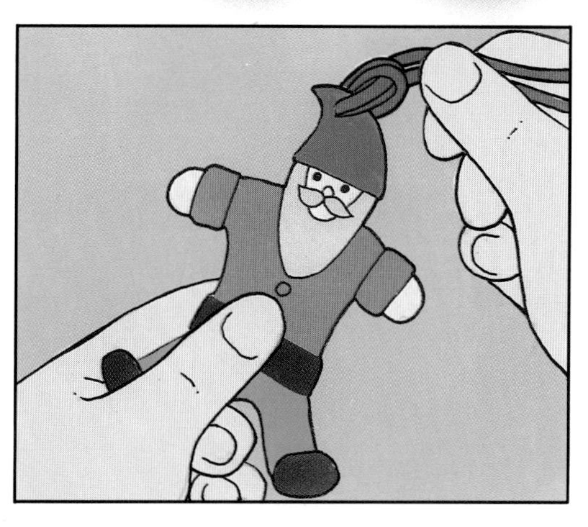

5 Demande à un adulte de t'aider à faire cuire tes personnages dans le four à thermostat 1 ou 2 (110 °C) pendant quatre heures. Quand les personnages auront refroidi, peins-les de couleurs vives. Laisse sécher avant de vernir. Attache les petits bonshommes un par un à l'arbre de Noël avec des rubans.

ATTENTION : *N'utilise pas le four sans l'aide d'un adulte.*

LA BÛCHE DE NOËL

Cette année, pour Noël, fabrique ce magnifique centre de table avec des écorces, des petites branches de sapin et des pommes de pin, que tu auras ramassées lors d'une promenade en forêt. Assure-toi que les écorces sont bien sèches avant de les utiliser.

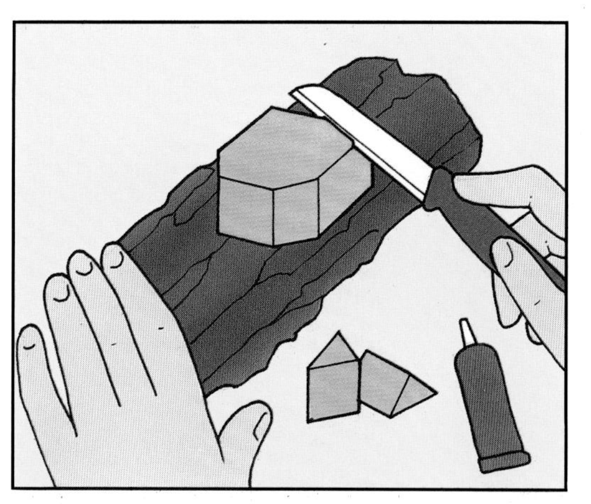

1 Avec un couteau en bois, coupe une tranche de mousse pour fleuriste de 6 cm d'épaisseur. Colle la mousse sur le dessus de l'écorce et, quand c'est sec, enlève les coins comme sur le dessin.

2 Humidifie la mousse et enfonce un support pour bougie dedans. Place la bougie dans le support.

3 Pique de petites branches de sapin dans la mousse et colle quelques pommes de pin de chaque côté du support pour bougie.

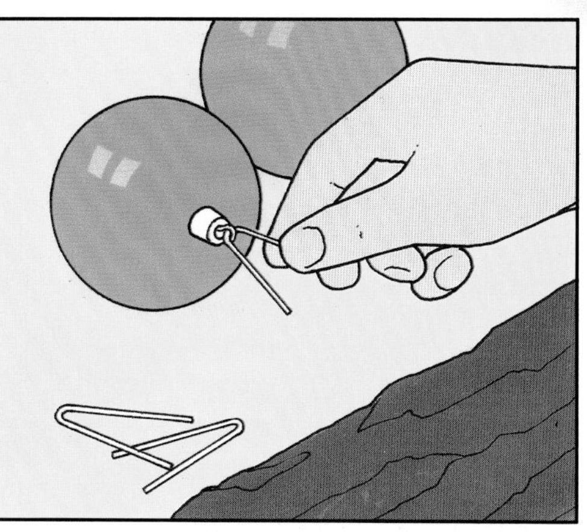

4 Recourbe un bout de fil de fer et passe-le au travers de la boucle qui sert à accrocher les boules de Noël. Plante les boules au milieu des petites branches de sapin.

IL TE FAUT

De l'écorce d'arbre
De la mousse pour fleuriste
Une bougie rouge et son support
Des petites branches de sapin
Des boules de Noël dorées
Du fil de fer pour fleuriste
De la colle universelle
Un couteau en bois
Des pommes de pin

DES RONDS DE SERVIETTES EN RAPHIA

Ces ronds de serviettes colorés sont faits de carton et de raphia naturel. Une fois terminés, tes ronds seront tellement beaux que personne ne voudra croire que tu ne les as pas achetés dans une boutique à la mode.

IL TE FAUT

Du raphia naturel
De la teinture pour tissu
Un tube en carton
De la colle universelle
Des ciseaux

ATTENTION : Demande à un adulte de t'aider à préparer la teinture.

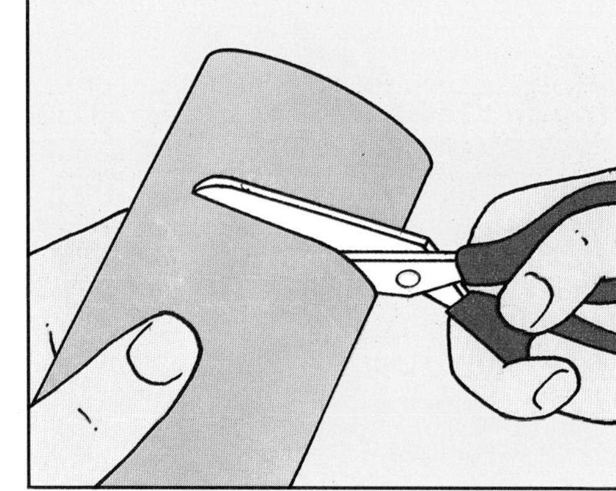

2 Retire le raphia, rince-le bien et laisse-le sécher. Coupe un tube en carton en rondelles de 3,5 cm.

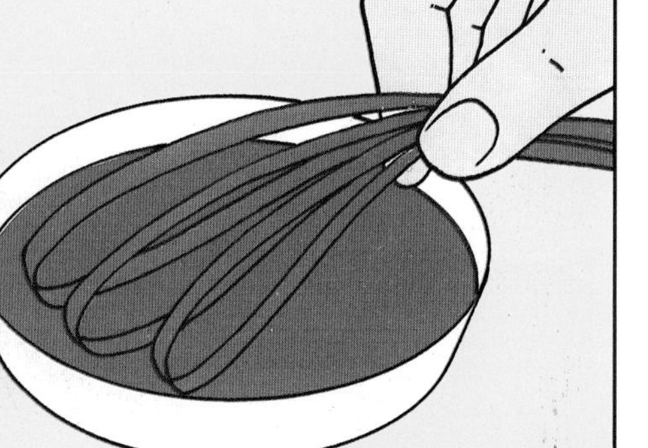

1 Demande à un adulte de t'aider à préparer la teinture pour tissu en suivant les instructions du fabricant. Laisse tremper les longueurs de raphia dans la teinture quelques minutes.

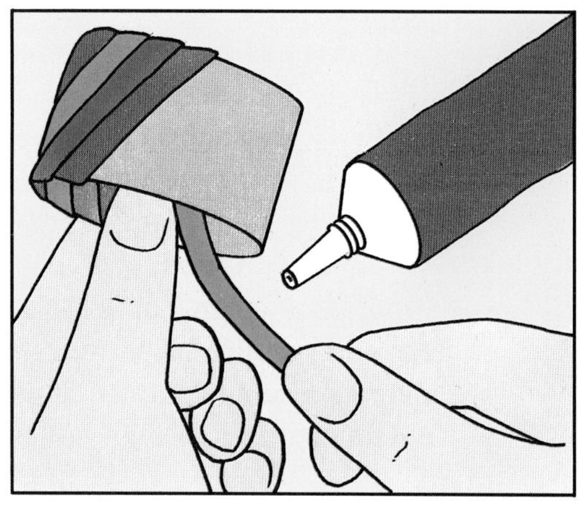

3 Entoure un des ronds en carton de raphia de couleur, en l'enroulant en diagonale et en collant les extrémités du raphia à l'intérieur pour qu'il tienne bien.

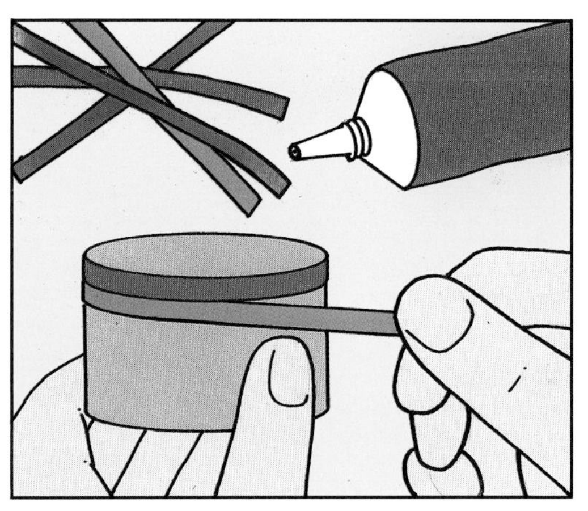

4 Tu peux aussi enrouler le raphia d'une autre manière en le plaçant horizontalement. Colle toujours les extrémités à l'intérieur.

PATRONS

Les pages qui suivent contiennent les patrons nécessaires à la fabrication de certains objets proposés dans ce livre.
Avant de reproduire l'un d'entre eux, lis attentivement les instructions données pour chaque création.
Si tu souhaites utiliser le même patron plusieurs fois, recopie le tracé avec un crayon et du papier-calque.
Retourne le calque sur le carton sur lequel tu veux reproduire le patron.
Appuie fermement sur le pourtour avec un crayon. La forme apparaîtra sur le carton. Découpe-la. Si tu gardes soigneusement le patron, tu pourras l'utiliser indéfiniment.

LE CACATOÈS EN FLEURS SÉCHÉES

Page 14

DES ANIMAUX EN GRAINES

Page 16

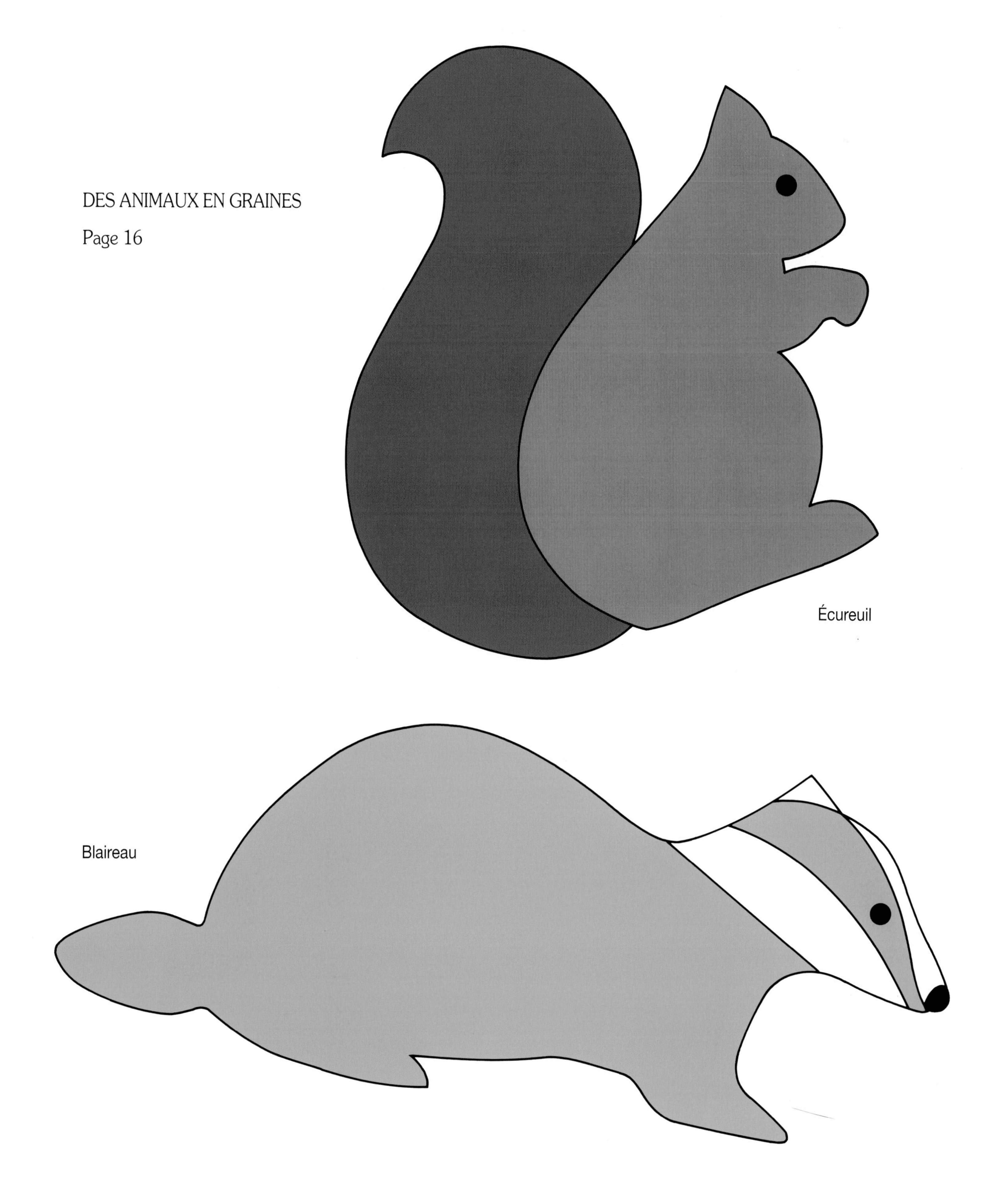

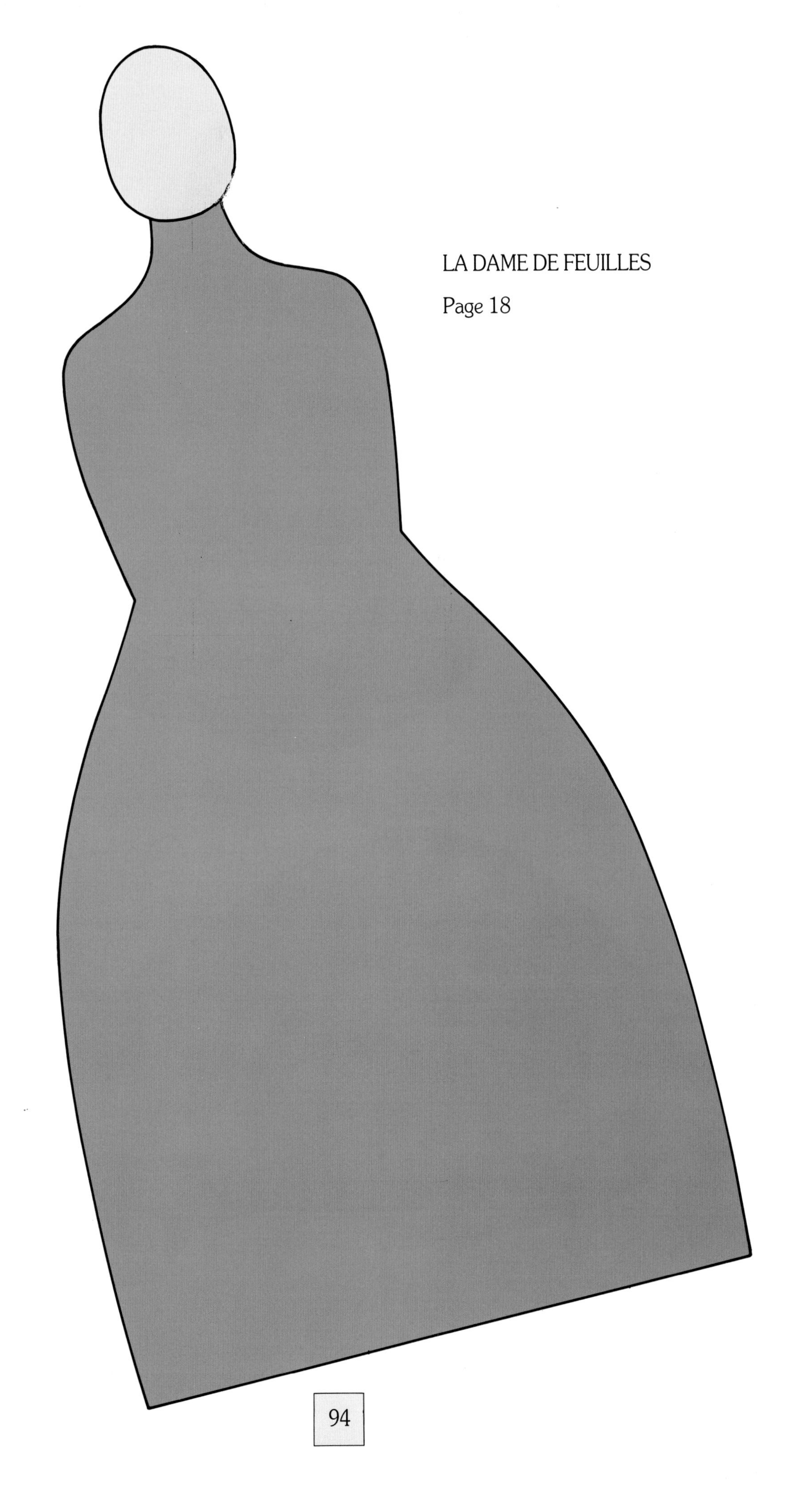

LA DAME DE FEUILLES

Page 18

MADAME HÉRISSON

Page 32

DES CŒURS EN POT-POURRI

Page 42

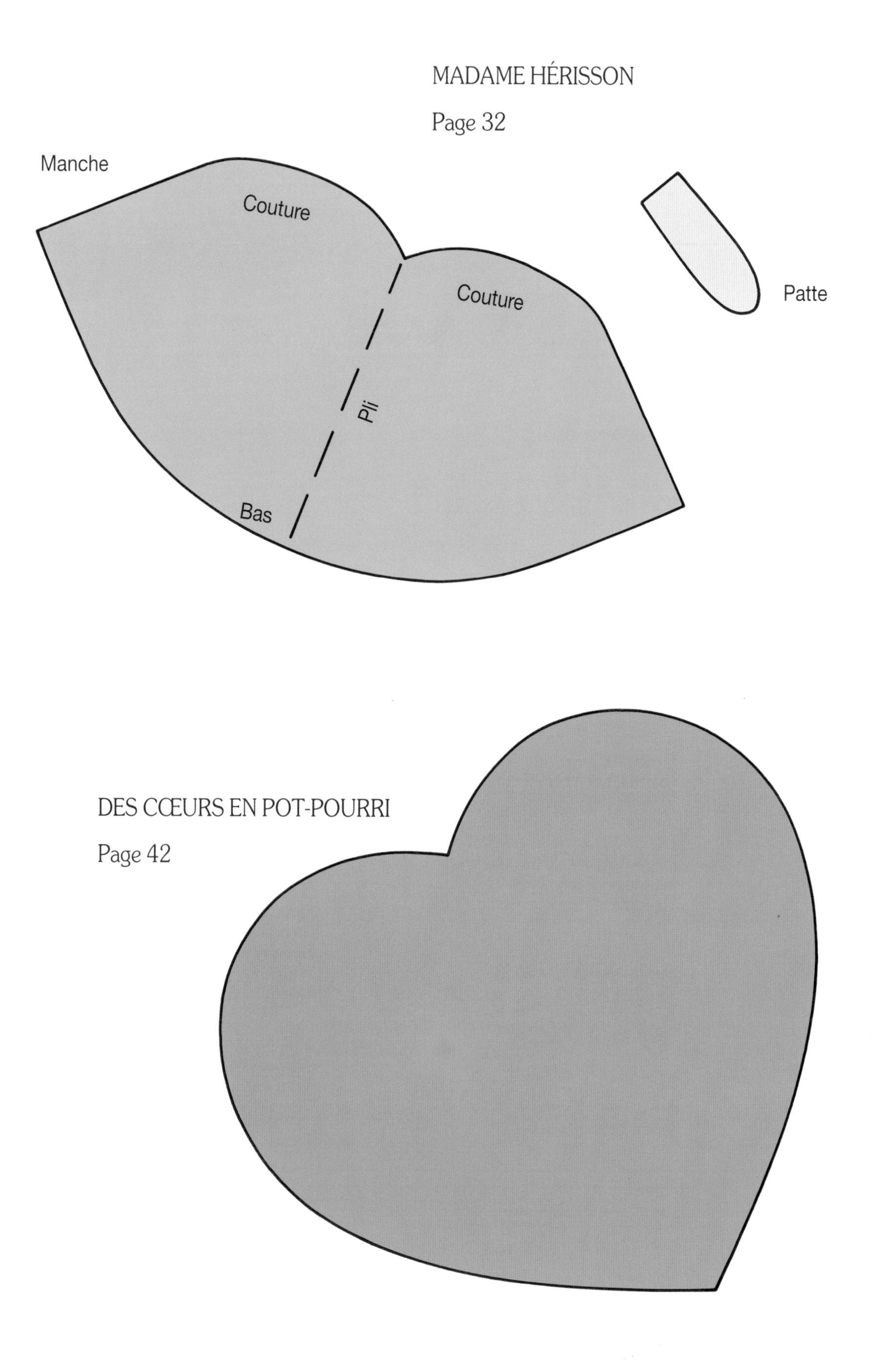

INDEX

INDEX GÉNÉRAL

Achevé d'imprimer : février 1998
Dépôt légal en France : mars 1998
Dépôt légal en Belgique : D-1998-0621-64